Ian Slater

CAP SUR L'ENFER

Traduit de l'anglais par
Gilbert LaRocque

LES ÉDITIONS DE L'HOMME *

CANADA: 955, rue Amherst, Montréal H2L 3K4
EUROPE: 21, rue Defacqz — 1050 Bruxelles, Belgique

* Filiale du groupe Sogides Ltée

Couverture
- Maquette:
  GAÉTAN FORCILLO
Maquette intérieure
- Conception graphique:
  GAÉTAN FORCILLO

DISTRIBUTEURS EXCLUSIFS:

- Pour le Canada
  AGENCE DE DISTRIBUTION POPULAIRE INC.,*
  955, rue Amherst, Montréal H2L 3K4, (514/523-1182)
  *Filiale du groupe Sogides Ltée

- Pour l'Europe (Belgique, France, Portugal, Suisse,
  Yougoslavie et pays de l'Est)
  OYEZ S.A. Muntstraat, 10 — 3000 Louvain, Belgique
      tél.: 016/220421 (3 lignes)

- Ventes aux libraires
  PARIS: 4, rue de Fleurus; tél.: 548 40 92
  BRUXELLES: 21, rue Defacqz; tél.: 538 69 73

- Pour tout autre pays
  DÉPARTEMENT INTERNATIONAL HACHETTE
  79, boul. Saint-Germain, Paris 6e, France; tél.: 325 22 11

L'édition originale de cet ouvrage a été publiée en 1977
par Bantam Books par arrangement avec McClelland
and Stewart Limited sous le titre *Firespill*

Tous droits réservés
Bibliothèque nationale du Québec
Dépôt légal — 2ème trimestre 1978
ISBN-0-7759-0592-5

L'auteur

Ian Slater vit au Canada, à Vancouver, mais il a voyagé à travers le monde. Né en Australie, il y a occupé des fonctions aux ministères de la Marine et des Affaires extérieures, et a servi comme officier au Joint Intelligence Bureau. Il a également travaillé à l'Institut océanographique de Wellington, en Nouvelle-Zélande, et à l'Institut océanographique de la Colombie-Britannique en tant que spécialiste de la géologie marine. Il a obtenu en 1977 un doctorat en Sciences politiques de cette dernière université.

Critique de cinéma de longue date, Ian Slater écrit également des textes pour CBC.

Remerciements

Je tiens à remercier les personnes et organismes suivants dont l'aide m'a été très précieuse dans la rédaction de ce roman:

Mon collègue du Département de géologie de l'Université de la Colombie-Britannique, Robert Macdonald et le Dr K.L. Pinder du Département de Génie chimique de la même université;

Les Forces Armées canadiennes et la United States Air Force, en particulier le major D.M. Ryan, le capitaine W.R. Aikman, le sous-lieutenant M.A. Dunne et le lieutenant Gary Davis;

Enfin, la dernière et non la moindre, ma femme Marian, qui a dactylographié ce roman et m'a prodigué ses conseils grammaticaux.

Ian Slater

A Marian

Chapitre premier

22 juin

"Ils auraient quand même pu te prévenir un peu plus tôt!"

Le commandant James Kyle était un homme de cinquante-trois ans trapu et robuste, avec un sourire de chérubin et des cheveux blancs qui commençaient à se clairsemer; il se déplaça légèrement sur sa chaise de cuisine pour regarder dans la chambre à coucher où sa femme s'affairait à remplir son sac de marin.

"Phil Limet pouvait difficilement prévoir qu'il ferait une crise cardiaque, Sarah.

— Bien sûr, je suppose que non, dit Sarah en glissant dans le sac un énorme nécessaire de toilette, avant de vérifier pour la troisième fois si elle y avait bien mis les chaussettes. Tout ce que je veux, c'est te garder à la maison. Je suis désolée pour monsieur Limet et j'espère qu'il se remettra. Je ne voulais pas avoir l'air dure, chéri.

— Je n'en ai jamais douté", répondit Kyle.

Il se tourna vers la grande fenêtre de la cuisine. C'était presque le moment de partir, mais il s'attardait à boire son café, tout en jetant un dernier coup d'oeil à leur jardin; son regard s'égarait parfois vers les bateaux du port d'Esquimalt, posés comme des jouets sur la vaste ardoise grise qui s'étendait à partir de l'extrémité sud de l'île de Vancouver. On était au début d'un de ces longs et chauds étés de la côte ouest du Canada; pourtant, lui avait-on dit, il ne serait pas de retour avant l'automne. A ce moment-là, ses rosiers Nocturne auraient sans doute perdu toutes leurs fleurs d'un rouge noirâtre.

S'emparant des jumelles rangées en permanence près de la fenêtre panoramique de la cuisine, Kyle les pointa sur une énorme masse rectangulaire et noire qui avançait lentement au loin dans le détroit de Juan de Fuca. On aurait dit un gratte-ciel couché sur l'eau. C'était le *M.V. Kodiak,* un des superpétroliers géants américains. Aucun problème moral sur ce bâtiment, pensa-t-il, plein d'appréhension à la pensée du voyage qu'il allait lui-même entreprendre. Trois mois enfermé dans un sous-marin avec un équipage de recrues sans expérience. Un instant, il se prit à envier les officiers servant à bord de ce bâtiment d'un million de tonneaux. Celui-ci commençait à sortir ses ailerons latéraux et à ouvrir sa proue en forme de bulbe pour laisser entrer l'eau et pour freiner les cent quatre-vingt-dix mille chevaux-vapeur qui le propulsaient à dix-sept noeuds dans le détroit, vers la raffinerie de Cherry Point, Washington, et la permission d'aller à terre. Ils étaient mieux payés que lui et, même si la vie était quelque peu monotone à bord de ces super-pétroliers, il imaginait que le changement lui serait agréable — du moins pour un certain temps. C'était un travail délicat que de gouverner ces monstres tout le long d'un littoral perfide, parsemé d'îles et de récifs, à partir du port sans glace de Valdez, Alaska, situé au-delà de Sitka dans l'archipel Alexandre en Alaska, jusqu'à Point Conception en Californie, à dix-neuf mille milles de là, ou jusqu'à Puget Sound dans l'Etat de Washington. Mais il trouvait particulièrement séduisante la perspective de ne rester parti que douze jours au lieu de trois mois.

Comme toujours, cependant, l'idée perdit tout son charme lorsqu'il se rappela qu'il détestait l'odeur des émanations d'hydrocarbure qui s'échappaient chaque fois qu'on pompait le pétrole brut dans les quarante réservoirs — véritables cavernes profondes de cent vingt pieds et contenant chacune vingt-cinq mille tonnes de pétrole. L'odeur du diesel ne l'incommodait pas, même dans l'espace confiné d'un sous-marin qui, auprès du *Kodiak,* aurait eu l'air d'une limace à côté d'une baleine: ce qu'il détestait, c'était l'odeur du pétrole non raffiné. Il approuvait la bataille que la Commission sur la qualité de l'air de Californie avait livrée — et perdue — pour tenter d'empêcher les pétroliers de descendre le long de la côte ouest. Chaque fois que l'un deux était déchargé en Californie ou près de la frontière canadienne, dans l'Etat de Washington, au moins cent soixante tonnes de vapeurs d'hydrocarbure se perdaient dans l'air — autant qu'en libéreraient en vingt-quatre heures les gaz d'échappement de douze millions d'automobiles. Mais les défenseurs de l'environnement avaient été défaits par suite de la découverte de gisements de pétrole sur le versant nord de l'Alaska, dans la mer de Beaufort, et à cause du besoin désespéré de combustible qu'avait créé, au cours des années soixante-dix, l'embargo des pays arabes. Bientôt, le projet "Skinny City" vit le jour et un tuyau d'un diamètre de quatre pieds et d'une longueur de huit cents milles transportant un million deux cent mille barils par jour à travers l'Alaska — de la mer de Beaufort au Pacifique Nord —, approvisionna les super-pétroliers. De Valdez, les pétroliers transportaient ce pétrole brut, à haute teneur de soufre, vers le sud, c'est-à-dire vers les raffineries déjà anciennes et toujours en expansion de la côte ouest des Etats-Unis. Ces raffineries compensaient pour les possibilités de raffinage relativement restreintes qu'on trouvait en Alaska. Quant à lui, Kyle jugeait complètement démentiel que les raffineries d'Alaska fournissent néanmoins à la Russie du carburant à haut indice d'octane: cela faisait partie intégrante d'une entente d'achat massif de céréales russes par les Etats-Unis.

Réfléchissant toujours au prix que ses poumons devraient payer s'il travaillait sur un super-pétrolier — masque à gaz ou pas —, Kyle conclut qu'à tout prendre le métier ne l'intéressait pas du tout. Peu lui importaient les paysages fantastiques des alentours de Sitka, dont il avait entendu parler; peu lui importaient aussi les gros salaires et, surtout, les alléchantes primes de "risque" — qui n'étaient rien d'autre, tous le savaient bien, que des primes d'"empoisonnement". Il ne quitterait pas la marine militaire. Chassant le *M.V. Kodiak* de son esprit, il baissa les jumelles et avala une gorgée de café.

Après avoir jeté un coup d'oeil dans le petit corridor du bungalow pour s'assurer que James était encore dans la cuisine, Sarah griffonna rapidement un message sur un bout de papier mince; puis, elle le glissa dans une paire de chaussettes.

"Ton sac est prêt", annonça-t-elle.

Kyle ne répondit pas. Il était en train de se rappeler, avec un certain sentiment de culpabilité, comment il avait expliqué la chose à Sarah: "les ordres sont les ordres" lui avait-il dit; il savait bien, pourtant, qu'à son âge il aurait pu refuser et que l'on n'aurait probablement pas insisté davantage. Il avait envie de partir; mais, en même temps, il lui répugnait de penser qu'il laissait Sarah toute seule, à présent que leurs trois enfants avaient grandi et avaient quitté le foyer. Cependant l'idée de naviguer lui procurait toujours le frisson d'autrefois. Lorsque ces ordres inattendus lui avaient été transmis, il avait éprouvé la même émotion que trente ans auparavant, alors qu'il venait d'entrer dans la marine. Bien sûr, il savait qu'on ne faisait appel à lui que pour combler un vide, et sans l'aviser d'avance; mais cela n'entamait en rien son enthousiasme.

Phil Limet, le commandant du *Swordfish,* avait eu un malaise cardiaque à peine quatre heures plus tôt, et Kyle avait reçu de l'état-major de la Marine à Halifax l'ordre de prendre immédiatement le commandement du sous-marin.

"Ils ne pourraient pas reculer le départ au moins, avait demandé Sarah.

— Les préparatifs sont trop avancés, chérie. Les politiciens voulaient supprimer les crédits pour nos patrouilles. Mais le Vieux a fait toute une esclandre; il a dit que le Canada n'avait qu'un moyen de faire respecter sa zone de pêche de deux cents milles et sa zone de prospection minière de douze milles: c'était d'y faire sentir sa présence. Autrement, nous perdrions tout contrôle sur les pays du Pacifique qui se disputent un drôle de match: pour eux, c'est premier arrivé, premier servi. Ç'a été suffisant pour les ébranler, à Ottawa, et pour les faire payer.

— Je croyais qu'il s'agissait d'entraîner des recrues.

— Ça sert à ça aussi. C'est l'autre argument que le Vieux leur a servi. Comment diable peut-on espérer obtenir un noyau actif de sous-mariniers — sans compter la réserve —, si on ne les entraîne pas? Ottawa ne pouvait pas dire le contraire.''

Kyle savait fort bien que dans peu de temps l'amiral le citerait comme un cas d'espèce. A cinquante-trois ans, on aurait normalement dû le considérer comme beaucoup trop vieux pour commander un sous-marin. En réalité, il avait quelques années de plus que sur son dossier; il s'était enrôlé, en effet, à une époque où les agents recruteurs de la marine n'étaient pas trop pointilleux sur les certificats de naissance des volontaires. Peu après la guerre, il était devenu l'un des plus jeunes commandants de sous-marins de la marine canadienne.

Aujourd'hui, on affectait à un travail de bureau les anciens commandants de submersibles, dès qu'ils atteignaient la fin de la trentaine ou, au plus tard, au début de la quarantaine. C'était le sort que Kyle subissait depuis sept ans; il travaillait à terre pour le SOAMCP — Service des opérations sous-marines pour le Commandement maritime (Pacifique)*. Mais la marine ressentait à présent les effets lointains des restrictions d'après-guerre: elle disposait de si peu d'hommes expérimentés que Kyle était devenu le seul choix logique dans les situations d'urgence. Pour un vieux commandant de sous-marin, qui s'enlisait dans la morne routine d'un travail de bureau de neuf à cinq, c'était l'occasion de fausser compagnie aux dossiers et de se remettre à son vrai travail de marin, un rêve!

Pourtant, il était soucieux et Sarah s'en apercevait. Elle savait que cela ne dépendait pas uniquement du fait qu'ils allaient encore se manquer l'un à l'autre. Il y avait autre chose. Cela faisait longtemps qu'il n'avait pas été

------

* Submarine Operating Authority for Maritime Command (Pacific).

en mer, mais cela n'avait aucun rapport: il s'était tenu à jour au moyen de cours de recyclage. Et, après tout, le *Swordfish* était un sous-marin conventionnel de la classe Ranger, un de ceux dont il connaissait suffisamment la manoeuvre. Elle se mit à lui masser les épaules.

"Qu'est-ce qui ne va pas? demanda-t-elle doucement.

— Oh, rien, répondit-il sans conviction.

— Dis-moi."

Il se déplaça sur sa chaise, mal à l'aise et presque en colère.

"Oh! c'est cette sacrée affaire de *démocratisation* qu'ils sont en train d'établir. La *nouvelle race* de marins que je vais devoir commander."

Sa bouche crachait littéralement les mots.

"A présent, il ne s'agit plus de faire ce qu'on vous dit, continua-t-il en se tournant à demi vers elle. Peux-tu croire que les nouveaux règlements permettent aux hommes d'élire — *élire,* bon Dieu — des représentants pour exposer leurs griefs directement aux officiers commandants, et cela presque à volonté? Belle manière de diriger une marine militaire!

— Mais tu te débrouillais bien jusqu'ici. Ça ne te faisait rien n'est-ce pas? Du moins pas autant.

— Bien sûr que oui, grogna Kyle. Mais à terre, avec mon travail de bureau, je peux m'éloigner de tout ça à la fin de la journée; je rentre à la maison, je suis avec toi, et j'oublie tout le reste. Mais en mer, il faut supporter ça vingt-quatre heures par jour — tous les jours jusqu'à la fin de la patrouille."

Sarah pouvait sentir les muscles se tendre dans le dos de son mari, à mesure qu'il élevait la voix.

"Christ! dans mon temps, tu fermais ta gueule, tu faisais ton travail et tu aidais le pays à gagner la guerre!"

Il se tourna soudain sur sa chaise.

"Je disais justement la même chose à Phil Limet, la semaine dernière. Je ne sais diable pas pourquoi ces bâtards-là, qui ne sont même pas préparés pour obéir aux ordres, choisissent de servir à bord d'un sous-marin. Pour tout te dire, je ne sais même pas pourquoi ils s'engagent quelque part."

Sarah n'aimait pas l'entendre parler aussi grossièrement, mais elle se gardait bien d'intervenir. Elle ne se souvenait pas de l'avoir jamais vu dans une telle colère. Elle augmenta la pression de ses doigts pour masser profondément les muscles de Kyle — mais elle avait l'impression de manier du cuir durci.

"Christ, poursuivit-il, il faut voir les affiches imbéciles qu'ils mettent un peu partout. *Viens te joindre à nous,* qu'ils disent. Mais leurs précieuses recrues, elles étudient à la loupe les ordres qu'on leur donne, avant d'y obéir."

Il se tourna pour regarder Sarah.

"Ils pourraient se blesser, vois-tu... Ils peuvent pas risquer ça! — des fois, même, qu'ils iraient se salir les mains!"

Sarah sourit faiblement.

"Je ne plaisante pas, reprit-il. Il faudrait que tu les entendes. Et peux-tu croire qu'ils sont autorisés à porter des vêtements civils dans le sous-marin? Des vêtements civils! On se croirait dans une rue de Los Angeles. Avant longtemps, ils vont installer un avocat à bord, pour l'équipage.

— Mais ils ne sont sûrement pas tous comme ça, suggéra Sarah d'un ton hésitant."

12

Elle sentit que les muscles de son mari se détendaient légèrement. Il se frotta les yeux et se passa les doigts dans les cheveux. Il parlait plus calmement à présent.

"Non. Tu as raison, bien sûr. Ça doit être la tension, tout simplement. Ça fait des mois que ça m'agace.

— Ça va mieux maintenant?

— Oui, chérie, fit Kyle en se contraignant à sourire. Je te remercie de m'avoir écouté.

— N'en parlons plus. J'ajouterai ça sur la facture."

Il lui caressa la main, plus calme à présent qu'il s'était déchargé de ses soucis.

Sarah continua de lui frotter le dos pendant quelques minutes; elle sentait que ses doigts se fatiguaient — mais elle poursuivait le mouvement, massant profondément les muscles de ses épaules.

"Hmm, c'est bon", murmura-t-il d'aise, l'encourageant à continuer.

La fenêtre de cuisine renvoyait à Kyle l'image de sa femme; les dernières traces de jeunesse avaient disparu de ses yeux brun foncé, il le voyait bien. Ce matin-là, elle portait un ensemble de tweed usé qui la faisait paraître beaucoup plus que ses cinquante-deux ans; son front se barrait de plis soucieux, tandis qu'elle maniait énergiquement les épaules de son mari.

"Je n'avais pas l'intention de te quitter, Sarah. Je ne veux pas te quitter... Je n'ai jamais voulu."

Sentant qu'elle allait se remettre à pleurer, elle le frictionna un peu plus fort et dit en riant:

"Oh! Jim Kyle, pourquoi ne veux-tu pas l'admettre? Tu t'es arrangé pour que je me débrouille toute seule avec le sarclage.

— Bah! je ne serai pas longtemps parti, mon amour.

— Pas longtemps? fit-elle en le frappant sur l'épaule

13

avec bonne humeur. Pas longtemps, qu'il dit. Trois *mois*.
J'aime mieux ne pas savoir ce que tu appelles longtemps.

— Eh bien, les gars des sous-marins nucléaires, aux
Etats-Unis, partent parfois pour six mois.

— Oh, charmant, dit Sarah.

— Trois mois, c'est mieux que six.

— Hmmm... j'imagine. Allez-vous faire escale quelque part?

— Non. Je n'ai pas encore vu les ordres écrits, mais
la manoeuvre habituelle, lors de ces longs parcours d'entraînement, ne comporte pas d'arrêt.

— J'espérais que tu aurais l'occasion de m'écrire.

— Je vais faire mieux que ça: je vais penser à toi tous
les jours."

Tout à coup, Sarah se mit à pleurer. Kyle se leva,
heurtant sa tasse et renversant le reste du café sur son
uniforme fraîchement repassé. Sarah attrapa un nappe-
ron et se mit à éponger son pantalon. Mais il le lui enleva
des mains et passa son bras autour d'elle.

"Sarah..."

Elle blottit sa tête contre sa poitrine, et il l'enlaça de
son autre bras.

"Sarah, ma chérie, je ne pars pas pour la guerre. Ce
n'est qu'une patrouille.

— Je sais, dit-elle en sanglotant. Mais tout le monde
est...

— Tout le monde est quoi? demanda-t-il tendrement.

— Tout le monde est si... si dangereux, de nos jours.
Les gens ne pensent qu'à s'entretuer.

— Sarah chérie, ce sont des manoeuvres! Ce n'est
qu'un voyage de routine. On part en direction du Japon,

on remonte vers le nord et on rentre à l'île de Vancouver. Une véritable tournée de laitier. Pas de problème là — rien que du poisson.

— Je sais bien, dit-elle en se dégageant et en s'essuyant les yeux. Je sais."

Puis elle ajouta, se reprenant doucement elle-même: "Seigneur! ce n'est pas comme si tu n'étais jamais parti auparavant. Mais tu n'es plus aussi jeune qu'autrefois."

Il lui sourit, se pencha pour prendre son sac, puis s'immobilisa un moment.

"Non, je ne suis plus jeune. Tu as raison, Sarah... J'ai vieilli. Mais je t'aime."

Elle ne répondit pas, mais appuya sa tête sur son épaule. Ils marchèrent main dans la main jusqu'à la voiture, comme à l'époque où il lui faisait encore la cour. Elle avait toujours gardé l'habitude de le conduire au port militaire et de le ramener chaque fois qu'il partait en mer. Pendant que Sarah conduisait la Volkswagen Rabbit dans l'allée entre les sapins pour aller prendre la grand-route, Kyle considérait avec fierté leur jardin plein de fleurs et d'arbustes dont les teintes brillantes allaient du rouge cerise des roses jusqu'au bleu royal foncé des plates-bandes de lobélies descendant vers les bois de sapins vert bouteille. Mais ce qu'il préférait dans le jardin, c'étaient les sombres roses Nocturne, parce que Sarah et lui les avaient plantées ensemble. Comme ils franchissaient la vieille barrière de cèdre, il aperçut un gros bourdon qui pompait le nectar dans le coeur d'une rose et, l'espace d'un instant, il envia sa liberté. En ce moment, rien ne lui aurait plu davantage que de pouvoir passer tout l'été à flâner dans le jardin avec Sarah.

Tout le long du chemin, jusqu'au port, ils ne parlèrent pas beaucoup. En fait, leur conversation se limita à quelques mots au sujet des roses — qui représentaient beaucoup pour Sarah aussi — et des tomates qui allaient probablement mûrir plus tôt cette année. C'était un de ces jours brumeux de l'île de Vancouver; il faisait chaud mais sans excès, et une légère brise soufflait de la mer.

Ils étaient parvenus au sommet d'une haute colline, d'où ils pouvaient voir un long train de bois de flottage qu'un remorqueur pas plus gros qu'une fourmi tirait à travers le détroit Juan de Fuca. Juste devant eux, un énorme camion à remorque crachait des bouffées de fumée noire, rugissant au sommet de la pente souillée d'huile. Kyle remonta la glace pour échapper à l'odeur de diesel du camion. Il en respirerait bien assez au cours des quatre-vingt-dix jours à venir. Sarah tenta de doubler le camion, mais au dernier moment elle prit peur et se rangea de nouveau derrière. Elle détestait ces monstrueuses machines; elles l'effrayaient, tout comme les sous-marins.

Lorsqu'ils arrivèrent au port d'Esquimalt, Sarah gara la voiture à côté de la barrière principale. Elle n'avait jamais voulu voir les bâtiments sur lesquels son mari naviguait, parce que son éducation l'avait convaincue que tout ce qui flottait était dangereux — les sous-marins représentant, par conséquent, le danger par excellence. Elle n'avait jamais oublié ce jeune officier qui était venu à la maison et qui avait expliqué aux enfants pourquoi on fermait autant de portes dans un sous-marin, en cas d'urgence. Il avait décrit le submersible conventionnel comme "ni plus ni moins que neuf sphères d'acier creuses soudées ensemble, avec une ou deux sur le dessus, pourvues d'un revêtement profilé qui fait paraître le bâtiment beaucoup plus solide qu'il ne l'est en réalité". Sarah entretenait au sujet des machines les mêmes idées que certains professent à propos des malades: évitez-les, et leur sort vous sera épargné. Elle ne souscrivait pas à la

16

théorie voulant que plus vous les connaissez, moins elles vous font peur. Elle croyait que le seul fait de savoir tout ce qui pourrait clocher dans une auto serait suffisant pour l'empêcher de conduire. D'ailleurs, c'était déjà assez pénible de devoir dire adieu à son mari; connaître tous les détails, toutes les terribles choses qui pourraient arriver n'aurait fait que rendre la situation encore plus pénible.

Comme Kyle se penchait pour retirer son sac du coffre de l'auto, Sarah remarqua de nouveau à quel point ses mouvements trahissaient l'homme sur le retour — un homme trop vieux pour le service à bord d'un sous-marin.

Quand elle aperçut la sentinelle armée qui gardait la barrière, elle se rappela toutes les séparations qu'ils avaient vécues durant la guerre. Brusquement, elle frissonna, envahie par le souvenir des anciens adieux. Elle l'embrassa tendrement mais rapidement sur la joue. Il l'étreignit, et elle murmura d'une voix étranglée:

"Attention de ne pas prendre froid", en tripotant un moment son collet comme s'il était de travers.

Il lui serra la main et passa la barrière.

Tout autour, c'était la paix. Les eaux du détroit Juan de Fuca étaient à peine ridées et le soleil brillait dans un ciel débarrassé de nuages. Mais Sarah ne ressentait rien de cette paix. Elle éprouvait les mêmes sentiments que trente-six ans plus tôt, avant leur mariage, lorsqu'elle l'avait vu partir, à l'autre bout du pays, pour faire la guerre dans l'Atlantique.

Le factionnaire la salua et lui sourit. Elle lui rendit son salut sans le reconnaître, puis elle se dirigea vers l'auto avant de perdre son sang-froid.

Les adieux du matelot Lambrecker, dans un appartement de Victoria, avaient été beaucoup plus brefs. Des yeux bleu pâle, profondément enfoncés, dominaient les traits de son visage long et mince comme le reste de son corps — qui paraissait singulièrement famélique et fatigué pour un homme d'à peine trente-cinq ans. Il était éveillé depuis cinq heures du matin. Etendu dans l'obscurité de la chambre à coucher, le rougeoiement d'une cigarette élairant de temps en temps son visage plissé, il essayait de débrouiller le fouillis de mensonges et de frustrations qui menaçait d'étouffer ce qui restait de son ménage après deux ans de mariage.

Lui et Frances s'étaient encore disputés avant d'aller au lit. Ils avaient crié plus fort que d'habitude.

"T'es un moine, avait-elle hurlé. Tout ce que tu veux, c'est rester à la maison. Jésus-Christ! avec tout le temps que tu passes dans ta maudite baignoire, tu devrais penser à des trucs pour te sortir d'ici. J'ai *vingt*-sept ans, pas cinquante-sept! Je veux m'amuser, moi! Christ, je ne sais pas... pourquoi ne peux-tu pas te laisser aller comme tout le monde, au lieu de t'enfermer comme un moine?

— Comme Morgan, tu veux dire, répliqua-t-il aigrement.

— Ouais, comme Morgan, répondit-elle en triturant sa gomme à mâcher à grands coups de maxillaire. Au moins, il sait se divertir, lui.

— Cet enfant de chienne-là est bien trop stupide pour faire autre chose."

Frances fit une moue, comme si elle s'adressait à un enfant turbulent.

"Ts, ts! fit-elle. T'es bien sûr de ça?... En tout cas, il n'est pas trop sot pour être lieutenant!"

C'est à ce moment que Lambrecker perdit son sang-froid et la saisit par le bras. Cela faisait des mois que Morgan — le demi-frère de Lambrecker, lieutenant au service de l'intendance dans l'aviation — se dressait entre eux. Tout avait commencé dès le jour où il était rentré de l'est du pays, avec cette fichue imitation d'accent canadien-français qui faisait rire Fran aux larmes.

Cent fois, Lambrecker avait voulu lui casser la figure; mais il continuait plutôt à espérer que Fran se lasserait de lui. Par ailleurs, il savait que si jamais il levait la main sur Morgan, il commettrait, en tant que non gradé, une agression sur un officier.

Pourtant, dès qu'il pensait à toutes les fois qu'il était rentré du port d'Esquimalt pour trouver Morgan en train de flâner nonchalamment dans la cuisine, les pieds sur le bord de la fenêtre, riant et buvant avec Fran, Lambrecker avait envie de le tuer. Il avait resserré sa prise sur le bras de Fran.

"Lâche-moi, imbécile!" avait-elle crié.

Lambrecker l'avait alors repoussée violemment, avant de lui faire vraiment mal.

"Oh, mon Dieu! fit-elle sarcastiquement en rajustant sa blouse transparente qui ressemblait à une seconde peau. Regardez donc ses p'tits yeux — ils sont tout sortis de sa tête. Pauvre p'tit lui!

— Jésus-Christ! hurla-t-il, balayant de ses poings la table de la cuisine et jetant avec fracas sur le plancher un tas de bouteilles de sauce poisseuses, d'assiettes de plastique et de cannettes de bière vides.

Fran considéra les débris éparpillés un peu partout sur le linoléum bon marché. Elle rougit de colère, puis sourit aimablement.

"Oh!... le p'tit homme est encore devenu fou. Pauvre, pauvre p'tit homme."

Depuis, ils n'avaient plus dit un mot. C'était la répétition de ce qui s'était passé une centaine de fois auparavant — ce long silence insupportable qu'il romprait, il le savait, bien qu'il eût juré que non.

Il ignorait si Morgan couchait avec elle. Mais en dépit de tout cela, en dépit de la haine qu'il éprouvait pour son demi-frère, il aimait encore Fran. Il n'aurait pas su expliquer pourquoi — et il n'essayait même pas. Tout ce qu'il savait, c'est que tout en étant un solitaire, un homme qui n'avait pas besoin d'amis comme les autres, il lui fallait au moins une personne qui eût besoin de lui — et cette personne, il le croyait encore, c'était Fran. Il ne lui était jamais venu à l'esprit qu'elle aurait pu rester avec lui pour de simples motifs financiers.

D'un geste las, il sortit une autre cigarette. La cause de tout cela n'était pas d'ordre sexuel: du moins, cela n'avait pas représenté un problème au début. A présent, bien sûr, ils ne faisaient jamais l'amour. Mais il se souvenait que, même à l'époque où tout allait bien sur ce plan, elle s'était mise à agir d'étrange façon — hurlant, criant après lui à la moindre vétille chaque fois qu'il rentrait à la maison.

Ce fut seulement ce matin-là, alors qu'il restait étendu silencieusement à côté d'elle en fumant, que l'idée lui vint: peut-être avait-elle couché avec un homme avant même l'entrée en scène de Morgan — celui-ci ne lui servant plus que d'excuse après le fait. Les yeux fixés sur la lueur pâle du jour qui se levait, il repensait à la remarque qu'elle avait faite à propos de son demi-frère qui, lui, était lieutenant. L'autre homme était sûrement un officier; probablement une espèce d'enfant de chienne qui l'aurait fascinée avec son grade. Elle refusait de se contenter de ce qu'elle avait; ce qu'elle aimait, c'était de s'imaginer en train de fréquenter la haute société.

Lambrecker se tourna vers sa femme. Il suivit des

yeux les courbes de son corps, de la hanche jusqu'au cou. Il ne pouvait rien voir d'autre. Elle prenait soin, maintenant, de dissimuler son beau corps sous des chemises de nuit rebutantes, dans le dessein évident de décourager toute entreprise de sa part. Il éteignit sa cigarette, l'écrasant si violemment qu'il se brûla le doigt sur le mégot incandescent. Puis, il se tourna de nouveau et la regarda. Qui était-elle vraiment? Un instant, il eut envie de lui flanquer une gifle pour la réveiller, de la battre jusqu'à ce qu'elle lui parle... puis de nouer ses mains autour de son cou et de l'étrangler à mort. Rapidement, il se leva et s'habilla; puis il avala un peu de céréales et se rasa.

Après quelque temps, il alla se poster dans la porte de la chambre; il ne bougeait pas, il regardait. Elle bougea un peu dans son sommeil et la couverture glissa sur son épaule, découvrant ses seins qui se soulevaient doucement sous le nylon rose au rythme de sa respiration.

Elle était encore plus belle que lorsqu'il l'avait épousée. Il savait que les femmes étaient censées perdre leur attrait plus rapidement que les hommes; mais, à son avis, elle n'avait fait que s'améliorer avec le temps. Ses formes avaient acquis une plénitude qui lui donnait un air encore plus sensuel. Il se rappelait leur première rencontre: elle lui avait fait penser à Lauren Bacall. Elle lui ressemblait encore. Lorsqu'il se fut bien pénétré de l'idée qu'il ne la verrait plus pendant trois mois, sa colère commença graduellement à s'apaiser. Il se pencha pour lui poser un baiser sur le front. Mais soudain, elle sortit ses mains de sous les couvertures et les tira pour s'en couvrir la tête. Lambrecker comprenait maintenant qu'elle avait été consciente tout le temps qu'il l'avait regardée — et désirée. Il se sentait humilié. Il empoigna rageusement son sac, se précipita dans la cuisine et appela un taxi. Mais il y avait des parasites sur la ligne, de sorte que le préposé dut lui demander de répéter son adresse. Cette fois, il la hurla dans le récepteur, qu'il raccrocha violemment. Après avoir consciencieusement fait claquer la porte, il sortit dans le terrain de stationnement de pierre concassée grise, où le soleil ne parvenait jamais, et il attendit dans le froid du petit matin.

Il commençait à détester la patrouille à laquelle il allait participer — plus encore qu'il n'avait haï les autres. Au lieu d'y voir la possibilité de se détendre loin d'elle, il se disait qu'il perdait là l'occasion de régler ce qui n'allait pas. Bien des hommes auraient considéré un tel voyage comme une évasion. Mais pour Lambrecker, cela allait être une torture. Il n'y avait qu'une explication possible au comportement de Fran: elle avait pris un amant, même avant Morgan. Il essaya de ne pas réfléchir à l'identité de l'autre homme. Il voulait refouler ces pensées jusqu'à ce qu'il rentre, jusqu'au jour où il pourrait y faire quelque chose. Mais plus il s'efforçait de chasser cette idée, plus elle accaparait son esprit, jusqu'au moment où elle occupa toute la place. Un instant, il envisagea de déserter; puis il changea d'avis — non pas parce qu'il croyait que c'était mal, mais parce que cela ne l'aiderait pas à résoudre grand-chose s'il avait la police militaire aux trousses.

L'observation de Fran sur le fait que Morgan était lieutenant continuait de le préoccuper; plus il pensait à cet autre homme, plus il avait la certitude qu'il s'agissait d'un officier. "Et qu'est-ce qu'on peut faire contre un officier?" se disait-il pendant que le taxi roulait vers les tavernes de la route d'Esquimalt.

L'officier de pont à bord du H.M.C.S. *Swordfish* salua Kyle avec entrain.

"Bienvenue à bord, Monsieur.

— Merci. Bud O'Brien, je crois.

— Oui, Monsieur.

— Ravi de vous connaître."

— Et ils se serrèrent la main. O'Brien était un homme au début de la trentaine, de haute taille et fortement halé. Il secoua la tête en signe d'appréciation.

"Moi de même", dit-il sans bouger ses épais sourcils, comme s'il s'efforçait de ne manifester aucune surprise devant l'âge de Kyle.

Mais Kyle ne remarqua pas cela; il était bien trop occupé à examiner le bâtiment. Dès le moment où il avait mis les pieds à bord du long sous-marin noir reposant dans l'eau comme un phoque, il avait éprouvé ce vieux sentiment de sécurité qui se dégageait des divers emblèmes et du décor familier, du drapeau canadien qui flottait à la poupe jusqu'à l'officier de quart. Sans doute les premières impressions se révèlent-elles souvent fausses, mais O'Brien ajouta immédiatement quelque chose au sentiment de bien-être général de Kyle. Le pont noir à rainures du sous-marin était immaculé, la drisse du pavillon bien tendue et, quoiqu'on eût récemment repeint la surface de la passerelle, on ne pouvait apercevoir la moindre gouttelette de peinture sur le petit phare de navigation de nuit fixé sur son arrière, à la base de la rambarde de métal. C'étaient là de petits détails, mais ils en apprenaient beaucoup à Kyle sur l'officier de pont. O'Brien était peut-être beaucoup plus jeune que lui, il n'appartenait pas, cependant, à la "nouvelle race". Il faisait les choses comme il faut.

Evidemment, les performances et l'endurance du sous-marin avaient été améliorées pour correspondre aux besoins de l'époque. Il était pourvu à présent de grosses batteries Exide-Tarpon qui réduisaient considérablement le temps de recharge; de plus, sa nouvelle coque profilée lui permettait d'atteindre dix-huit noeuds en plongée. Malgré tout, Kyle eut un moment l'impression d'avoir reculé dans le temps — comme s'il venait juste de quitter Sarah pour entreprendre encore une mission d'escorte dans l'Arctique. Certaines choses lui seraient peu familières, mais les cours de recyclage lui avaient appris que rien n'avait suffisamment changé pour justifier l'abandon de toutes les vieilles méthodes. Avant de défaire son sac, il fit demander aux officiers responsables de l'électricité, de la navigation et de l'armement, et à l'officier mécanicien, de se réunir dans la salle de contrôle, juste sous le kiosque. Il restait si peu de temps avant le départ qu'il n'avait plus le loisir de rencontrer ses officiers d'une manière un peu moins officielle. Son premier travail consistait à s'assurer que le sous-marin était bien prêt.

"Officier mécanicien?

— Monsieur?

— Le plein des diesels a été fait?

— Oui, Monsieur, et toutes les réserves d'air sont remplies."

Kyle sourit légèrement.

"Très bien, fit-il; mais à l'avenir abstenez-vous d'en dire plus que je ne vous en demande."

Les autres se mirent à rire, et ce fut la fin de ce moment de tension qui marque la première rencontre d'un nouveau commandant avec ses officiers.

"Mais puisque vous semblez si zélé, mon vieux, parlez-moi donc un peu des compresseurs. Tous en état de fonctionner?

— C'est numéro un, Monsieur.

— Bien. Officier de navigation?

— C'est moi; j'exerce deux fonctions, Monsieur, dit O'Brien en avançant d'un pas.

— D'accord. Ça va, pour nos cartes?

— On a tout ce qu'il faut, Monsieur.

— Et la mer du Japon?"

O'Brien était impressionné. Le Vieux avait l'air de sortir tout droit du musée, mais il s'était certainement tenu au courant.

"Oui, Monsieur, répondit-il, je sais que cette carte vient d'être révisée. On nous l'a transmise ce matin.

— Parfait, dit Kyle en hochant la tête. Officier de l'armement?"

O'Brien prit de nouveau la parole:

"Il a été retardé par la circulation, Monsieur."

Kyle jeta un coup d'oeil à sa montre d'un air désapprobateur.

"Hmm, fit-il. Mais il ferait bien de se dépêcher. Pouvez-vous me dire quel genre de poissons nous transportons?"

O'Brien ouvrit la poche de sa tunique et en tira son carnet, dont il feuilleta quelques pages.

"Six torpilles de combat et huit d'entraînement, Monsieur."

Kyle hocha la tête.

"Ça va, continuez. Je discuterai de notre route avec vous un peu plus tard, monsieur O'Brien.

— Oui, Monsieur."

Après que O'Brien eut conduit le commandant à sa minuscule cabine, les deux hommes montèrent à la passerelle de commandement pour que Kyle puisse examiner la nouvelle installation du compas. Ils arrivèrent juste à temps pour apercevoir un matelot en train de franchir la passerelle d'embarquement. Faisant semblant de ne pas les avoir aperçus, le matelot leva la main et salua, d'un geste particulièrement mou, le drapeau canadien de la poupe plutôt que l'officier de quart O'Brien. Celui-ci l'interpella rageusement.

"Lambrecker!"

Lambrecker se retourna en vacillant un peu et marcha sans répondre jusqu'à la passerelle, regardant l'officier d'un air franchement menaçant.

"Lambrecker, pourquoi n'avez-vous pas salué l'officier de quart?"

Lambrecker regarda fixement devant lui.

"J'vous avais pas vu, Monsieur."

Kyle avait remarqué quelque chose d'étrange dans la façon dont Lambrecker s'était retourné à l'appel d'O'Brien. Il fit un pas en avant.

"Etes-vous malade?" demanda-t-il.

Lambrecker regardait toujours devant lui.

Le sang monta au visage de Kyle.

"Je vous ai demandé si vous étiez malade.

— Non.

— Non, *Monsieur!* beugla O'Brien.

— Non, Monsieur," répéta Lambrecker d'un ton aigre, sans cesser de regarder droit devant lui.

Kyle se tourna vers O'Brien, qui à présent savait aussi bien que le commandant de quoi il retournait.

"Cet homme est ivre. Mettez-le aux arrêts.

— Oui, Monsieur. Lambrecker, suivez-moi."

Extraordinairement concentré sur sa démarche, Lambrecker s'efforça de suivre O'Brien sans tituber.

Comme il allait disparaître dans le kiosque, il jeta à Kyle un regard plein de défi.

"Revenez ici!" hurla le commandant.

Lambrecker hésita une seconde, puis remonta. Il se mit au garde-à-vous comme l'exigeait le règlement; mais son attitude relâchée frôlait l'insolence.

Le visage de Kyle était pourpre. Rien ne l'exaspérait davantage que ce genre d'insubordination muette. A terre, il voyait cela tous les jours. La "démocratisation" de la marine. Pourtant, "démocratisation" ou pas, c'était toujours l'insubordination de l'ancien temps, contre laquelle on ne pouvait utiliser que les bonnes vieilles méthodes — bien montrer à ces têtes fortes qu'on n'allait rien tolérer.

"Tenez-vous droit, dit sèchement Kyle.

— C'est ce que je fais, Monsieur.

— Ecoutez-moi bien, matelot. Regardez-moi comme ça une autre fois, et je vous promet que ça va barder. Compris?"

Lambrecker baissa les yeux vers O'Brien, comme s'il était absolument confondu; puis il se tourna de nouveau vers Kyle.

"Comment qu'on est supposé vous regarder, Monsieur?"

Kyle ne tint pas compte de son ton provocant.

"Vous êtes censé vous montrer respectueux, dit-il.

— De quoi, Monsieur?"

O'Brien jeta un coup d'oeil sur la passerelle, puis vers la mer. Bon Dieu, pensait-il, voilà un voyage de trois mois qui s'annonce bien — et un voyage d'entraînement à part ça.

"Respectueux du grade, matelot, répondit Kyle.

— Oh! commença Lambrecker — puis il rota, exhalant une forte odeur d'alcool; oh! maintenant je me souviens, Monsieur, dit-il d'un ton moqueur. Ce n'est pas l'homme qu'on salue, c'est le grade, n'est-ce pas?"

Jamais, depuis la guerre, Kyle n'avait éprouvé une telle colère. Les veines saillaient sur ses tempes, mais il luttait désespérément pour conserver son sang-froid.

"Descendez, fit-il sèchement. Long voyage ou pas, recommencez-moi ça et je ferai bien pire que de vous mettre sur la liste d'arrêt. Vous vous retrouverez devant une cour martiale. A présent, allez dessoûler avant qu'on ne largue les amarres."

Lambrecker salua et descendit pour la deuxième fois dans le kiosque avec un sourire satisfait.

O'Brien remonta sur la passerelle. Il n'y avait aucune raison, mais il se sentait d'une certaine façon responsable de l'état du matelot.

"Je suis désolé de ce qui s'est passé, Monsieur", dit-il pour s'excuser.

A présent, Kyle s'était quelque peu calmé.

"Vous n'y êtes pour rien, fit-il. Est-ce qu'il agit toujours comme ça? Ou bien est-ce un nouveau?

— Non, il fait partie des vétérans, répondit O'Brien, l'air embarrassé. Au fait, je ne me souviens pas de l'avoir déjà vu ivre auparavant. Il est un peu maussade de temps en temps, mais normalement ce n'est pas un buveur — ou du moins c'était mon impression."

Kyle leva les yeux de sur la nouvelle installation du compas.

"Hmm. Au moins, il a salué le bâtiment. Mais c'est son attitude qui m'ennuie. J'ai déjà vu cet air amer auparavant: c'est un véritable poison, particulièrement chez les recrues. Comment s'entend-il avec les autres anciens de l'équipage?"

28

O'Brien haussa les épaules.

"Il est taciturne — très taciturne. Mais je n'ai jamais eu de plainte.

— Il faudra tout de même avoir l'oeil sur ce monsieur Lambrecker. Je ne veux pas qu'il aille embêter personne parmi les nouveaux.

— Non, Monsieur.

— D'un autre côté, ajouta Kyle, peut-être que je n'aurais pas dû le massacrer à ce point-là, mais bon Dieu, on ne peut pas laisser passer des choses comme ça.

— Non, Monsieur, je suis d'accord."

Il y eut un long silence. Puis, Kyle dit avec confiance:

"Il a probablement lâché un peu de pression. Ce sera un autre homme quand il aura dessoûlé.

— Je crois que oui, Monsieur."

Kyle regarda l'heure à sa Rolex Oyster.

"Nous larguons les amarres à quinze heures. Vous m'appelez cinq minutes avant le départ.

— Bien, Commandant."

Dans le poste d'équipage, Lambrecker, qui était arrivé plus tôt que la plupart des hommes en permission à terre, lança son sac sur la couchette du bas: elle lui appartenait, estimait-il, par droit d'ancienneté. Il avait apparemment du mal à ajuster son regard, car il n'avait pas aperçu l'autre sac, dont le propriétaire avait choisi la même couchette. Mais avant qu'il ait pu remarquer quoi que ce fût, un jeune matelot au teint frais, évidemment un nouveau, se précipita pour s'excuser.

"Pardon, Monsieur.

— Ne m'appelle pas Monsieur, fit Lambrecker en fronçant les sourcils.

"Non, Monsieur. Je veux dire non. Excusez."

Lambrecker vacilla légèrement; il se retint à la couchette supérieure, alluma une autre cigarette, puis tendit une main calleuse.

"Je m'appelle Lambrecker.

— Nairn", prononça rapidement le nouveau, qui n'avait que trop envie de s'en faire un ami.

Indépendamment de l'ivresse de Lambrecker, il y avait, dans la façon dont ses yeux bleu pâle paraissaient regarder au-delà de vous pendant qu'il parlait, quelque chose qui mit immédiatement le jeune homme sur ses gardes.

"Tu veux la couchette du bas? grogna Lambrecker du ton le plus amical dont il était capable.

— Oh! ça n'a pas d'importance, répondit Nairn. J'ai seulement jeté mes affaires là... On n'a pas beaucoup de place, hein?

— Tu peux la prendre, dit Lambrecker en lançant son sac sur la couchette du haut.

— Vraiment, ça m'est égal... commença Nairn.

— Tu la prends, trancha Lambrecker. Il sortit sa boîte de fer-blanc, où il gardait les cigarettes qu'il roulait lui-même. Il la tendit à Nairn.

"Non, merci, fit celui-ci. Je ne fume pas — mais merci pour la couchette."

Lambrecker ne répondit pas. Il tira de son sac quelques articles qu'il fourra dans un petit tiroir de l'armoire d'aluminium terni et tout égratigné. Nairn, ne sachant trop que faire, essayait de trouver quelque chose à dire. Il souleva les feuilles d'un petit calendrier suspendu sur un des côtés de l'armoire. Chaque feuille correspondait à un mois et portait une photo de montagne de la Colombie-Britannique. Il écarta le mois de juin, pour voir la montagne de juillet, et il dit d'un ton léger:

"Ça va être long."

Lambrecker se hissa péniblement sur la couchette supérieure, pour dormir un peu avant de gagner son poste au moment de l'appareillage. Croyant que Lambrecker ne l'avait pas entendu, Nairn reprit:

"D'habitude, ça dure aussi longtemps? — les patrouilles, je veux dire.

— Sont toutes longues à vous faire chier", répondit Lambrecker en tirant la couverture sur ses épaules.

Nairn hocha légèrement la tête.

"Voudrais-tu du café? dit-il. J'ai réussi à trouver la cuisine."

Mais il n'obtint pas de réponse.

Quand il revint de la coquerie, Nairn s'assit sur sa couchette et se mit à boire le liquide tiède. C'était le plus mauvais café qu'il eût goûté depuis des semaines; malgré tout il le but entièrement, par habitude jusqu'à un certain point, mais aussi pour avoir quelque chose à faire. Ce ne fut qu'au moment où il se leva pour laver le dépôt d'apparence sableuse qui restait au fond de sa tasse, qu'il remarqua qu'il manquait trois feuilles au calendrier. Juin, juillet et août avaient été arrachés, froissés et jetés par terre, sur le plancher à alvéoles. Il leva les yeux vers Lambrecker qui, à présent, était couché et fumait une cigarette en regardant fixement le plafond métallique, à deux ou trois pouces de son nez. A regarder la plaque d'acier qui avait l'air d'écraser Lambrecker, Nairn se rappela les histoires qu'il avait entendues à l'école d'entraînement, où il était question de claustrophobes devenant fous furieux pour avoir été enfermés à l'étroit. A cette pensée, il se sentit mal à l'aise. Il regarda de nouveau le calendrier — le mois de septembre —, puis releva les yeux vers la couchette supérieure. Il se demandait ce qui arriverait lorsque Lambrecker n'aurait plus la gueule de bois.

Comme le *Swordfish* sortait du port d'Esquimalt, Kyle était en train de vider son sac; c'est à ce moment qu'il trouva dans ses chaussettes le message de Sarah. Il tira le rideau vert à la porte de sa cabine et s'assit au bord de la couchette. Après toutes ces années, pensa-t-il — et il éprouva un ardent désir de la prendre dans ses bras, de lui dire qu'il rentrerait bientôt et qu'il ne la quitterait plus jamais. Il déplia le billet et lut: "Je suis toujours avec toi. Je t'aime — Sarah." Il mit le bout de papier dans une des poches de sa tunique. Selon son habitude, il ne regarderait plus le billet jusqu'à ce qu'ils arrivent à la fin de la longue patrouille. En septembre.

Chapitre deux
21 septembre

Par un matin exceptionnellement doux pour l'Alaska, Elaine Horton — que Kyle et Lambrecker, comme tant d'autres, avaient souvent vue sans jamais la rencontrer — marchait dans une des larges rues de la banlieue de Sitka, dans l'archipel Alexandre. Des deux côtés de la rue, des bungalows de style colonial, blancs pour la plupart, étaient blottis derrière une rangée d'érables aux feuilles dorées parmi lesquels apparaissaient, çà et là, des peupliers de Lombardie dont les feuilles tremblotaient dans la brise de l'été indien.

Elaine arpentait la rue sans but précis, en direction des bois tout proches. Elle traînait les pieds dans les amoncellements de feuilles mortes, afin de couvrir le bruit des pas autour d'elle. Mais même lorsqu'elle parvenait à ne plus les entendre, elle sentait tout de même une présence. Ils étaient toujours avec elle. Elle avait réussi, plutôt miraculeusement, à échapper pendant ces derniers jours au harcèlement de la presse. Cela était dû, principalement, à un brusque changement dans les dispositions de Washington. Ils pouvaient aussi bien l'avoir suivie. Quant aux agents de Service secret, ils lui donnaient également l'impression d'être enfermée. Elle admettait qu'ils étaient souvent nécessaires, particulièrement dans les grandes foules — mais ici à Sitka, pendant ses vacances? Néanmoins, elle n'aurait jamais pu convaincre son adjoint de partir sans eux. Miller était intransigeant; il insistait pour que les hommes du Service secret soient disponibles à tout moment, et cela, où qu'ils se trouvent, vacances ou pas.

"Mais, Richard, protestait-elle tandis qu'ils poursuivaient leur promenade, nous sommes sur l'île Baranof — en plein golfe d'Alaska. Qui pourrait me *reconnaître.*"

Il allait répondre, quand il fut interrompu par un petit groupe d'écoliers qui étaient soudain apparus et qui assiégèrent gaiement Elaine pour obtenir un autographe.

Miller se tenait tout près, arborant un air suffisant, tandis que les agents du Service secret surveillaient soigneusement le groupe d'enfants. Quand il furent partis, Elaine se tourna vers Miller.

"Et si l'on me reconnaît, dit-elle, c'est précisément parce que vos troupes de choc attirent l'attention sur nous."

Préférant éviter de discuter cette question avec son patron, Miller jeta un coup d'oeil autour de lui, dans la rue à peu près déserte.

"M'dame, je me sens plus en sécurité à New York qu'ici."

Elaine renifla.

"Pas possible; vous plaisantez.

— Non... Je veux dire qu'ici c'est tellement... tellement découvert. Pas de protection.

— Découvert, mon Dieu! C'est précisément pour ça que je suis venue ici. Je ne peux pas pêcher en plein Manhattan. Je suis fatiguée des gratte-ciel et des gens qui s'entassent les uns sur les autres. J'aime les espaces découverts.

— C'est pour ça qu'on a besoin de tous ces hommes, dit Miller en secouant la tête.

— Très bien; mais je vous avertis, Richard: à la première occasion, je vous fausse compagnie."

Miller eut un sourire indulgent et, néanmoins, plein de respect.

"Vous pouvez bien essayer, M'dame."

Malgré le ton léger de la conversation, Elaine avait vraiment l'intention de s'offrir un peu d'intimité. Elle ressentait les effets de la pression. Elle voulait se sortir Washington de la tête et oublier les centaines de rapports qui, tous les jours, envahissaient son bureau et criaient à la catastrophe. Il était bien loin, le temps où le Vice-président des Etats-Unis passait pour le simple porte-parole du Président. Depuis Kennedey, six personnages politiques de première importance avaient été assassinés. C'est pourquoi on exigeait, à présent, que le Vice-président en sache autant que son patron; il fallait qu'il soit toujours prêt pour la désagréable éventualité où il s'éveillerait, un beau matin, dans la peau d'un Président.

Elaine Horton était, à trente-sept ans, le plus jeune Vice-président que le pays ait jamais eu. Un membre du Congrès qui avait un certain âge l'avait décrite un jour comme une brunette "bien en chair et séduisante".

Quand on lui avait rapporté ces propos, Elaine avait été agréablement surprise; elle avait roulé ses yeux noisette et souri... avec beaucoup de séduction. Bientôt, sa personnalité énergique et exubérante, son calme et sa compétence avaient triomphé de l'hostilité possible de ses collègues mâles — pas seulement au Congrès, mais aussi à la Maison Blanche. De plus, sans être ce que les journalistes mondains appellent une "parfaite beauté", elle était séduisante. Elle ne représentait donc pas une menace pour ces femmes du Congrès qui doivent compter sur leur maquillage autant que sur leur cervelle pour atteindre les prestigieux postes administratifs qui gravitent autour du Président. Elle avait été élevée dans le respect des vertus simples et souvent ridiculisées d'auto-discipline et de réserve; elle les avait conservées tout au long de ses brillantes études supérieures, et jusque dans le climat cynique de l'arène politique.

La Vice-présidente s'aperçut que quelqu'un toussait près d'elle. C'est ainsi que Miller attirait habituellement son attention. Elle était si absorbée par ses pensées que sans le savoir elle était parvenue au bout d'un cul-de-sac; et elle restait là, immobile, depuis plusieurs minutes. Les gens du Service secret essayaient de ne pas trop se faire remarquer; pas très rassurés, ils regardaient en direction des arbres qui s'étendaient bien au-delà de la rue. Le Service secret n'aimait pas les arbres. Une trop bonne cachette. Le chef des agents avait froncé les sourcils pour indiquer à Miller qu'il devait faire quelque chose, s'arranger pour que la Vice-présidente reste en mouvement. Déjà les longues limousines s'étaient glissées derrière elle, leurs moteurs ronronnant tout bas, et laissant échapper de longues traînées de gaz gris-bleu dans l'air calme et limpide.

"Peut-être aimeriez-vous faire un bout de chemin en voiture", suggéra diplomatiquement Miller.

Elle jeta un coup d'oeil vers la limousine vice-présidentielle, lourde et morne avec son blindage et sa peinture noire. Mon Dieu, pensa-t-elle, ça ressemble à un corbillard. Cela lui remit en mémoire l'attentat presque réussi dont avait été victime le Président le mois passé, à la Nouvelle-Orléans. A ce moment-là, la chose l'avait rudement secouée. Aujourd'hui encore, cette seule pensée suffisait à lui donner un léger frisson. La nation aurait perdu un chef; mais pour elle, cela aurait représenté beaucoup plus. Leur liaison, qui avait commencé quelques années auparavant, alors qu'ils n'étaient tous deux que membres du Congrès, était terminée — du moins avaient-ils fait leur possible pour s'en convaincre. A présent, leurs relations étaient strictement professionnelles. Elle frissonna de nouveau. Etait-ce bien vrai?

Miller toussa encore, plus fort cette fois, et Elaine lui jeta un regard courroucé. Miller, les agents, tout lui rappelait son travail. Par-dessus tout, cela lui faisait penser au Président — et c'était justement le Président qu'elle essayait d'oublier. Brusquement, elle se sentit comme atteinte de claustrophobie. Il fallait absolument qu'elle échappe au milieu officiel — à cette surveillance constante —, ne serait-ce que pour une douzaine d'heures. Elle éprouvait le besoin d'un endroit tranquille où elle pourrait se reposer et réfléchir. Cela serait un coup dur pour Miller, mais il n'y avait pas d'autre solution. Elle arrangerait tout en rentrant.

Les agents surveillaient toujours les environs d'un air inquiet. Une des femmes se retourna vivement lorsqu'un de ses collègues fit crisser le gravier derrière elle. Elaine regarda son service de protection, Miller et le chauffeur tout de noir vêtu: tous l'attendaient patiemment. Deux agents féminins l'accompagnaient même lorsqu'elle allait aux toilettes.

"Qu'est-ce que la météo annonce pour demain?" demanda-t-elle d'une voix qui trahissait son irritation.

Miller, pourtant difficile à prendre au dépourvu dans le cadre de ses fonctions, resta un moment bouche bée.

"Je ne sais pas, admit-il à regret.

— Eh bien, informez-vous, s'il vous plaît", fit-elle sèchement en montant dans la voiture, les mains profondément enfoncées dans les poches de sa veste.

Pendant que la longue limousine noire s'éloignait du secteur boisé, Miller prit le téléphone et, moins d'une minute plus tard, il avait les prévisions de la météo.

"Ils disent qu'il va faire beau demain, avec un maximum de soixante-sept. L'été indien", ajouta-t-il, essayant de la tirer de cet abattement soudain.

Elle fit un effort pour lui sourire.

"Je suis désolée de gueuler après vous comme ça, Richard. Je suis fatiguée.

— C'est pour ça que je suis payé.

— Non, pas du tout, répliqua-t-elle calmement. J'ai seulement un caractère de chien, voilà tout."

Elle sortit de son sac un bout de papier.

"Voici l'adresse de Harry Reindorp, dit-elle. C'est le capitaine de bateau de pêche dont je vous ai parlé — le vieil ami de mon père. J'aimerais qu'il vienne me voir ce soir. Voudriez-vous l'inviter à dîner avec moi? Nous rentrons à l'hôtel, maintenant."

Cette soirée fut la plus agréable que Harry Reindorp eût passée — depuis la semaine précédente. C'était un homme de soixante-sept ans, de haute taille, avec des yeux pâles au regard intrépide. Pour un homme qui avait vécu la rude vie du pêcheur en pleine mer au large de l'Alaska, il était encore dans une forme physique remarquable. Il avait déjà pris quelques verres, lorsqu'il aperçut le plateau roulant chargé d'argenterie qu'on poussait sans bruit sur le tapis rouge, épais et moelleux de la suite vice-présidentielle. Ses joues ordinairement bien tendues, comme polies par le vent, se plissèrent de gaieté.

"Eh bien, Lainey, ce serait-y pas les hot dogs?" s'exclama-t-il joyeusement.

En temps normal, il ne lui aurait pas parlé avec aussi peu de cérémonie. En effet, il avait beau avoir connu Elaine lorsqu'elle était toute petite et l'avoir appelée Lainey, à l'occasion des voyages de pêche de son père, il ne s'était jamais tout à fait remis de son accession à la vice-présidence. Mais ce soir-là, l'atmosphère détendue lui rappelait leurs expéditions de pêche d'autrefois. Elaine sourit. D'habitude, elle ne pouvait même pas obtenir qu'il l'appelle autrement que "M'dame". Cela lui déplaisait, pas tellement à cause de son côté conventionnel — mais parce que cela lui donnait l'impression d'être vieille.

Quand le garçon se pencha pour lui offrir un peu de vin à goûter, elle écarta doucement la coupe.

"Faites-le plutôt goûter à M. Reindorp, dit-elle.

— Non, pas à moi, déclara Harry en levant la main. Je suis un buveur de bière. Je ferais même pas la différence si ce liquide-là était de l'eau de marécage. Verse-nous en, mon gars. Si c'est pas bon, je m'en servirai pour conserver mon étoile de mer."

Pendant le repas, Elaine refoula Miller, les agents et ses soucis professionnels au second plan de ses préoccupations: elle écoutait le vieux pêcheur qui lui expliquait les améliorations apportées à son bateau, le *Happy Girl*. En toute autre circonstance, cette conversation l'aurait assommée, car elle était souvent montée à bord du bateau, autrefois — mais ce soir, elle écoutait attentivement. Une idée avait commencé à prendre forme en elle. Mais elle ne se sentit vraiment excitée qu'au moment où il lui dit à quel point il était fier de ses nouvelles amarres à largage rapide. Pendant le dessert — qui fit les délices de Harry —, la vice-présidente expliqua au pêcheur ce qu'elle attendait de lui. En écoutant les détails, Harry — avec l'aide de son quatrième verre de vin — se mit à rire tout bas, à la pensée du bon tour qu'ils allaient jouer à Miller et aux malheureux agents.

Avant même que le téléphone ne sonne, à sept heures, pour la réveiller, Elaine était déjà debout. Tout en prenant sa douche, elle avait presque honte de l'excitation qu'elle éprouvait à la pensée de l'aventure qui l'attendait. Son plan était si simple qu'elle était persuadée à présent qu'il fonctionnerait. Il fallait qu'il fonctionne. Encore trois jours, et ce serait le retour à Washington. Elle entrouvrit la fenêtre de la salle de bain: il faisait un temps splendide. Bien que le soleil ne fût pas encore levé, il n'y avait pas un seul nuage en vue. Elle observa une mouette qui plongeait sans effort et entendit son cri dans l'air limpide. Elle jugea que c'était un bon présage.

Pendant qu'elle se savonnait, elle pensait à Walter Sutherland et à ce qu'il était en train de faire là-bas, à Washington. En ce moment, dans la capitale, on devait être au milieu de la matinée. Et, au même instant, elle pensa à sa femme. Elle ferma la douche et, toute nue, traversa le hall jusqu'au petit salon resplendissant de soleil. Miller avait essayé de la convaincre de prendre une assistante; mais elle était demeurée inflexible. Personne ne partagerait ses appartements. D'ailleurs, son refus venait plus de son désir de préserver son intimité que de sa crainte de parler dans son sommeil. Elle n'aurait jamais eu connaissance de ce danger si, lors d'une fin de semaine passée chez sa mère, celle-ci ne lui avait demandé pendant le petit déjeuner:

"Qui est Walt, ma chérie?

— Walt?

— Oui. Tu as parlé d'un certain Walt pendant ton sommeil.

— Oh! Et qu'est-ce que j'ai dit?"

Sa mère avait versé le café d'un air dégagé.

"Oh! rien de compréhensible."

Puis, elle avait fait une légère pause avant de poursuivre, d'un ton un peu trop désinvolte:

"Il ne pourrait pas s'agir du Président, n'est-ce pas?"

Elaine s'était sentie rougir. Elle avait ri faiblement.

"Bonté divine, non. Moi, appeler le Président, Walt? Sans blague, maman!"

Depuis lors, Elaine avait refusé qu'on lui adjoigne une assistante permanente. Elle passa une longue robe de chambre moelleuse qu'elle avait tirée d'un placard, puis elle s'assit et, sans prendre la peine d'appeler sa coiffeuse, elle sécha et coiffa elle-même ses cheveux, à l'aide d'un séchoir à main.

Elle prit son petit déjeuner, puis s'habilla lentement. Elle mit un chandail rouge à col roulé qui la moulait bien, des pantalons noirs et une épaisse veste de daim brun. C'était là un des agencements préférés du Président. Pour déjouer les agents, elle fourra son léger coupe-vent bleu dans un vaste sac. Puis elle sortit de l'hôtel et posa un flot de questions au sujet de câblogrammes, de nouvelles et autres choses du genre, s'efforçant d'avoir un air aussi officiel que lors d'une journée ordinaire à Washington.

Chapitre 3
22 septembre

Tandis qu'Elaine montait dans la limousine, le second Peter Salish était sur la passerelle du navire marchand américain *MV Kodiak,* au large de l'île Chichagof. C'était la dernière heure de son quart de quatre à huit heures du matin.

Cap au sud, à trente milles de la partie la plus septentrionale de l'archipel Alexandre, le bâtiment faisait route vers Cherry Point dans l'Etat de Washington, en provenance de Valdez. Incapable de dormir, l'officier cadet qui devait relever Salish à huit heures se promenait sur la passerelle, une tasse de café à la main.

Salish porta au journal de bord une remarque sarcastique sur le peu de fiabilité du radar anti-collision qu'on avait installé récemment; puis il sortit son tabac à pipe et, passant devant le timonier, se rendit à tribord pour vérifier la sonde. Le pétrolier géant s'étendait devant lui; dans la lumière grise du matin, il ne percevait la proue que comme une tache lointaine. Vue de la passerelle, la silhouette du pont de trois cents pieds, apparemment interminable, avait l'air d'une piste d'atterrissage se frayant implacablement un chemin à travers la mer soumise. Le *Kodiak* n'était pas comme la plupart des autres bateaux. Il était plus gros. Terriblement plus gros. Cinq fois la grosseur du *Queen Elisabeth*. Sa longueur avait quatre cent cinquante pieds de plus que la hauteur de l'Empire State Building et il était aussi large que deux terrains de football. Il avait cent cinquante pieds de profondeur et une portée de un million de tonneaux — autant que la capacité d'un train long de deux cents milles, formé de vingt mille wagons-citernes pouvant contenir, chacun, trente mille gallons... c'est-à-dire assez pour subvenir pendant trois jours aux besoins pétroliers d'un pays de la grandeur du Canada. De plus, ses générateurs pouvaient produire assez d'électricité pour alimenter l'éclairage d'une ville.

Pourtant, en dépit des impressionnantes possibilités du bâtiment, Salish ne croyait pas que plus un bateau était gros, plus il était sûr. Il avait eu l'occasion d'y réfléchir pendant ses longues heures de quart. Bien sûr, il n'en disait rien dans son livre de bord. Mais ces monstres construits de main d'homme — auprès desquels les grandes baleines bleues paraissaient à peine plus grosses que des marsouins — avaient simplement besoin de trop d'espace pour virer. Malgré tout leur équipement électronique sophistiqué, ils lui faisaient penser à ces énormes et lourds animaux préhistoriques qui étaient trop vite devenus trop grands. Avec leur puissance, ils brutalisaient la mer, plutôt que d'utiliser ses forces naturelles. On avait déjà fait un essai de marche arrière d'urgence, pour éviter une collision. A ce moment, le *Kodiak* filait ses dix-sept noeuds habituels. On eut beau déployer les parachutes de poupe, sortir les ailerons latéraux, lancer les fusées de proue: le bateau n'en poursuivit pas moins sa route sur une distance de quatre milles et demi avant d'avoir suffisamment ralenti pour amorcer sa marche arrière. Par ailleurs, à la même vitesse et sans utiliser ses systèmes de freinage auxiliaires, il lui fallait douze milles pour s'arrêter complètement, à partir du moment où l'on avait arrêté les moteurs.

Néanmoins, Salish était demeuré à bord du *Kodiak,* pour les mêmes raisons qui poussent la plupart des gens à conserver leur emploi: ils ne connaissent guère autre chose et le salaire est bon. Après une douzaine de voyages de Valdez jusqu'aux côtes de Washington ou de Californie, il pourrait faire un premier versement sur un terrain et sortir sa famille de l'espèce de cage à poules qu'elle occupait en ville. Peut-être construirait-il une maison sur une de ces îles retirées, au large des côtes de la Colombie-Britannique.

L'officier cadet, n'ayant rien de mieux à faire, traversa la passerelle et se mit à examiner le journal de bord. C'est à ce moment que Salish cessa de penser à sa femme et à ses deux garçons — de même qu'à l'endroit où ils pourraient vivre — et pointa sa pipe vers l'ordinateur du radar anti-collision.

"Encore ce paquet de boulons qui fait des siennes", dit-il.

L'officier cadet baissa les yeux vers les rangées de minuscules lumières clignotantes et vers le petit appareil enregistreur qui, un peu plus tôt, avait dégorgé son ruban de papier à un rythme alarmant.

"Qu'est-ce qui ne va pas?

— Je ne sais diable pas — mais si ce machin-là pète, on ne voit plus rien."

Le jeune homme songea à son tour de quart qui arrivait. Il se sentait la gorge serrée et sèche. Il se la râcla un bon coup et dit:

"Et le radar de position? On peut s'en servir pour gouverner", suggéra-t-il d'un ton plein d'espoir.

Salish était fatigué. Pendant son quart, la nuit était particulièrement sombre et il n'avait que faire de tous les appareils électroniques dont était pourvu le bâtiment: comme tous les marins, il aimait à voir où il allait en plus de le lire sur un bout de papier.

"D'accord, fit-il; alors, nous sommes à moitié aveugles. Mais le problème, c'est que nous suivons une importante route de navigation... Et si notre formidable radar anti-collision Marconi Mark II se fout en l'air avec son ordinateur à cause d'un grain de poussière dans ses tripes, j'en connais qui vont avoir besoin de penser vite pour tracer une nouvelle route en utilisant seulement le radar de position. Et puis cette baignoire a près de deux mille pieds de long et il lui faut virer pendant au moins un mille avant de pouvoir éviter quoi que ce soit. C'est bien ça?"

Le cadet se borna à approuver de la tête; il n'aimait pas le ton d'instructeur adopté par Salish.

"A présent, qu'est-ce qui se passe si l'autre bateau est aussi en train de tourner? S'il n'y en a qu'un des deux qui a le radar anti-collision, ça ne vaut rien: à ce moment-là, on retourne dans le bon vieux temps— il tourne, tu tournes, il tourne... Et la commission d'enquête appelle ça une *erreur humaine* — des termes officiels pour dire *gâchis*."

L'officier cadet hocha de nouveau la tête, regardant d'un air soucieux la housse grise au fini craquelé de l'ordinateur.

"Est-ce qu'il fonctionne actuellement?

— Oh, ça va pour le moment — mais il a arrêté pendant un bout de temps. Peut-être que c'était seulement le rouleau de papier. S'il y a un problème, appelez Rostow. Faites-lui gagner sa croûte.

— Ça va aller. Mais le temps se maintient. Avec cette lumière, on peut gouverner à vue, de toute façon."

Salish tendit à l'officier cadet le rapport de la météo: mer un peu grosse au cours des douze prochaines heures, puis nappes de brouillard au large des côtes ouest des îles Chichagof et Baranof, réduisant la visibilité à zéro. L'officier cadet regarda sa montre. Il était 7 heures 08. Selon les prévisions, le *Kodiak* rencontrerait le brouillard dans les trente prochaines minutes. Au moins, Salish serait encore là quand ça commencerait.

A 7 heures 30, le groupe vice-présidentiel arrivait au port et tout le monde — sauf la Vice-présidente — remarquait avec agacement le seul bâtiment amarré au quai dix-sept: c'était le bateau de trente pieds de Harry Reindorp, le *Happy Girl*. Les agents avaient l'air mal à l'aise dans ce lieu qui constituait un invraisemblable champ de tir. Voyant que le moteur du *Happy Girl* tournait et faute d'un autre moyen d'exprimer sa désapprobation, le chef des agents regarda Harry Reindorp d'un air rébarbatif.

"Vous allez quelque part? lui demanda-t-il.

— Non, répondit celui-ci. Seulement, je dois faire chauffer le moteur tous les matins, que je sorte ou non. C'est un vieux moteur — comme moi. Il lui faut de l'exercice; autrement, il va tout probablement caler."

L'agent grogna, encore contrarié de n'avoir appris l'intention de la Vice-présidente de visiter le bateau du vieux pêcheur que peu auparavant, au moment où ils quittaient l'hôtel. C'était un homme minutieux et il aimait à tout vérifier d'avance. Cependant, à mesure qu'il inspectait les alentours d'un oeil professionnel, il commençait à se sentir plus détendu. Le *Happy Girl* constituait sans le moindre doute une cible facile; mais, au moins, l'endroit ne grouillait pas de ces petites embarcations qu'on trouve ordinairement dans les marinas — un véritable dédale de cachettes où un assassin n'avait rien d'autre à faire que de s'installer parmi l'embouteillage de bateaux pour ensuite tirer, jeter la carabine par-dessus bord et ensuite continuer à boire son martini.

L'agent parcourait le quai du regard. C'était une longue jetée de bois qui partait d'un affleurement rocheux recouvert d'huîtres. Il pouvait apercevoir un petit pavillon quatre cents verges plus loin, le long de la plage qui s'étendait au sud du banc d'huîtres. La plage elle-même marquait la limite d'un terrain herbeux; mais l'herbe, dorée par la lumière du soleil, était beaucoup trop courte pour dissimuler qui que ce fût. Satisfait de son examen du terrain, l'agent se détourna et se hâta vers le bateau, afin de l'inspecter avant que la Vice-présidente ne monte à bord. Harry lui fit visiter le bâtiment et lui parla des nouvelles amarres à largage rapide qui le retenaient au quai par devant et par derrière. Mais l'agent n'écoutait pas. Peu lui importaient les nouvelles amarres de Harry. Ce qu'il voulait voir, c'étaient tous les endroits où l'on aurait pu dissimuler une bombe. A l'avant du bateau, à côté de la roue, il remarqua un petit meuble de cèdre.

"Qu'est-ce que c'est? demanda-t-il.

— La boisson, répondit Harry, l'oeil pétillant. La seule bombe qu'il y a là-dedans, c'est une bouteille de téquila à bon marché."

L'agent ne trouva pas cela drôle. Il ouvrit plusieurs bouteilles, qu'il renifla avec l'intensité d'un limier.

"Voudriez-vous un p'tit coup? offrit Harry.

— Non, merci, répondit l'autre d'un ton sévère. Tout de même, ajouta-t-il, nous devrions avoir un plongeur pour inspecter le fond.

— Pourquoi? demanda Harry. C'est pas la bonne saison pour les huîtres.

— Il n'y a pas de saison pour les mines, répliqua l'agent avec aigreur. Qu'est-ce qu'il y a sous ce banc?"

Il pointa le doigt vers une longue boîte blanche qui ressemblait à un cercueil.

"C'est là que toutes mes petites amies se couchent, répondit malicieusement Harry. Au fait, ajouta-t-il, peut-être bien qu'il y en a une dedans en ce moment."

Il s'agenouilla, souleva le couvercle et cria dans la boîte:

"Es-tu là, Sheila?"

L'agent fit volte-face, plissant le front d'un air agacé. Il fut sur le point de dire quelque chose, puis il se contrôla et se pencha consciencieusement pour jeter un rapide coup d'oeil dans la boîte.

Harry riait tout bas. Mais l'agent, le visage rouge, en avait assez supporté. Il se tourna furieusement vers le vieil homme.

"Ecoutez, monsieur Reindorp, dit-il; je n'essaie pas d'envahir votre intimité. Mais j'ai un boulot à faire. Je sais que la Vice-présidente est ici pour faire une visite qui durera seulement quelques minutes; mais il y en a qui sont assez timbrés pour essayer n'importe quoi, vous pouvez me croire. Le poison dans les breuvages, les bombes sous les chaises, dans les toilettes, n'importe quoi — tout ce que vous pouvez imaginer."

Harry tapota l'épaule de l'homme.

"Ça va, mon gars, fit-il. Je plaisantais. Je m'inquiète autant que vous à son sujet."

L'agent s'éloigna sans ouvrir la bouche. Puis, il accorda son autorisation à Harry.

Elaine Horton marcha vers le bateau. Miller la suivait, et elle se retourna pour lui faire face.

"James, dit-elle, le bateau a déjà été inspecté. J'aimerais seulement évoquer quelques souvenirs d'enfance avec Harry. D'accord?"

Miller n'aimait pas cela. Pourtant, il secoua la tête d'un air compréhensif.

"Bien sûr. Je reste ici, au cas où vous auriez besoin de quelque chose."

Harry lui prit la main pour l'aider à embarquer. Elle lui fit un clin d'oeil et il sourit. Il lui fit faire, avec fierté, le tour du vieux bateau, lui montrant quelques-unes des plus récentes améliorations. Pendant ce temps, les six agents et Miller étaient alignés le long de la jetée. Ils étaient étrangement voyants et raides dans leurs habits sombres, silhouettes se découpant sur le bleu embrumé du Pacifique qui s'étendait derrière.

Brusquement, le moteur du bateau se mit à tourner à plein régime. Harry tira la corde des amarres à largage rapide, et le *Happy Girl* s'éloigna de l'appontement en ronflant. Au-dessous de lui, Miller ne voyait plus qu'un sillage d'eau blanche et d'écume que l'hélice du vieux moteur brassait de toutes ses forces.

"Christ!" beugla-t-il. "Christ! faites quelque chose!" hurla-t-il aux agents du Service secret.

Ceux-ci coururent jusqu'au bord de la jetée, où ils restèrent à regarder, complètement impuissants, le bateau de pêche qui rapetissait de plus en plus... et la Vice-présidente qui, de la poupe, leur envoyait un baiser effronté. Miller pivota sauvagement pour engueuler le chef des agents, mais il ne l'aperçut nulle part. Il avait instinctivement bondi en avant pour empêcher le *Happy Girl* de s'éloigner, puis on l'avait tout à coup perdu de vue. Il ne jurait jamais, c'était contre ses principes. Il se contentait de marmonner bizarrement en frappant du poing le côté d'un pylône, son complet gris et lisse lui collant au corps comme un emballage de sandwich.

Lorsque deux agents, à bout de souffle, atteignirent finalement le pavillon pour réquisitionner une embarcation, ils le trouvèrent fermé à clef. A ce moment, le *Happy Girl* était presque hors de vue.

Une fois que Miller fut revenu à la limousine, le chauffeur lui remit une enveloppe qui lui était adressée.

"La Vice-présidente m'a demandé de vous la donner après sa visite sur le bateau", expliqua-t-il.

Miller l'ouvrit et lut:

"Je ne veux pas de garde-côte, Richard. J'ai besoin de passer un jour seule. Si les journalistes s'en mêlent, dites-leur n'importe quoi — mais tenez-les à l'écart. S'il y a du grabuge, je m'en occuperai à mon retour. Je suis partie à la pêche. Avec mon éternelle gratitude, Elaine."

Suivaient, manifestement écrites de la main de Harry Reindorp, des instructions détaillées sur la façon dont Miller pourrait rejoindre le *Happy Girl* en cas d'urgence. Elaine Horton souhaitait que cela n'arrive pas. Miller aussi.

Elaine se coucha sur le dos à l'arrière du bâtiment. Elle regardait le ciel bleu et clair en prenant du soleil, la brise fraîche de la mer coulant sur elle et lui apportant l'odeur purifiante du sel et du varech. Le vent lui rappelait le plaisir enfantin qu'elle éprouvait à secouer ses cheveux de tous côtés devant Walter, quand ils se trouvaient seuls. Elle essaya de le chasser de son esprit; mais leur liaison lui revenait sans cesse, comme un beau rêve, abattant les barrières de culpabilité dressées par les fameuses "vertus" qui lui avaient valu le respect du monde officiel de Washington.

Elle avait beau faire, elle ne pouvait s'empêcher de revoir ses cheveux grisonnants pleins de distinction, sa démarche assurée, et le sourire vif et séduisant de son visage au hâle régulier. Par-dessus tout, elle ne pouvait oublier la tendresse qu'il avait eue pour elle chaque fois qu'ils avaient pu être seuls — avant que leur ascension dans le monde de la politique ait mis un terme à la relative intimité de leur vie parlementaire.

Avant que le succès les ait jetés en permanence sous les yeux du public, ils avaient eu la chance, de temps en temps, de disparaître tous les deux. En automne, ils étaient allés dans le Vermont; au printemps, ç'avait été la Virginie. Et une fois, à l'occasion d'une mission d'enquête parlementaire sur la possibilité d'immerger les déchets nucléaires à deux cents milles au large d'Hawaï, ils étaient parvenus à passer trois jours féeriques dans les îles. La paperasse était restée à Washington et elle s'était efforcée, plutôt, de mettre dans ses bagages des vêtements du meilleur goût et pourtant attrayants. Depuis lors, elle avait toujours pensé avec un certain trouble à la facilité avec laquelle elle avait pu se faire croire qu'il n'était pas marié. Elle essayait de ne pas penser à la femme du Président. Clara Sutherland était une femme remarquable. L'idée qu'ils pourraient la blesser avait d'ailleurs constitué une des principales raisons qui avaient poussé Elaine à vouloir mettre un terme à leur liaison.

Le moteur du *Happy Girl* avait de l'âge. Fatigué par le brusque départ, il toussa à plusieurs reprises. A présent qu'ils avaient dépassé le promontoire et se trouvaient hors de vue, Harry mit le moteur au ralenti.

Elaine se mit à penser à son retour à Washington. Elle se demandait à quel point sa volonté tiendrait le coup. Ici même, à trois mille milles de distance, elle croyait à la fermeté de la décision, qu'elle avait prise quelques mois plus tôt, de ne plus voir Walter sauf pour des questions d'ordre public. Mais qu'arriverait-il quand elle le verrait, quand il lui parlerait de nouveau, quand il lui sourirait?

Il était 7 heures 32.

Chapitre 4

Vers 7 heures 44, le *MV Kodiak* naviguait dans un épais brouillard; de plus, Salish avait appris la présence d'un autre bateau aux alentours. En temps normal, cela ne l'aurait pas préoccupé; mais le radar anti-collision faisait encore des siennes et dégobillait des flots de papier portant des inscriptions incompréhensibles. C'est pourquoi Salish avait passé la dernière demi-heure, ou à peu près, à tenter de déterminer la position de l'autre bâtiment en utilisant seulement le radar de repérage — ce qui se révélait presque impossible.

C'est alors que, d'un seul coup, l'écran du radar anti-collision était devenu complètement vide. L'officier cadet préférait ne pas penser au comportement de plus en plus imprévisible du temps et de l'ordinateur — du moins pas avant d'y être obligé. Aussi avait-il battu en retraite vers la coquerie, pour se préparer un sandwich. Le radar lui faisait toujours penser aux moteurs hors-bord: ils semblaient dotés d'une perversité toute humaine, à les voir vous lâcher juste au moment où vous en aviez le plus besoin... comme en ce moment, avec le banc de brouillard qui s'étendait implacablement, à mesure qu'une masse d'air froid en provenance de l'Arctique entrait en contact avec l'air plus chaud des terres d'Alaska.

Ce qui tracassait Salish, c'était cette confiance qu'on accordait aux machines. Cela avait pour effet premier d'inciter les hommes à relâcher leur surveillance, en plus d'émousser leur vivacité en général. Par ailleurs, quand il arrivait qu'un élément fonctionne mal parmi la myriade d'appareils électroniques qui guidaient le bateau, il était porté à se demander quel autre système se préparait à faire défaut sous les ponts, au fond des "puits de mine" (c'est ainsi que les hommes appelaient ce labyrinthe de réservoirs, de tuyauterie et de tunnels). Les explosimètres et les détecteurs de gaz fonctionnaient-ils normalement... ou une poche de vapeurs invisibles et hautement inflammables était-elle en train de se former? Il ne fallait qu'une étincelle pour enflammer ces poches de vapeurs; les couvercles des réservoirs sauteraient alors comme des roquettes et les flancs du pétrolier géant se déchireraient — cela exploserait aussi facilement qu'un ballon. Une étincelle. Et il n'était pas dit que le pétrolier n'avait pas une fuite de gaz quelque part.

Un des cauchemars de Salish consistait à diriger les équipes d'inspection, en bas, dans les tunnels, pour vérifier les réservoirs vides après leur nettoyage automatique. Lors de ces descentes, il y avait la peur continuelle de tomber sur une nappe invisible de gaz à haute concentration, dans un des nombreux renfoncements que comportait chaque réservoir. Le gaz pouvait être là, reposant tranquillement, n'attendant que le moment où le corps d'un homme percerait la bulle pour l'envelopper. Quand cela se produisait, vous étiez aveuglés au bout de dix secondes. Cinq minutes de plus et, avec les hydrocarbures qui envahissaient votre cerveau, vous deveniez un légume pour le reste de votre vie. Une autre minute, et c'était la mort. Et même dans les exercices d'urgence, on avait mis douze minutes à descendre l'appareil respiratoire Drager dans les entrailles du réservoir, à partir de la "bouche de puits" la plus rapprochée. En plus de cela, Salish détestait porter la grosse combinaison antistatique et les pantoufles anti-étincelles, qui étaient obligatoires. Ces vêtements gênaient les mouvements à l'intérieur des réservoirs et, par surcroît, ils étaient incroyablement chauds. Ces tournées d'inspection ne lui déplaisaient pas tout à fait autant lorsqu'il faisait soleil et qu'on pouvait voir des faisceaux de lumière pénétrer dans les réservoirs sombres. Mais par temps nuageux, il n'y avait aucun éclairage naturel. Même le doux frottement des pantoufles éveillait des échos dans ces espaces grands comme des zeppelins. Cet obscur dédale de tuyaux, d'échelles et de réservoirs à l'intérieur d'autres réservoirs faisait penser aux cavernes froides et humides au fond desquelles les bêtes des premiers âges du monde habitaient et mouraient, emprisonnées dans un univers de ténèbres sans fin.

A bord du *MV Sakhalin,* un pétrolier du même tonnage que le *Kodiak,* le timonier chantonnait pour tromper son ennui. Le bâtiment faisait route vers le sud, au large de l'archipel Alexandre. La mer était calme, et Bykov s'était aperçu qu'il pouvait gouverner le bateau d'un seul doigt. De temps en temps, de longues traînées de brouillard passaient comme des vols de fantômes. Autour du bâtiment russe, tout était gris comme de la pierre.

Le sous-officier Yashin se détourna de nouveau du radar pour rôder nerveusement sur la passerelle.

"Bykov, fit-il, cessez de faire ce bruit.

— Je m'excuse, Monsieur.

— Vous n'avez rien vu?

— Non, Monsieur.

— J'ai encore eu une tache sur l'écran du radar. Gardez l'oeil ouvert.

— Oui, Monsieur.

Mais Bykov se demandait ce qu'il était supposé voir dans ce brouillard épais comme de la purée de pois.

Salish tressaillit lorsque Yashin actionna la corne de brume. Après quatorze ans dans la marine marchande, il n'était pas encore habitué à l'effroi que lui causaient ces coups de sirène. Il tira la corde pour répondre à l'autre bateau, sans savoir qui il était ni d'où il venait. Puis, se penchant sur l'écran vide du radar anti-collision, il donna un coup de poing dans le côté de l'appareil.

"Que le diable l'emporte! C'est la deuxième fois en une demi-heure!"

Il fit volte-face et marcha rapidement jusqu'au téléphone de la passerelle. Il décrocha le récepteur et fit un numéro. Mais tout ce qu'il entendit fut un long bourdonnement. Après avoir raccroché, il appuya de nouveau sur le bouton. Au bout de quelques secondes, une voix fatiguée répondit:

"Ouais, Pete?

— J'espère que je ne vous dérange pas, les gars, grogna sarcastiquement Salish.

— Non. J'étais seulement en train de me faire un sandwich.

— Ah bon! Eh bien, réveillez Rostow, s'il vous plaît. Dites-lui que le radar anti-collision est encore détraqué.

— Complètement bousillé?

— Complètement. Pas le moindre signe de vie. Mort. Kaput.

— Compris. Je vais lui dire.

— Pas seulement lui dire... Je m'en vais comme un aveugle avec le radar de position relative; et il y a un autre bateau dans le coin. Qu'il se bouge le cul — je le veux ici, en haut, tout de suite!

— Je m'en charge."

Salish raccrocha, satisfait d'avoir agi rapidement et de la bonne manière. Il commença à bourrer sa pipe, jeta un coup d'oeil à sa montre et écrivit dans le journal de bord: "22 septembre, 7 heures 49 — L'écran et l'ordinateur du radar anti-collision ont cessé de fonctionner — (troisième panne en vingt-quatre heures)."

Le Russe transpirait. Il passa encore trois minutes à observer la lueur sur l'écran, puis prit une décision. Il se rendit à l'intercom, abaissa le commutateur du mess des officiers et appela le capitaine — quelque chose qu'il n'avait jamais fait jusqu'ici, pendant ses quarts. A sa surprise, une voix lui répondit presque immédiatement:

"Oui? Qu'est-ce qu'il y a, Yashin?

— Capitaine, je m'excuse d'interrompre votre petit déjeuner, mais...

— Oui? Oui, qu'est-ce qu'il y a?

— Monsieur, il y a un bateau qui nous poursuit."

Il y eut un instant de silence qui fit regretter à Yashin d'avoir appelé.

"Qui nous poursuit? reprit le capitaine. Qu'est-ce que vous voulez dire? Nous ne sommes pas à la guerre, mon vieux.

— Mais je l'ai sur mon écran, Monsieur, et la sirène n'a pas réussi à m'en débarrasser. Il a l'air de marcher à l'aveuglette.

— Ça va, ça va, répondit le capitaine d'un ton irrité. Je suis en haut dans une minute."

Yashin était énervé depuis le tout début de son quart, où le Vieux lui avait ordonné de vidanger au large de Sitka le mélange d'huile et d'eau des réservoirs de fond de cale. Ils savaient tous deux que l'IMCO (Organisation maritime consultative inter-gouvernementale)* avait interdit de déverser l'huile et l'eau de vidange dans les eaux côtières. Mais Yashin savait qu'ils ne couraient pas grand risque d'être pris. En effet, le Vieux avait eu l'habileté d'attendre non seulement la noirceur, mais aussi la période pendant laquelle ils seraient dans les eaux que l'IMCO avait déclarées zone d'épanchement enregistrée — ou RSA*. Ces épanchements étaient provoqués par des fuites de pétrole qui provenaient de fissures dans l'écorce terrestre au fond de l'océan, ou encore d'un pétrolier qui avait coulé à cet endroit et continuait à laisser échapper le contenu de ses réservoirs, à mesure que ceux-ci se corrodaient. La superficie de ces épanchements variait énormément; cela allait de cinq milles sur

---

* Inter-Governemental Maritime Consultative Organization.

---

* Registered Spill Area.

deux jusqu'à dix milles **sur** cent dans certains cas —
comme dans le golfe d'Alaska. Yashin savait qu'en éva-
cuant cette huile dans une zone d'épanchement, le patron
soviétique ne risquait guère d'être inquiété. Mais il n'aimait pas cela. Il voyait déjà le jour où l'IMCO ense-
mencerait chaque pétrolier avec des isotopes identifiables
qui serviraient, en quelque sorte, d'empreintes digitales.
Ainsi, les contrevenants pourraient être positivement
identifiés.

Yashin pensait beaucoup ce matin-là, tandis que
sur l'écran la tache poursuivait immuablement sa trajectoire vers leur bâtiment, à travers le brouillard. Il se souvenait de ce pétrolier japonais qui était entré en collision,
en novembre 1974, avec un cargo libérien dans la baie de
Tokyo. Pendant dix-sept jours, il avait brûlé comme une
torche. Les experts prétendirent que s'il n'avait pas coulé,
il aurait brûlé pendant six mois. Au cours des dix dernières années, il y avait eu, annuellement, trente et un
bateaux-citernes qui avaient explosé en mer. C'était là
une statistique que Yashin avait conservée en mémoire;
elle avait des implications telles, que la sueur perlait à
son front tandis qu'il observait la lueur qui se rapprochait
sur l'écran. Pour enflammer une poche de gaz, il ne fallait
qu'une toute petite étincelle — comme celle que pourrait
produire un homme en se peignant. Une seule étincelle,
sans compter les charges qu'engendrerait la collision.
Yashin se rendit rapidement à tribord de la passerelle et
donna un long coup de sirène.

Peter Salish sursauta de nouveau. Le timonier sourit, mais Salish le remarqua et braqua un regard furieux
derrière la tête de l'homme. Puis, absolument immobile,

il écouta, essayant d'imaginer la direction de l'autre bateau. Il se demandait quel genre de bâtiment c'était, quel était son aspect et, par-dessus tout, comment le son de la sirène avait bien pu se rapprocher depuis la dernière fois. On n'avait rapporté la présence d'aucun autre bateau dans les environs et, bien que cela n'eût rien d'exceptionnel, il se tourna vers le timonier.

"Ouvrez l'oeil, Henry.

— Oui, Monsieur. Je crois qu'il est à tribord.

— Non, non... il est à bâbord, répondit Salish d'un ton peu convaincant. C'est l'écho que vous entendez.

— Je ne crois pas, Monsieur. Le son..."

Salish lui coupa la parole brusquement:

"Silence... Ecoutez..."

Deux minutes plus tard, la sirène russe retentit de nouveau. Salish se sentit soudain la bouche sèche. Cette fois, le son lui avait communiqué jusque dans le ventre sa vibration profonde et sourde. Les deux hommes tendirent l'oreille. Salish sonna l'homme de garde qu'il avait posté à la proue dès que le brouillard avait commencé à les envelopper.

"Vous voyez quelque chose, en avant?

— Rien que du brouillard, Monsieur."

Salish raccrocha bruyamment, courut à bâbord et ouvrit la porte coulissante. La vigie, qu'il ne pouvait pas voir, avait anticipé sa question.

"Rien de ce côté, Monsieur, fit-il — du moins, je ne peux rien voir.

— Au diable!" dit Salish en fermant la porte.

Puis il retraversa la passerelle et alla ouvrir la porte de tribord.

"Vous voyez quelque chose, Wray? hurla-t-il dans le vent.

— Rien, Monsieur. Du brouillard, c'est tout. Je pense qu'il est droit devant nous.

— Vous gueulez dès que vous apercevez une lumière.

— Compris."

Salish referma la porte et tourna les yeux vers l'écran du radar. Il ne fonctionnait toujours pas. Il se tourna vers le radar de position relative. Il pouvait voir la série de points noirs qui indiquaient les positions précédentes de l'autre bateau — parfois proches, parfois à plusieurs kilomètres du *Kodiak*. Mais sans le radar anti-collision, le radar de position relative était tout à fait inutile, étant donné le temps qu'il fallait pour tourner. A présent, tout marchait au jugé. Devait-il conserver son cap, espérant que l'autre bateau s'écarterait, ou valait-il mieux changer de route encore une fois? Peut-être que le radar de l'autre était défectueux aussi? Comme il appuyait sur le bouton de la sirène, il sentit son estomac se nouer et la bile lui monter dans la gorge. Rageusement, il empoigna le téléphone et appela de nouveau Rostow.

Les deux cornes de brume se répondaient à présent. Les procédés normaux avaient échoué par suite de la panne du radar anti-collision américain. Dans la cabine de la radio, l'opérateur secouait la tête d'exaspération. Il ne comprenait pas un traître mot de ce qu'il entendait dans ses écouteurs. Il n'y avait qu'un seul message que les deux bateaux étaient à même de comprendre, et c'était le S.O.S. Le son morne et lourd des cornes de brume retentissait aux oreilles de Salish comme un hymne funèbre. Malgré ses innombrables heures d'entraînement, son angoisse approchait du seuil de la panique. Privé de l'écran sophistiqué de l'anti-collision, il se savait incapable de prévoir les mouvements de l'autre.

Rostow arriva, les yeux bouffis de sommeil. Aussitôt, il se mit à dévisser le panneau latéral du radar anticollision.

Quelques secondes après que les hommes placés en vigie à la proue et dans le nid de pie lui eurent crié qu'ils ne pouvaient rien voir, Yashin entendit le gémissement de l'ascenseur: le capitaine arrivait du mess des officiers, cinq étages plus bas. La sueur ruisselait à présent sur le visage du sous-officier et il avait honte d'avoir dû demander de l'aide. Peu fier de lui, il décida de se racheter quelque peu en prenant une initiative soudaine. Il ordonna à Bykov de virer à quatre-vingt-trois degrés, estimant qu'en changeant de cap vers l'est il écarterait le *Sakhalin* à angle droit de la route du bateau qui approchait. Mais pendant qu'il donnait cet ordre, le navire américain, dont l'allure était plus rapide, avait amorcé un mouvement tournant pour s'éloigner vers le sud-est, virant à cent vingt-sept degrés. Yashin baissa les yeux sur l'écran et pâlit en s'apercevant que la lueur tournait aussi. Il tira la corde de la corne de brume et donna cinq coups brefs, pour signaler un danger de collision imminente.

Sortant du brouillard, les deux bateaux devinrent tout à coup visibles l'un pour l'autre, semblables à deux léviathans qui se seraient mutuellement traqués sans le vouloir à travers la mer couverte de brume. Le Russe, arrivant par bâbord arrière sur le flanc de bâbord de l'Américain et se dirigeant à angle aigu vers la moitié arrière du *Kodiak,* fut le premier à constater l'inévitable. Frénétiquement, les deux timoniers actionnèrent le gouvernail, tournant la roue jusqu'au bout. Mais, même à vingt noeuds, les bâteaux étaient trop rapprochés pour qu'une manoeuvre quelconque pût les sauver.

Au moment où Salish aperçut la forme massive du bâtiment russe de deux milles pieds qui émergeait du brouillard et fonçait vers lui, son cerveau se mit à fonctionner à toute vitesse. Il pensa tout de suite à l'épouvantable explosion qui surviendrait, si le contenu du réservoir de cale avant du bateau russe s'écoulait dans la chambre des machines et entrait en contact avec une étincelle provenant des moteurs encore en marche. Comprenant que la collision était désormais inévitable, il agrippa le transmetteur d'ordres du *Kodiak* et commanda l'arrêt des moteurs, puis il appuya sur le bouton d'alarme pour faire abandonner le navire. Ensuite, il coupa net le tuyau de sa pipe entre ses dents.

Si le bâtiment russe avait frappé le bateau américain n'importe où entre la passerelle et la proue, la plus grande partie de l'équipage aurait peut-être survécu, puisque ses quartiers étaient situés au-dessus de la chambre de chauffe. Bien sûr, certains raidisseurs d'acier longitudinaux qui renforçaient les plaques de métal à l'intérieur et à l'extérieur auraient sûrement été tranchés comme des spaghetti — aussi facilement que ceux de l'arrière — mais le bateau américain, avec sa cargaison de pétrole plus léger que l'eau, aurait pu continuer à flotter même après avoir été coupé en deux, soutenu par ses réservoirs intacts du centre et des flancs. Cependant, l'étrave du *Sakhalin* défonça, avec un fracas déchirant, le flanc de bâbord arrière du *Kodiak,* ouvrant une brèche grande comme un cratère de bombe dans le côté du pétrolier américain.

Tandis que le réservoir de cale avant du *Sakhalin* éclatait comme un vulgaire ballon et répandait des milliers de gallons d'essence à haut indice d'octane sur les restes brûlants de l'immense chambre des machines du

Kodiak, la mer se mettait de la partie et envahissait la chambre des machines, réduisant les risques d'une explosion qui aurait tout simplement déchiqueté les bâtiments. Mais, sous l'irruption de ces milliers de gallons d'eau de mer, toute la partie arrière du *Kodiak* s'enfonça, noyant la plupart des hommes qui n'avaient pas été tués net au moment de l'impact.

En quelques minutes, la proue du *Kodiak* se dressa à pic dans le brouillard, et le pétrolier se mit à glisser lentement vers l'arrière, dans la mer parsemée de débris. Pendant tout ce temps, la sirène du bateau en train de couler continuait de fonctionner sous l'eau — on aurait dit le gémissement étouffé de quelque grande et noble bête torturée à mort.

Dans une confusion assourdissante de bruits — tuyaux à haute pression crevés, hélices brusquement arrêtées, fracas des marmites et des casseroles qui dégringolaient dans la cuisine et des plaques d'acier massif qui se fendaient —, les Russes purent entendre une détonation retentissante, comme une bombe éclatant au loin. Une petite explosion venait de se produire sur le *Kodiak,* à tribord de la passerelle qui s'enfonçait rapidement. Un instant, les deux énormes bâtiments se découpèrent en silhouettes sur l'éclair orange et blanc — deux monolithes sombres se livrant un combat dans un suaire de brume. Ils se retenaient dans une étreinte d'acier tordu et plié, le Russe avec sa proue légèrement enfoncée sous l'eau par l'arrière du *Kodiak* dont l'étrave, suivant le mouvement de la poupe qui s'engloutissait, était presque complètement sortie de l'eau.

Yashin aperçut soudain un homme seul qui se débattait dans la mer huileuse, quatre-vingt pieds plus bas. A ce moment, le capitaine soviétique venait de commander: "Moteurs, arrière toute", dans un effort pour dégager son bateau de la prise de l'Américain avant que celui-ci ne l'entraîne au fond; mais en une seconde, Yashin était parvenu à expédier par-dessus bord une trousse de survie pour le matelot américain.

Mais les diesels du *Sakhalin* avaient beau pousser des hurlements de furie sauvage, les trois hélices brassant la mer tout autour en un tourbillon d'écume d'une centaine de verges, le capitaine russe savait bien qu'il ne parviendrait pas à se libérer. Au bout de quarante-cinq secondes, les réservoirs d'avant un et deux du *Sakhalin,* à demi pleins d'Avgaz et situés juste derrière le réservoir de cale avant, se rompirent à leur tour et déversèrent dans la mer de l'essence extrêmement combustible destinée aux avions.

Pendant ce temps, la tension exercée sur les cloisons commençait à produire son effet et d'importantes fuites se manifestaient à bâbord, dans sept des seize réservoirs de flanc. Yashin signala que, d'après les indicateurs, de l'essence s'écoulait également par des fissures longues d'un pied dans les parois en acier d'un pouce et demi d'épaisseur des réservoirs un et deux du centre. Malgré tout, le capitaine soviétique décida de continuer, pendant deux minutes encore, à pousser ses moteurs en marche arrière. Il ne se résigna à les stopper qu'après avoir vu le panneau de contrôle indiquer nettement le gauchissement des plaques d'acier dans les réservoirs centraux six, sept et huit. Le combustible s'écoulait rapidement. Puis, l'instant d'après, une autre explosion dans la chambre des machines du *Kodiak* secoua le *Sakhalin,* projetant le capitaine sur le pont. La déflagration fut si puissante, qu'elle éventra quatre des réservoirs arrière du *Kodiak* — le seize, le quinze, le quatorze et le treize. Heureusement, tous ces réservoirs étaient pleins. Si certains d'entre eux n'avaient été que partiellement remplis, permettant la formation de gaz à l'intérieur, l'explosion de la chambre des machines aurait presque certainement déchiré le *Kodiak* en deux, le transformant en un véritable enfer. Mais, pour le moment, des milliers de tonnes de pétrole brut se déversaient dans la mer.

Lorsqu'on put repêcher l'Américain tombé à la mer et qu'il se trouva à bord du bateau russe, il fut pris de violentes nausées, vomissant du pétrole et de l'eau salée. Yashin essayait de le réconforter dans son anglais hésitant, tout en le nettoyant et en lui faisant boire du café. L'Américain avait peine à comprendre comment les deux bateaux avaient pu entrer en collision. Sur cette mer couverte de brume, il n'avait eu aucune idée de ce qui s'était passé. Tout ce qu'il savait, c'est qu'il était en train de lire sur sa couchette, puis qu'il avait entendu le signal d'alarme. L'instant d'après, il était en train de suffoquer dans la mer huileuse.

Cependant, le marin n'éprouva aucune difficulté à comprendre l'inquiétude de Yashin, quand il lui demanda une cigarette. Yashin secoua vigoureusement la tête. "Etincelles, dit-il. Etincelles." Et il fit avec ses mains un grand geste vers le ciel, évoquant évidemment une énorme explosion. Tout d'abord, le matelot ne partagea pas l'inquiétude de Yashin. Le *Kodiak*, en effet, ne transportait que du pétrole brut et, bien que celui-ci puisse brûler, il était à peu près impossible qu'il s'enflamme de lui-même. Mais lorsqu'il se fut rendu compte de ce que sentait l'air, il comprit enfin pourquoi l'autre avait peur. Le Russe, calcula-t-il, transportait une cargaison combinée d'huile et de pétrole, à destination de Cuba. Les lourdes émanations de l'essence extrêmement raffinée se répandaient déjà comme un nuage empoisonné dans le brouillard, autour des navires et bas au-dessus de la surface de la mer.

Il s'agissait là d'un nuage qui pouvait s'étendre avec une extraordinaire rapidité sur une grande superficie de l'océan autour d'eaux. Un nuage qui, malgré la teinture rouge qui identifiait sa forme liquide, demeurait tout à fait invisible à l'oeil nu, répandu comme il l'était dans le brouillard. C'était là le danger. Le marin américain regardait d'un oeil vide la carcasse qui était devenue le cercueil de tant de compagnons. Et, sous l'effet du choc rétrospectif, il fut pris de tremblements incontrôlables. Il essaya de se lever de la couchette, mais il tomba en arrière et se remit à vomir. L'odeur de ces gaz le rendait de plus en plus malade. Pendant qu'il suffoquait, il ne pouvait penser qu'à une seule chose: les films sur la conservation de l'énergie qu'il avait vus quelques années auparavant, lors du rationnement de l'essence. L'un d'eux montrait l'allumage d'un bidon d'essence de quatre gallons. Cela avait sauté comme une bombe. Et il savait bien que quatre gallons ne représentaient guère plus qu'une goutte, en comparaison de ce que ces réservoirs grands comme des cavernes étaient en train de déverser. Il ne croyait pas en Dieu — mais il se mit tout de même à prier.

Pendant que les émanations mortelles continuaient de s'étendre silencieusement sur la mer, transportées plus rapidement par le vent qui commençait à s'élever, les multiples rangées de minuscules lumières rouges, vertes et blanches des tableaux indicateurs poursuivaient leur danse muette et fantastique sur la passerelle du *Kodiak* en train de couler. Messagères pressantes d'un destin funeste, elles continuaient à clignoter pour annoncer le désastre imminent — même en cet instant où l'étrave du bâtiment continuait de s'élever tandis que l'eau salée s'infiltrait en grésillant au coeur de l'ordinateur principal —, pour prédire la fin du *Kodiak*. Enfin, leur cerveau forcené admit que la situation était sans issue... et toutes les lumières moururent simultanément, plongeant la passerelle dans une obscurité totale où le corps recroquevillé de Salish, soutenu par sa veste de sauvetage, dérivait sans but, heurtant mollement des îlots d'équipement qui émergeaient çà et là.

Le capitaine russe disposait d'un équipage prêt à combattre l'incendie dès qu'il se manifesterait. Ils savaient tous, pourtant, que si un incendie se déclarait sur cet océan de pétrole, les extincteurs n'en viendraient jamais à bout, quel que soit leur nombre. Le feu courrait tout simplement sur la peau de la mer, collé comme du napalm sur un corps sans défense. Les canots de sauvetage et les radeaux gonflables étaient prêts à servir: mais dans le feu, ils auraient été inutiles. Le capitaine avait décidé de ne pas abandonner son navire avant qu'il ait vraiment commencé à sombrer. Mettre les embarcations de sauvetage à la mer par ce brouillard, avec ce vent qui se levait, serait le moyen le plus sûr de perdre son équipage. Yashin comprenait qu'ils ne pouvaient rien faire d'autre que d'attendre et d'espérer du secours avant qu'une explosion ne survienne dans l'essence à haut indice d'octane, ou avant que le *Kodiak* ne les entraîne encore plus bas. Il inscrivit l'heure dans le journal de bord du *Sakhalin.* Il était 8 heures 02.

Chapitre 5

A 8 heures 30, le destroyer à armement nucléaire U.S.S. *Tyler Maine* faisait route à toute vitesse vers le sud, en provenance de Cross Sound. Il se trouvait à vingt-cinq milles au large de l'extrémité sud de l'île Chichagof, son étrave en forme de couteau tranchant comme un fantôme le brouillard qui, à présent, dégageait mystérieusement des échappées de mer libre par-ci, par là.

Puisque le destroyer était le seul bateau à croiser près du site de la collision, la garde côtière des Etats-Unis lui avait demandé de répondre à l'appel de détresse du bâtiment russe. Le *Kodiak,* lui, n'avait même pas eu le temps d'envoyer un signal de détresse, la collision avec le super-pétrolier soviétique ayant démoli la cabine de la radio. Le commandant du destroyer appela la chambre des machines.

"Chef, vous nous donnez bien le régime maximum?

— C'est ce que les cadrans indiquent, Commandant. Mais je pourrais peut-être lui faire cracher un ou deux noeuds de plus. Faut dire que ça le forcerait pas mal.

— Ça va, forcez-le. Je veux secourir ces pauvres diables avant qu'il n'arrive autre chose. Je n'ai pas l'intention de me rendre à une centaine de verges d'eux pour être obligé de les abandonner.

— Oui, Monsieur."

Dans la chambre des cartes du destroyer, le commandant en second travaillait fébrilement du compas et de la règle. La ligne qu'il avait tracée entre la position du destroyer et celle des pétroliers accidentés — qu'on estimait à quelque quarante milles à l'ouest de Sitka — allait du nord-est au sud-ouest. Avec cette visibilité réduite à zéro, ils n'apercevraient pas le bateau russe avant d'être pratiquement sur lui. En attendant, la distance qui les séparait de la nappe de pétrole était laissée à leur estimation. Quelques minutes plus tard, le navigateur sortit la tête de la chambre des cartes et appela le commandant de toute urgence.

"Monsieur, je crois que nous approchons de la zone de pollution dangereuse. Ou du moins, nous devons en approcher, d'après leur position et l'augmentation de la vélocité du vent."

Le commandant écouta le renseignement sans marquer la moindre surprise.

"Merde! fit-il enfin. Pas besoin de vos cartes pour savoir ça. Mon nez est sacrément meilleur que tous les détecteurs qu'il y a sur ce bateau. On peut sentir ça — ça pue jusqu'au ciel."

Le second approuva. Puis, le commandant toussa et cracha dans un mouchoir.

"Et je peux le goûter, ajouta-t-il d'un ton irrité. On est à quelle distance du bateau russe?

— Une couple de milles — sud-sud-ouest."

Le commandant grogna et prit la tasse de café que lui offrait un officier de service.

"Avertissez l'équipage qu'on approche de la zone dangereuse. On va probablement rencontrer la flaque d'ici un quart d'heure."

En fait, le *Tyler Maine* était déjà profondément engagé dans la zone d'épanchement d'essence et de pétrole. Toutefois, personne à bord ne pouvait s'en être aperçu, car le bateau avait pénétré dans une longue langue de vapeur d'essence que le vent avait poussée dans une zone dégagée, au-delà de la position des bateaux en détresse et du gros de l'épanchement. S'étant évaporée, l'essence formait à présent à la surface de la mer une pellicule invisible et extrêmement volatile. Le commandant était persuadé que l'odeur provenait d'émanations lointaines de l'épanchement principal; aussi croyait-il avoir prévenu l'équipage suffisamment tôt.

"Je veux qu'on exerce un contrôle étroit pour que personne ne fume, poursuivit-il d'un ton tranchant. Je veux aussi que la chambre des machines et la coquerie soient fermées hermétiquement et n'utilisent que de l'air filtré. Vous avez compris?

— Oui, Commandant."

Le quartier-maître Jones, un nouveau-venu à bord du *Tyler Maine,* n'était pas ce qu'on pourrait appeler un gros buveur. Mais il était seul, placé en vigie dehors, à tribord de la passerelle, incapable comme d'habitude de distinguer un traître mot de ce qui sortait d'un haut-parleur — que ce soit dans un aéroport, dans une gare ou à bord d'un destroyer. Il ne pensait qu'à finir son quart pour boire un coup à la bouteille de Jack Daniel qu'il

73

avait apportée secrètement à bord. C'était un cadeau que lui avait offert sa femme pour son anniversaire. Tous les ans, elle lui donnait la même chose — et tous les ans, il déclarait que c'était exactement ce qu'il voulait. Il leva les jumelles et scruta l'horizon; mais il n'apercevait rien d'autre que la grisaille cendreuse des bancs de brouillard dispersés sur la mer. Laissant les jumelles pendre à son cou un moment, il sortit sa blague à tabac. A quarante-deux ans, il se disait que s'il devait mourir du cancer du poumon, il mourrait du cancer du poumon — et il pensait la même chose de la vieillesse. Il avait tenté de se défaire de cette habitude — et, à terre, il y parvenait. Mais ici, en mer, se demandait-il, que faire d'autre que de manger, dormir et, peut-être, baver un petit coup sur le *Playboy?* De toute façon, comment voulez-vous abandonner la cigarette quand vous en fumiez déjà un paquet et demi par jour à seize ans? Utilisant la rambarde couverte de tôle de la passerelle pour se protéger du vent, il tint le papier à cigarette le plus bas possible et y roula adroitement le tabac.

A l'intérieur de la passerelle, sûr que la prise de terre protégeait le système électrique du bateau contre la foudre et toute défectuosité électronique, le commandant était occupé à se faire confirmer que les diverses parties du bâtiment étaient bien fermées hermétiquement. En plein milieu du rapport en provenance de la chambre des machines, il fit signe au second.

"Oui, mon commandant?

— Vaudrait mieux ne pas oublier le nouveau qu'on a mis à tribord pour surveiller la zone de danger. Avec le vent qu'il fait, ça se pourrait bien qu'il n'ait pas entendu le haut-parleur.

— A vos ordres, Commandant."

Le second remonta le capuchon de sa canadienne et

se dirigea vers l'aileron de passerelle de tribord. Comme il ouvrait et refermait la porte, le vent mugit dans l'ouverture et lui fouetta les yeux. Penchant la tête, il se tint à la rambarde d'une main tandis qu'il cherchait son mouchoir de l'autre. L'officier savait qu'il n'y avait jamais eu de collision auparavant entre des pétroliers de la grosseur du *Sakhalin* et du *Kodiak*. Comparée à cela, l'affaire du *Torrey Canyon*, dans les années soixante, n'était qu'un tout petit accident.

Il y avait un chiffre qui ne cessait de lui revenir à la mémoire, en rapport avec une nappe de pétrole qui s'était répandue dans le golfe du Saint-Laurent à la fin des années soixante. En un seul jour, une nappe de dix milles gallons — seulement une fraction de la cargaison du *Torrey Canyon* — avait couvert une superficie de cent milles de diamètre. Et la cargaison entière du *Torrey Canyon* représentait au plus un sixième de l'épanchement vers lequel ils se dirigeaient.

D'abord, il ne put rien distinguer dans la grisaille qui régnait; puis il entrevit vaguement la silhouette de la vigie en train d'aspirer une bouffée de cigarette.

"Qu'est-ce que vous foutez là, matelot?" rugit l'officier en essayant de dominer le bruit du vent et de la mer.

Le quartier-maître Jones sursauta et retira rapidement la cigarette de sa bouche et, avant que l'autre ait pu l'arrêter, la jeta par-dessus bord.

"Excusez-moi, Monsieur."

Pendant un bref instant, le second regarda, fasciné d'horreur, la cigarette allumée que le remous d'air du bateau charriait vers l'arrière, puis rabattait vers la mer. Il y eut un énorme éclair orangé, suivi d'un crépitement assourdissant, puis un autre, et un autre encore... jusqu'à ce que l'horizon lui-même semble exploser silencieusement, au loin, comme sous un feu concentré d'artillerie.

Les Russes et le rescapé américain ne pouvaient rien faire — de même que leurs prétendus sauveteurs qui étaient à présent à une courte distance vers le nord-est. Mais leur fin était beaucoup plus affreuse, puisqu'ils pouvaient déjà voir ce qui allait les tuer. Debout ou assis, ils n'étaient plus que des silhouettes de soldats de plomb. Ils s'accrochaient à leur bateau blessé à mort, béants d'horreurs, les yeux fixés sur le long ruban de flamme orangée qui se développait et avançait vers eux à travers des rideaux de brouillard tout illuminés. On aurait dit un déferlement de vagues de feu. Et tandis que les nappes de gaz explosaient l'une après l'autre, Yashin, tout engourdi de désespoir, regardait l'écran du radar. Le point palpitant qui, quelques secondes auparavant, marquait l'approche du destroyer américain, était maintenant perdu parmi des milliers de minuscules taches de lumière qui s'estompaient rapidement — comme autant de météorites brusquement éteints par une planète inhospitalière.

Yashin restait là, les yeux fixés sur l'écran vide, momentanément hypnotisé par le balayage du rayon. Il avait déjà eu l'occasion de voir un pétrolier en feu. C'était arrivé sur la mer Noire. A présent, il pouvait le voir sur son écran. Lorsque la vague de feu avait frappé, tous ceux qui étaient au niveau du pont avaient été tués net; il revoyait leurs corps s'allumer comme des bouts de papier, d'abord blancs, puis couleur de safran — s'assombrissant ensuite à mesure qu'ils se recroquevillaient et se ratatinaient dans les flammes. Les hurlements se perdaient dans le fracas des réservoirs qui explosaient. Semblable à une baleine d'acier essayant de s'échapper dans un sursaut d'agonie, le pétrolier avait fait comme un bond dans les airs, les reins brisés par une série d'explosions. Et dès que le bateau était retombé à l'envers sur l'eau, son étrave s'était littéralement désintégrée, projetant un déluge de shrapnels tout autour: un réservoir d'avant, à moitié plein, venait d'exploser, vomissant une sorte de bile volcanique, des tonnes d'huile noire comme du charbon dans les flammes orangées.

Autour du bâtiment accidenté, la mer était tout illuminée par l'incendie; elle avait en quelque sorte pris l'apparence d'une toile abstraite en mouvement. Les diverses colorations de l'essence irisaient l'eau de teintes transparentes: des verts, des mauves et des rouges qui s'incurvaient et glissaient les uns dans les autres comme des arcs-en-ciel liquides dont les dessins mouvants étaient envahis, ici et là, par le brun mélasse du pétrole brut qui continuait de s'échapper du pétrolier américain. Yashin trouvait surprenant que, malgré la puissance de l'explosion initiale, plusieurs des réservoirs latéraux grands comme des maisons flottaient encore après avoir été violemment projetés à des centaines de verges et largement éventrés. Ce qui avait déjà été le deuxième plus grand pétrolier de la flotte de la Russie orientale n'était plus, à présent, que deux douzaines de carcasses en train de répandre leur contenu dans la mer.

Le bruit des explosions était maintenant très puissant. La sueur dégouttait de son nez sur l'écran du radar. Son coeur cognait dans sa poitrine comme s'il avait voulu sortir — mais il essayait de ne pas penser à ce qui se produirait lorsque le feu atteindrait le *Sakhalin*. Il entendit le capitaine hurler son nom et, comme il se détournait du radar, il vit le feu par les fenêtres de la passerelle... le feu qui était devenu rouge sang et qui était parvenu à moins de quatre cents verges, roulant inexorablement vers eux.

L'amiral Klein, Commandant en chef de la flotte du Pacifique des Etats-Unis, refusa de croire les premiers rapports. Il dit d'un ton catégorique que cela ne pouvait pas arriver. Mais les photos prises par les satellites prouvèrent le contraire.

Chapitre 6

Jamais personne n'avait vu autant de mouettes. Vers midi, elles arrivèrent par dizaines de milliers, couvrant le ciel jusqu'à l'horizon et au-delà du banc de brouillard. Certaines volaient vers le nord, d'autres vers le sud. Leur vol s'étendait au-dessus de la vaste embouchure du Dixon Entrance et au-dessus du bleu pointillé de vert de la côte parsemée d'îles de la Colombie-Britannique — vers les sommets neigeux de la chaîne côtière qui forme la colonne vertébrale commune du Canada et des Etats-Unis. Les vieux pêcheurs n'y comprenaient rien, car on ne prévoyait aucune tempête.

Quarante-trois milles au nord-ouest de Sitka, le *Happy Girl* flânait paresseusement sur les longues vagues luisantes. Même si elle avait vu des nuages d'orage suivre les coups de tonnerre lointains qu'elle avait entendus plus tôt ce matin, la Vice-présidente ne s'en serait pas occupée. C'était la première fois qu'elle échappait complètement à la vie trépidante qu'elle avait menée depuis son élection, deux ans auparavant. Et ce jour-là, il n'y avait qu'une chose qui l'intéressait: les gros poissons de roches, qui vivent et trouvent une abondante nourriture autour des sommets de ces montagnes sous-marines qui s'élèvent presque perpendiculairement du fond de l'océan, jusqu'à moins de quelques centaines de pieds de la surface. Elle lança de nouveau sa ligne et sourit malicieusement. Au cours de sa période d'activité, c'était la première fois qu'elle parvenait à semer ses chiens de garde.

On ne voyait plus du tout la terre. Il n'y avait plus à l'horizon que le bleu du Pacifique sans fin, qui lui donnait l'illusion d'être dans un monde illimité. Elle laissa le calme s'installer en elle, comme un lézard au soleil. Puis, elle sentit une traction sur sa ligne; elle tourna le moulinet et sortit un vivaneau rouge de cinq livres. Elle enleva l'hameçon, rejeta le poisson à la mer et s'essuya les mains à un chiffon propre. Harry jeta un coup d'oeil et fit la grimace, amicalement mais avec une certaine déférence.

"Y a eu une époque où on pouvait les manger, M'dame.

— J'espère que ce bon temps reviendra, Harry.

— Je ne vivrai pas assez vieux pour voir ça. Je vais continuer à manger du poisson qui n'a plus de goût. C'est tous ces produits stérilisants qui font ça. Aujourd'hui, tous les poissons sont comme ça. Ici, c'est rien qu'un maudit égout."

La Vice-présidente ne répondit pas. La pollution était bien le dernier sujet dont elle voulait parler aujourd'hui. Elle regarda vers l'est, observant une longue ligne de points étendue sur la fine ligne argentée de l'horizon.

"Harry? fit-elle.

— M'dame?

— Avez-vous déjà vu autant d'oiseaux?

— Non, dit Harry en jetant un regard de biais vers le ciel qui commençait à se couvrir. Non, je peux pas dire que j'aie déjà vu ça. Il doit y avoir une tempête qui se prépare par là-bas. Mais pour nous autres, ici, ç'a l'air de bien aller."

Elaine se sentit mal à l'aise en entendant Harry parler de tempête. Et, tout à coup, elle sentit peser sur elle un écrasant sentiment de culpabilité. Malgré son besoin d'intimité — et bien que les autres vice-présidents aient eu l'habitude de rompre à dessein leur cocon protecteur —, elle se blâmait. Une vice-présidente américaine n'avait rien à faire à plusieurs milles en mer, virtuellement seule malgré la radio. Elle devrait se montrer plus prudente. N'importe quel sénateur, n'importe quelle assistant était plus prudent. Elle commença à rentrer sa ligne.

"Harry, nous ferions peut-être mieux de rentrer."

Harry approuva de la tête et se dirigea vers la cabine pour faire démarrer le moteur. Tout en enroulant sa ligne, Elaine aperçut une masse sombre qui dansait sur l'eau, tout près du bateau. Elle montra cela à Harry. Celui-ci secoua la tête de dégoût et sortit la chose de l'eau. C'était une mouette morte. Il rejeta aussi vite à la mer le corps visqueux et montra ses mains à Elaine: elles étaient couvertes d'huile. "Pollution", grommela-t-il. Puis il retourna à la cabine.

A tribord, un frémissement parcourut la mer: une imperceptible brise froissait la surface soyeuse de l'eau. La Vice-présidente leva de nouveau les yeux vers la multitude de mouettes qui volaient à l'horizon.

"Je me demande pourquoi elles viennent toutes du même côté", fit-elle.

Harry appuya sur le bouton du démarreur. Le moteur ne réagit pas.

"Je ne sais pas", répondit-il.

Et il appuya une deuxième fois sur le bouton du démarreur. De nouveau, il n'y eut aucune réaction.

Chapitre 7

A 17 heures 35, heure normale de l'est, un attaché militaire était assis dans la galerie du club sportif North Virginia. C'est lui qui avait la garde de la boîte de code nucléaire qui accompagnait toujours le Président. En bas, le Président et son ami intime Arnold B. Oster, général de l'Air Force, se disputaient le point décisif de leur sixième partie.

A voir Oster, un homme de six pieds au physique d'athlète, on avait toujours l'impression qu'il venait juste de sauter de la tribune d'une revue militaire. Il servit la balle dans le coin du Président, où elle tomba comme au ralenti. Le Président, son visage rouge contrastant vivement avec la blancheur d'hôpital du court de squash, se déplaça vivement mais sans se presser derrière la balle, qu'il expédia dans le coin avant droit. Mais Oster avait prévu la manoeuvre; déjà, il s'était porté de l'autre côté du quadrilatère. Il intercepta la balle au bond et la retourna du côté revers du Président. Puis il se posta au centre du jeu, dans l'attente du violent coup de revers qui allait inévitablement suivre... mais qui ne vint pas. Tout ce qu'il put entendre, ce fut la balle qui retombait à terre après avoir frappé le mur arrière. Oster se retourna.

"Tu n'a pas l'habitude de rater ces coups-là, Walt."

Le Président, à cinquante ans, avait trois ans de moins que le général. Avec la bande de son poignet, il épongea la sueur qui lui coulait dans les yeux.

"Non, fit-il calmement, d'un ton presque découragé; non, je n'ai pas l'habitude."

Il avait presque l'air de s'excuser.

"Ça ne te fait rien si on arrête?"

Oster ramassa la balle d'un habile petit coup de raquette.

"Pas du tout, répondit-il. Walt?

— Oui.

— Tu te sens bien?"

Le Président sourit sans conviction.

"Oui, fit-il. Dure journée."

Oster leva les yeux vers le militaire assis tout seul dans la galerie, et il décida d'attendre l'intimité du vestiaire pour poser d'autres questions. Le Président était son meilleur ami. Ils avaient été ensemble à l'école bien longtemps avant que le futur Président n'aille à Harvard — et il savait bien que lorsque Walter Sutherland ratait un coup de revers aussi facile, il n'était pas en forme ou avait des soucis. Or, le Président était en forme. Depuis dix ans, ils jouaient une heure de squash trois fois par semaine. Sutherland était alors devenu membre du Congrès — un homme plein d'avenir, affecté au tout puissant Comité des crédits budgétaires des forces armées, où Oster était conseiller.

Oster savait que sa franchise l'avait rendu impopulaire dans certains milieux; mais son honnêteté un peu brutale en avait fait le confident le plus intime et l'ami du Président. Walter Sutherland pouvait lui dire n'importe quoi avec l'assurance que ses propos n'iraient pas plus loin. Le Président avait besoin d'au moins un ami de ce genre à la Maison Blanche: une sorte de comité de sondage constamment disponible pour certaines de ses décisions les plus délicates.

Quant à Clara Sutherland, la femme du Président, c'était une autre histoire. Bien qu'elle eût toujours consenti à épauler son mari dans les moments les plus difficiles de sa charge, elle se tenait essentiellement à l'écart de la politique. C'était une femme profondément religieuse, et ses croyances l'incitaient à demeurer hors de cet univers de pouvoir et de manipulation. Et quand des commérages concernant son mari et Elaine Horton lui étaient parvenus, elle n'en avait pas tenu compte, convaincue que ce n'était rien d'autre, justement, que de banals commérages.

Jusqu'à une époque récente, le personnel, les amis et même la presse s'étaient abstenus de mentionner devant elle l'infidélité de son mari. Mais, un mois plus tôt, un jeune journaliste avait ouvert sa grande gueule, violant la loi du silence que s'était imposée la presse.

"Madame Sutherland, avait-il demandé, pourriez-vous nous dire si vous et le Président en êtes venus à une entente au sujet de la liaison que votre mari entretient au Congrès?"

Il y avait eu un silence dans la salle de presse; puis, avec un sourire, Clara Sutherland avait répondu:

"Mon mari a toujours eu des relations très intimes avec le Congrès. Je crois tout indiqué pour un Président de conserver des liens avec le Congrès... qu'en pensez-vous?"

Ces mots valurent à l'épouse du Président des applaudissements nourris. Mais l'histoire transpira dans certains journaux, de sorte que malgré bien des réticences il fallut bien en parler sur les ondes. Finalement, la CBS et la NBC y firent en passant de prudentes allusions.

C'est à ces allusions remontant seulement à la semaine précédente que songeait Oster, au moment où il entrait au vestiaire en compagnie du Président. Après s'être assuré que les agents du Service secret et l'attaché militaire étaient bien restés dans le corridor, Oster demanda carrément:

"Walt, comment ça va avec Clara?"

Le Président enleva son T-shirt mouillé de sueur et le jeta par terre d'un geste las.

"Elle est très compréhensive, dit-il enfin."

Le général secoua la tête et se mit à ajuster le robinet de la douche.

"Diable! Je sais bien, fit-il en élevant la voix pour couvrir le bruit de l'eau qui coulait à présent. C'est une championne. Mais je veux savoir comment ça va *vraiment.*"

Walter Sutherland regarda son ami. Personne d'autre n'aurait osé insister comme cela. Il soupira profondément.

"A dire vrai... ça ne va pas tellement. En réalité, Clara est blessée; mais avec sa foutue compréhension, je me sens comme un bourreau d'enfant. Voilà, c'est comme ça. Et tout cela à cause de cette maudite conférence de presse. D'une certaine façon, j'étais presque content que ce petit bâtard de journaliste ait parlé. Je me suis dit qu'au moins, on pourrait en parler maintenant. Mais Clara ne veut même pas en parler. Elle n'a jamais dit un mot. Je pensais qu'elle était comme toutes les autres femmes et qu'elle essayerait de se venger... Mais non, pas Clara. Elle se force à paraître gaie en toute circonstance. Avec tout ça, moi, je me sens encore plus mal dans ma peau."

Oster se savonna et ne dit plus rien avant d'avoir rincé la mousse de son visage.

"Bon Dieu, Walt, elle ne dit rien parce qu'elle est trop sensible. Puis elle sait qu'il a passé pas mal d'eau sous les ponts..." Le général marqua une pause. "Pas vrai?"

Sutherland avait envie de prendre une douche, mais il se sentait épuisé. Il avait décidé de s'asseoir et de parler, de se décharger de ses problèmes intimes dans la mesure du possible. Mais à présent, la question trop directe d'Oster lui enlevait tous ses moyens. Il s'entendit répondre vaguement:

"Eh bien... quant à moi, c'est terminé; mais tu sais... Je veux dire que c'est difficile parce que nous sommes obligés de nous voir souvent tous les deux."

Comme toujours, Oster perçut tout de suite ce que cachait l'hésitation du Président.

"Tu as encore batifolé avec elle?

— Ferme-là, salaud! Je devrais t'envoyer en cour martiale.

— Tu veux dire que tu n'as pas envie de parler de ça?

— Non... oui. Le seul problème, c'est que tu es moins subtil qu'un B-52."

Oster sourit.

"Le meilleur avion, dit-il fièrement. Un appareil

qui fonce carrément."

Le Président se mit à rire.

"Non, fit-il, je n'ai pas batifolé. Mais..."

Il éprouvait de la difficulté à prononcer son nom.

"Mais Elaine, vois-tu, elle est encore — eh bien, elle...

— Elle en veut encore? suggéra Oster.

— C'est ça. Elle ne l'a jamais dit, mais je le sais. Ç'a l'air vaniteux, je suppose...

— Foutaise, dit Oster en s'essuyant vigoureusement. Elaine est une femme d'envergure — et elle sait reconnaître un homme d'envergure quand elle en voit un. C'est moi qui vous ai présentés, ne l'oublie pas.

— Je me rappelle.

— Je présente seulement des femmes magnifiques, Walt. Alors, c'est quoi, ton problème? Elle veut; tu ne veux pas. Tu peux garder tes distances."

Il y eut un long silence. Oster savait qu'il venait de frapper un point sensible; mais pour cette fois, il n'insista pas. Sutherland se leva et entra sous la douche. Il se lava rapidement et, les yeux encore fermés, chercha une serviette. Il n'y en avait pas sur le porte-serviette, et Oster lui en tendit une. Le Président s'essuya les yeux lentement, comme pour gagner du temps.

"Je ne sais pas, Arnold, fit-il enfin. Je ne sais pas si je peux garder mes distances.

— Tu l'aimes encore? dit Oster d'une voix soudain beaucoup plus basse.

— Oui. Mais il faut arrêter... tout cela.

— Pourquoi?

— Je me sens coupable. Mon travail. Ma femme."

Il sourit, mais son regard demeurait inexpressif.

"Le Président des Etats-Unis ne peut tout de même pas baiser à tort et à travers.

— Foutaise, je te dis. Si Roosevelt a pu diriger le pays aussi longtemps qu'il l'a fait tout en se payant du bon temps, pourquoi pas toi? Tu n'as qu'à faire ça discrètement."

Le général hésita, mais un instant seulement.

"Ça peut s'arranger. Je t'aiderais — tu le sais bien.

— Et que fais-tu de Clara, Arnold?

— C'est une adulte. Elle pourrait faire la même chose. Elle a dû se faire une idée."

Le Président nouait sa cravate, l'air absent.

"Non. Elle ne voudrait pas faire comme moi.

— D'accord, elle ne voudrait pas, fit Oster. Mais elle le pourrait — et c'est ça, l'important.

— Ce n'est pas vrai, Arnold. C'est aussi simple que ça. Je sais que ça rappelle joliment Dieu, la Mère et les Scouts — mais j'ai été élevé là-dedans et je ne peux pas m'en défaire. Bien pire, je ne suis même pas sûr de le vouloir."

Oster alluma un cigare. Sutherland détestait cela, mais il le tolérait par amitié.

"Ecoute, vieux, dit-il; je suis ton ami, pas ton pasteur. Et je vais te dire quelque chose: un Président heureux est un bon Président foutrement meilleur qu'un Président solitaire. Pas vrai?"

Plongé dans ses pensées, Sutherland prit son habit bleu marine sur le cintre. Il allait répondre, lorsqu'un assistant entra dans le vestiaire.

"Monsieur le Président, on vous demande à la Maison Blanche.

— Qu'est-ce qu'il y a? fit calmement le Président.

— Je ne sais pas, Monsieur. On m'a seulement dit

qu'il s'agissait d'une affaire à traiter en priorité."

Pendant que l'assistant se lançait dans des explications, Sutherland achevait de s'habiller, hochant la tête de temps en temps. Comme il allait sortir, il se retourna pour dire au général:

"Arnold, tu voudras bien rester à Washington? J'aimerais t'avoir sous la main.

— Oui, monsieur le Président; je serai là."

Walter Sutherland sortit et son ami resta là, à se demander comment il se pouvait qu'un homme quotidiennement exposé à l'énorme pression des affaires publiques, éprouve tant de difficulté à prendre une décision au sujet d'une femme. Oster ignorait si Walter Sutherland écouterait son conseil; mais il espérait que le problème serait résolu avant que la tension n'ait commencé à affecter le Président dans l'exercice de ses fonctions.

A 18 heures, heure normale de l'est, c'est un Président au visage sévère qui marchait d'un pas alerte dans un corridor brillamment éclairé, sous la Maison Blanche. Au bout de ce long corridor au parquet reluisant, deux marines en uniforme impeccable montaient la garde devant une porte sur laquelle on pouvait lire: Personnel autorisé — Admission pour A-1 seulement.

Depuis que son adjoint spécial Bob Henricks — qui marchait derrière lui à distance respectueuse — l'avait rejoint quelques minutes plus tôt, le Président n'avait pas prononcé un mot. En fait, il n'avait même pas fait mine de remarquer sa présence — et tout ce que Henricks pouvait entendre, c'était l'écho sonore de leurs pas cadencés.

Le Président fouilla dans ses poches d'un geste irrité. Dans les situations dramatiques, ses mains suaient abondamment — et il avait oublié son mouchoir. Il pouvait très bien vivre sans ces états de crise. Il se rappelait que certains hommes, comme Kissinger, absorbaient littéralement les crises; elles servaient en quelque sorte de carburant à leur carrière. C'était pour eux un bonheur que de résoudre de graves problèmes. Les crises les remontaient — et ils les adoraient. Mais ce n'était pas son cas. Après des mois de travaux préparatoires, juste au moment où il se sentait assez confiant pour s'attaquer de front à toute une série de problèmes de politique intérieure et étrangère — et, par contre-coup, se tailler une place dans l'histoire —, il fallait que cette catastrophe arrive.

Le poli parfait du casque des gardes lui plaisait. Malgré leur air impassible, les marines avaient déjà vérifié si chacun portait à son revers l'indispensable carte d'identité rayée. Chaque jour, à la vue de ces gardes, le Président prenait conscience du contrôle qu'il devait exercer sur lui-même. Et ce soir, il lui faudrait tenir solidement les rênes. La première question qu'il posa à Henricks ressemblait plus à une sorte de morsure qu'à une demande de renseignement.

"La dimension de la superficie?

— Actuellement, deux mille milles carrés, monsieur le Président."

Le Président se permit de se montrer incrédule.

"Deux *mille?* fit-il.

— Oui, Monsieur.

— Doux Jésus! Pourquoi ne m'a-t-on pas prévenu immédiatement — ce matin?"

Malgré sa désinvolture étudiée, Henricks ne put

s'empêcher de répondre de façon quelque peu penaude.

"Ah, dit-il, on a déposé par erreur le câble dans la boîte marquée "Urgent", Monsieur... au lieu de celle marquée Priorité A-1."

Le Président tourna vivement la tête.

"Par erreur? Nous avons un ordinateur d'un million de dollars dans notre sous-sol, et vous venez me parler d'un câble qui aurait été déposé dans la mauvaise boîte?"

Henricks avait l'art de prendre ses responsabilités tout en ayant l'air d'esquiver la majeure partie des reproches.

"J'ai bien peur que oui, monsieur le Président", répondit-il.

Mais, ce soir, le Président était implacable.

"Ça, c'est un peu fort. Vous auriez dû avoir la situation en main.

— Oui, Monsieur.

— Et cela brûle depuis combien de temps?

— Depuis le matin. Au début, les experts prétendaient qu'il y avait de fortes chances pour que cela ne s'étende pas. C'était avant que nous apprenions la rupture des réservoirs."

A présent, les deux hommes avaient atteint le bout du corridor. Ils montèrent sur une petite plate-forme, devant l'objectif d'une caméra reliée à un ordinateur chargé de vérifier leur identité par un contrôle instantané de leur photo et de l'empreinte de leurs pouces. Les gardes se figèrent au garde-à-vous, tandis que les portes coulissantes de chêne s'ouvraient. Le personnel affairé eut à peine un regard pour le Président, lorsque celui-ci entra dans la salle sans fenêtre des Opérations spéciales et alla s'asseoir à la longue table d'acajou ovale qui occupait presque toute la longueur de la pièce aux murs de cèdre. Sur le mur est, une immense carte du monde en relief descendit du plafond, tandis que disparaissait un écran de cinéma de même dimension. Sur chaque capitale on pouvait voir un cadran lumineux d'horloge digitale — de couleur orange pour celles qui avaient de l'avance sur l'heure de Washington, et bleue pour celles qui avaient du retard. Lorsque l'éclairage commença à baisser, la plupart des assistants quittèrent la pièce principale pour aller travailler dans la pièce annexe des Communications, située tout près et bourrée d'appareils de télex trépidants qui recueillaient les informations des services de nouvelles et recevaient les câbles officiels.

Le Président Sutherland déplaça sa chaise pour mieux voir la grande carte. Les océans passaient de l'outremer au bleu marine à mesure que l'éclairage diminuait derrière la carte, donnant plus de contraste aux courants océaniques plus pâles et aux chaînes de montagnes vertes. Le Président se tourna, cherchant du regard son adjointe principale, de l'Agence de protection de l'environnement.

"Où est Jean?" demanda-t-il.

Henricks leva les yeux de sa mallette.

"Elle est en train d'enregistrer un bulletin d'information sur le sujet, monsieur le Président. La radio et la télévision font un reportage spécial sur l'événement."

Les doigts du Président commencèrent à pianoter sur la table.

"Ça va de soi. Le gouvernement des Etats-Unis est obligé d'attendre après Walter Cronkite. Mais à quoi diable sert notre Service du renseignement?"

Henricks était occupé à tracer un cercle rouge au large d'un groupe d'îles adjacentes au prolongement est de l'Alaska. Le cercle représentait une superficie d'environ deux mille milles carrés sur la pellicule transparente recouvrant la carte du monde. Il se retourna prudemment sur le petit escabeau.

"Le Renseignement s'en occupe aussi, Monsieur."

Le Président eut un sourire moqueur.

"Parfait", dit-il en s'essuyant les mains avec toute une traînée de Kleenex qu'il venait de sortir rapidement de son veston.

Henricks se sentit soulagé en voyant entrer Jean Roche, portant deux rubans magnétoscopiques. Le Président agita impatiemment les Kleenex du côté des appareils de télévision et des magnétoscopes.

"Ça va, Jean; on va écouter ça."

Henrick la regarda se pencher pour insérer la cassette dans un magnétoscope Zenith, tout en la déshabillant mentalement. C'était une petite femme toute mignonne; elle avait une apparence bien ordinaire et même banale — mais elle avait conservé des formes étonnantes chez une femme de trente ans, mère de trois enfants. Il était toujours étonné de constater qu'à des moments comme celui-ci, il lui venait invariablement des pensées sexuelles. Il se demanda si le Président avait la même habitude — s'il pensait à Elaine Horton.

L'éclairage de la salle diminua davantage, et l'on commença à passer le ruban magnétoscopique sur un des écrans de quarante-huit pouces. Il y eut quelques clignotements, puis on vit apparaître Cronkite. Il arrangea quelques papiers, jeta un regard à sa droite, montrant des cheveux blancs clairsemés, toussa poliment et, enfin, leva les yeux.

"Bonsoir, dit-il. Le réseau CBS vient de recevoir un bulletin spécial concernant un désastre international d'une ampleur sans précédent. Un secteur de l'océan, d'une superficie d'environ deux mille milles carrés, a pris feu ce matin et continue de brûler violemment au large du continent nord-américain. Ce qu'on appelle déjà le plus gros incendie de l'histoire a eu pour cause principale l'énorme accumulation de pétrole provenant de fuites diverses."

Pour illustrer la description de Cronkite, des extraits de vieux films montrant des images de pollution mondiale et locale apparurent en surimpression dans le coin inférieur droit de l'écran.

"Les spécialistes de l'environnement, poursuivit-il, nous avaient depuis longtemps prévenus que les continuelles fuites de pétrole sous-marines, la cargaison des centaines de pétroliers coulés et l'huile de rebut déversée en route par les bateaux pourraient un jour se combiner pour former sur le Pacifique nord une immense pellicule de pétrole virtuellement inflammable. Au cours de la semaine dernière seulement, le réseau CBS a rapporté l'éclatement de deux puits de pétrole sous-marins sur le versant nord de l'Alaska. Chacun d'eux avait déversé dans la mer plus de dix millions de gallons de pétrole brut..."

Tandis que Cronkite poursuivait, l'arrière-plan changea. A présent, on pouvait voir deux maquettes de pétroliers; chacun brisé en deux.

"...Le réseau CBS vient d'apprendre que ce matin, peu après le lever du soleil, deux super-pétroliers jaugeant chacun un million de tonneaux sont entrés en collision. Les bâtiments faisaient route vers le sud, en provenance des dépôts de pétrole de Valdez, en Alaska. La collision s'est produite par un épais brouillard, à environ trente milles au large de l'île Chichagof, qui est une des îles les plus septentrionales de l'archipel Alexandre situé au sud de l'Alaska. Les réservoirs des deux bâtiments étaient complètement remplis. Le pétrolier américain, le *Kodiak,* transportait du pétrole brut tandis que le russe, le *Sakhalin,* avait une cargaison d'essence à haut indice d'octane et d'huile. Il semble qu'au moins un des deux bateaux n'était pas pourvu du radar anti-collision récemment mis au point par Marconi — ou que l'appareil ne fonctionnait pas au moment de l'accident. Cependant, cette hypothèse n'a pas été confirmée. Les responsables du chargement font savoir que les deux pétroliers géants, mesurant plus de mille neuf cents pieds de long sur trois cents de large, transportaient une cargaison presque complète — c'est-à-dire un million de tonneaux chacun. Cela signifie qu'en ce moment, plus de *six cents millions* de gallons de pétrole sont répandus dans l'océan. L'agence UPI rapporte qu'on conserve peu d'espoir de retrouver des survivants. Plus de détails sur cette catastrophe dans un instant."

Le Président se détourna de l'écran où venait d'apparaître une réclame de savon. Il avait mis une main sur ses yeux, comme pour les protéger d'un invisible éblouissement.

"Mon Dieu, fit-il lentement. Combien de gallons a-t-il dit?

— Six cents millions, monsieur le Président", répondit Jean Roche.

Puis elle ajouta d'une voix hésitante:

"Mais en réalité, il y en a plus que cela.

— "Six cents mil...! Je ne peux même pas imaginer ce que représente une telle quantité."

Il y eut un long silence. Et quand le Président parla de nouveau, il s'était ressaisi. "Jean?

— Monsieur le Président?

— Pourquoi regardons-nous ce damné message publicitaire?

— Ah! fit son adjointe en rougissant. On n'a pas eu

le temps de faire un montage, Monsieur."

Et elle ajouta vivement:

"Et on ne voulait pas perdre de pellicule."

Le Président poussa un gémissement.

Lorsque Cronkite réapparut, il dit quelque chose au sujet d'un reportage en provenance de Juneau. Puis ce fut un reporter sur les lieux qui poursuivit:

"Il y a des années, les experts avaient prédit qu'un concours de circonstances semblable à celui-ci se produirait quelque part dans le monde. Ils avaient souligné qu'en présence d'une forte quantité d'essence ordinaire ou à haut indice d'octane, un incendie pouvait se déclarer à plus ou moins brève échéance. Ironie du sort, on croit que c'est un destroyer de la marine américaine qui aurait accidentellement déclenché l'incendie, qui se communique à présent aux milliers d'épanchements mineurs survenus dans les environs à la suite de causes naturelles ou humaines. Le destroyer en question répondait au signal de détresse émis par le pétrolier russe. On n'en a plus reçu de nouvelles depuis le moment où il a lui-même envoyé un SOS, disant seulement qu'il était en feu. Selon les experts, le destroyer, le *Tyler Maine,* aurait pénétré dans une zone saturée de vapeurs d'essence alors qu'il se dirigeait vers le site de l'accident. Une simple étincelle provenant d'une défectuosité électrique à bord du destroyer aurait suffi pour enflammer la périphérie de la flaque. La garde côtière nous a promis plus de détails dès qu'ils seraient disponibles."

Cronkite reprit:

"Notre reporter à Juneau, Alaska, nous fait savoir que si les vents du nord augmentent — comme le prévoit la météo de la région —, la nappe de feu pourrait alors menacer toute la côte du Pacifique. Normalement, le courant d'Alaska devrait entraîner l'épanchement vers le nord. Mais ces épanchements obéissent beaucoup plus au vent qu'aux courants: c'est pourquoi il se peut que le vent pousse une bonne partie de l'incendie vers le sud. On peut se faire une idée de l'extension possible de l'incendie en évoquant un épanchement récent qui s'est produit dans le golfe du Saint-Laurent, et qui ne contenait que dix mille gallons de pétrole. En seulement vingt-quatre heures, la nappe couvrait une superficie qui avait un diamètre de cent milles: c'est-à-dire un taux de dilatation de presque trois pieds à la seconde. La nappe de pétrole d'Alaska est soixante mille fois plus grande — et elle brûle. Comme l'expliquent les experts, le feu va réduire à la fois la viscosité de l'huile et la tension superficielle de l'eau de mer. Le pétrole pourra ainsi s'étendre beaucoup plus facilement et plus vite. De plus, la nappe de feu ne tardera pas à atteindre et à allumer un secteur fortement pollué au large de Sitka. A cet endroit, la mer est pratiquement couverte d'huile. Cela provient aussi bien de fuites naturelles au fond de la mer que des bateaux qui font la vidange de leur huile usée à cet endroit, malgré la loi internationale. Si on ne parvient pas à circonscrire l'incendie, il pourrait couvrir en sept jours une superficie égale à celle de la Floride. Plus de cinquante mille milles carrés."

Le Président se leva de sa chaise.

"Christ! fit-il. Puis, se tournant vers Jean Roche: cela suffit."

Elle ferma l'appareil. Le Président prit une autre tasse de café, que lui offrait un assistant. Puis il demanda, sans s'adresser à personne en particulier:

"Est-ce qu'ils ont raison au sujet du destroyer? Est-ce qu'il a bien mis le feu?"

Henricks avait déjà le rapport à la main.

"Je ne sais pas, monsieur le Président. Cela semble

la seule réponse logique, bien qu'on dise à l'EPA (Agence de Protection de l'Environnement)* que cela aurait pu être causé par la foudre. Comme dit Cronkite, le temps est sur le point de changer. Là-bas, un bateau est comme un arbre dans un désert. Si l'éclair frappe le bateau lui-même, pas de problème majeur. Mais il se pourrait que le destroyer ait attiré les éclairs autour de lui. Et c'est peut-être comme ça que l'incendie s'est déclaré."

Le Président soupira et regarda sa tasse de café.

"Combien d'hommes?"

Henricks consulta de nouveau ses papiers.

"Sur le destroyer? Deux cent cinquante, Monsieur. Le réseau CBS l'a mentionné après le bulletin principal — c'était un bulletin spécial."

Le Président leva les yeux vers Jean, puis vers Henricks.

"Doux Jésus, dit-il. Et notre pétrolier géant?"

Un assistant chuchota quelque chose à l'oreille de Henricks et lui remit un message de télex. Henricks prit un air grave.

"Les dernières nouvelles que la marine a reçues des Russes mentionnent qu'ils n'ont repêché qu'un seul survivant."

Le Président remua son café et demanda clamement:

"Et les Russes?

— Le dernier message radio qu'ils ont fait parvenir à la garde côtière disait qu'ils donnaient salement de la bande, mais qu'ils flottaient toujours. Le problème, c'est que nous n'avons pas pu entrer en contact avec eux

---

* Environmental Protection Agency.

depuis plusieurs heures. Nous essayons toujours. Ils émettent probablement tous les messages qu'ils peuvent en Union Soviétique — et ils utilisent un code, en bons Russes qu'ils sont. La marine suggère que nous contactions Moscou pour de plus amples informations.

— Ça va. Appelez-moi le Premier ministre Krestinsky.

— Le téléphone d'urgence?

— Non, non. N'effrayons personne. Téléphonez en priorité; ça suffira. Je ne veux que leur offrir nos condoléances officielles — et il y a peut-être une chance qu'ils aient repêché d'autres gars de notre pétrolier.

— Oui, Monsieur."

Cinq minutes plus tard, on avait le Kremlin au bout du fil.

"Monsieur le Premier ministre.

— Monsieur le Président."

La voix profonde et rauque du Premier ministre se fit entendre, aussitôt suivie de celle de son interprète.

"Monsieur le Président, je suis très affligé d'apprendre la perte de tous ces marins américains qui ont disparu avec leur pétrolier.

— Je vous remercie, monsieur le Premier ministre. Je voudrais, moi aussi, vous dire à quel point je suis désolé du danger auquel vos compatriotes sont exposés, et..."

La voix de Krestinsky l'interrompit. Puis, l'interprète russe prit la parole.

"Excusez-nous un moment, s'il vous plaît, monsieur le Président."

Sutherland se brancha sur la ligne directe qui le reliait à son propre interprète.

"Qu'est-ce qui ne va pas?

100

— Il y a apparemment une certaine confusion; on se demande qui vous désignez en parlant de leurs *"compatriotes"*, monsieur le Président.

— Mais je veux dire leurs marins", fit Sutherland d'un ton étonné.

La lumière verte s'alluma: l'interprète russe était de nouveau au bout du fil.

"Monsieur le Président, dit-il, le Premier ministre Krestinsky vous remercie beaucoup de votre sollicitude; mais il se demande si vous êtes bien informé de la situation."

Sutherland regarda ses adjoints d'un air interrogateur.

"Je ne comprends pas", dit-il.

A présent, le Russe parlait plus lentement.

"Monsieur le Président, le *Sakhalin* a envoyé son message ultime il y a quelques heures. Une vague de flammes avançait vers eux."

Le Premier ministre marqua une pause.

"Nous présumons qu'il est perdu", ajouta-t-il enfin.

Il y eut un silence, que Sutherland rompit au bout d'un moment.

"Je suis désolé, dit-il. Je ne savais pas. D'après nos derniers rapports... eh bien, nous ne savions pas. Nous aurions dépêché des secours aériens... des hélicoptères... Mais, comme vous le savez, c'était impossible à cause du brouillard.

— Bien sûr. Quoi qu'il en soit, le Premier ministre désire vous remercier."

Puis, après une légère pause, l'interprète ajouta:

"Le Premier ministre suggère également que nous menions une enquête, plus tard, pour découvrir ce qui a marché de travers. Il est persuadé qu'il serait dans notre intérêt à tous d'améliorer les mesures de sécurité pour prévenir de nouveaux accidents comme celui-ci — qui sont des catastrophes pour l'environnement."

Le Président approuva volontiers le projet, et la conversation prit fin — sur une mauvaise note. Car Sutherland avait décelé l'accusation implicite que contenait la dernière suggestion des Russes — comme si, d'une façon ou d'une autre, ils avaient tenu les Américains responsables de la collision. Les deux chefs de gouvernement savaient que l'événement provoquerait des répercussions mondiales. Le Président décida toutefois que ce n'était guère le moment de faire état des insinuations malveillantes des Soviétiques. Après tout, la catastrophe atteignait également les deux pays. Il faudrait remettre les accusations à plus tard. De plus, pensait-il, il exagérait probablement la portée des propos tenus par les Russes, parce que l'épanchement s'était déclaré dans les eaux nord-américaines — et surtout parce qu'il était tout à fait possible que le destroyer américain ait déclenché l'incendie. Quoi qu'il arrive, il ne devait attendre aucune aide des Russes pour éteindre l'incendie ou pour essayer de nettoyer le secteur. Pour le moment, il s'agissait d'un problème strictement nord-américain. Aux Etats-Unis de faire tout le travail, avec le peu d'aide que le Canada pourrait offrir — si jamais il l'offrait.

Chose sûre, aucun pays du monde — y compris les Etats-Unis — n'était prêt à faire face au problème qui venait de surgir. Depuis son élection, les seuls problèmes d'envergure mondiale qu'il avait eu à régler concernaient presque exclusivement la protection de la paix dans le monde. Mais il n'avait jamais envisagé qu'une chose pareille pût arriver. Il marcha jusqu'à la carte. A côté de l'océan Pacifique, il avait l'air tout petit. Il prit le temps d'examiner soigneusement l'archipel Alexandre qui s'étirait au sud de l'Alaska, puis il dit:

"Eh bien, Jean, qu'est-ce que les spécialistes nous conseillent de faire?"

Jean rassembla toute une liasse de notes près de sa serviette.

"Pas grand-chose, monsieur le Président. Il semble hors de question de vouloir éteindre l'incendie. Nous pourrions envoyer des bateaux-pompes; mais, même s'ils arrivaient à s'approcher suffisamment, ils ne pourraient pas faire grand-chose. Le problème, c'est la présence de combustible à haut indice d'octane — de l'essence pour avions, du naphte, toutes sortes de produits volatils — dans la nappe de pétrole. Autrefois, les pétroliers ne transportaient, à chaque voyage, qu'une seule espèce de combustible à la fois; à présent, ils en transportent plusieurs sortes dans des réservoirs différents. Voilà le problème. De façon normale, il serait difficile d'enflammer le pétrole brut: il s'étendrait en nappe, et ce serait tout. Mais la plupart des huiles raffinées s'évaporent rapidement; et, une fois enflammées, elles provoquent l'évaporation de toute l'eau contenue dans le pétrole brut. Il y a tellement de carburant et d'essence à haut indice d'octane dans cette nappe, que cela peut brûler jusqu'au moment où le pétrole brut atteindra son point d'ignition et prendra feu à son tour. Si jamais cela arrive, les ennuis vont vraiment commencer. Ce serait tout à fait impossible à éteindre — il faudrait un second déluge."

Le Président avala une gorgée de café et leva les yeux sur la carte. Il se rappelait les paroles de Cronkite: il était possible que l'incendie se propage sur toute la longueur de la côte ouest.

"Cet incendie n'est donc rien d'autre qu'une amorce? fit-il.

— C'est cela, Monsieur. C'est une question

d'heures pour qu'il s'éteigne. Mais une fois que le pétrole brut a pris feu, il peut brûler pendant des jours et des jours... On pourrait même compter des mois autour des pétroliers. De plus, le combustible qui s'est échappé des pétroliers ne constitue qu'une partie du problème: il y a aussi une bonne quantité de pétrole provenant d'autres sources, qui flotte dans les environs."

Jean tourna une page de son carnet.

"Le Canada nous a offert ses avions-citernes — mais ils ne peuvent rien faire contre un incendie de cette importance. De toute façon, la visibilité est réduite pour ainsi dire à zéro dans de vastes secteurs, à cause de la fumée. Les bateaux de la garde côtière sont impuissants, eux aussi. Tout au plus pourraient-ils atteindre le périmètre de la nappe — à supposer que la chaleur ne les en empêche pas.

— Mais le temps qu'il fait ne pourrait-il pas étouffer l'incendie? Je veux dire que cela pourrait le maîtriser d'une façon ou d'une autre — au moins provisoirement...

— Non, Monsieur: pas un incendie de cette importance. Cela ne fait probablement qu'empirer les choses. On ne peut même pas voir ce qu'on fait. Peut-être que le temps va s'éclaircir plus tard; mais, pour le moment, c'est une véritable purée de pois.

— Est-ce qu'il y a d'autres bateaux en circulation dans le coin?"

Un téléphone sonna et Henricks décrocha.

"Allo, Henricks à l'appareil. Oui, Amiral..."

Pendant qu'il parlait, Jean répondait à la question du Président.

"Nous attendons un rapport sur les départs de bateaux, monsieur le Président.

— Jean, dit-il, si nous arrivions, par miracle, à contrôler l'incendie, serait-il possible de procéder à un nettoyage à peu près acceptable?

— Le TOVALOP prétend que non, monsieur le Président.

— Tovalop?... Qu'est-ce que c'est que cela?

— C'est l'Accord volontaire des propriétaires de pétroliers concernant les responsabilités de pollution par le pétrole*.

— Ça ressemble à un nom de maladie", grommela le Président.

Il y eut quelques rires forcés.

"Et qu'est-ce qu'ils suggèrent?" reprit-il.

Jean fourragea un moment dans ses cartes de l'Agence de protection de l'environnement, qui pendaient à un support à portée de la main.

"La première chose à faire, dit-elle, c'est de ceinturer et de circonscrire la nappe — à l'aide de billots, par exemple. Après cela, il s'agit de récupérer le pétrole, soit en l'aspirant, soit en le faisant absorber par de la paille."

Le Président avait pris un air incrédule.

"Vous voulez dire que l'EPA n'a encore rien trouvé de mieux que la *paille?*"

Jean Roche crut de son devoir de défendre son organisation.

"Non, répondit-elle; l'EPA ne connaît pas de meilleur moyen — et personne d'autre non plus. Il est possible de vaporiser une substance absorbante sur la nappe...

---

* Tanker Owners' Voluntary Agreement on Liability for Oil Pollution.

Mais il y a un problème: c'est qu'avant de faire cela, il faut éteindre l'incendie complètement. Autrement, cela aurait l'effet d'une mèche et aiderait le pétrole à brûler.

— Quelle grandeur d'épanchement pouvons-nous maîtriser?

— Il existe aussi une technique qui consiste à balayer, à écumer et à séparer le pétrole; cela s'appelle le Vacusponge. On peut de la sorte aspirer cent cinquante acres à l'heure. Mais des vagues de huit pieds suffisent pour limiter les opérations.

— Combien de temps ce Vac... quelque chose prendrait-il pour nettoyer cette nappe?"

Jean Roche hésita.

"Sur une mer relativement clame... environ cent ans, monsieur le Président."

Le Président secoua la tête d'un air exaspéré.

"C'est fantastique! Ou bien, alors, nous pourrions utiliser ces produits chimiques qui servent à disperser le pétrole..."

Jean consulta son carnet.

"Pas pour une nappe de cette étendue, Monsieur. Pour la nappe du *Torrey Canyon* — qui n'était rien, comparée à celle-ci —, il a fallu utiliser sept cent mille gallons de ce produit pour disperser le pétrole suffisamment pour que les bactéries puissent l'attaquer et le détruire. De toute façon, les meilleurs détergents de dispersion sont les plus aromatiques — et ils sont les plus toxiques. Si nous les utilisions, le taux de toxicité grimperait horriblement.

— Jusqu'à quel point? demanda le Président.

— Assez pour exterminer tout ce qui vit dans la mer. Nous n'avons pas de chiffres exacts, mais nous savons qu'il suffit de dix parties de détergent par million pour tuer à peu près tout le plancton. Or, on sait que celui-ci constitue la base de la chaîne alimentaire et de la production d'oxygène. Si jamais cela se répandait dans les anses de la côte, ce serait la fin des industries océaniques locales."

Le Président se détourna et manipula distraitement les cartes de diagrammes.

"Sans parler de la population."

Elle accusa le coup et rougit.

"Bien sûr, Monsieur", dit-elle.

Le Président était fatigué. Il venait de jouer au squash avec le général Oster — et il était debout depuis six heures. Il regarda les cadrans à affichage numérique répartis sur la carte. Il était 18 heures 30 à Washington et 15 heures 30 sur les lieux de la tragédie. Un messager arriva et remit un paquet à Jean. Celle-ci déchira l'emballage et l'ouvrit. Elle en tira une cassette, qu'elle inséra aussitôt dans le projecteur automatique; puis, elle appuya sur le bouton de mise en marche. L'éclairage de la pièce diminua et la grande carte disparut dans le plafond, pour faire place à l'écran perlé blanc. Les photos prises par le satellite de la NASA montraient les immenses proportions de la nappe de pétrole. Elle était étendue comme une amibe noire sur la surface bleu turquoise de la mer. Puis, soudain, la mer disparaissait derrière des colonnes de fumée noire comme du goudron, qui montaient haut dans le ciel. Cela ondulait, cela se tordait dans l'air en spirales menaçantes, comme un défi aux cumulo-nimbus massés plus haut.

Comme le satellite se dirigeait vers l'Amérique du Nord, passant au-dessus d'une formation de nuages intermittents qui couvrait les Aléoutiennes, le télé-objectif put prendre un gros plan du coeur rouge et noir de l'incendie. A présent, les flammes semblaient dangereusement proches, non seulement des îles de l'archipel Alexandre, mais aussi des terres continentales de la Colombie-Britannique et de l'Alaska qui s'étendaient derrière. De Juneau au nord, jusqu'à Stewart situé à cent cinquante milles au sud, le sinistre menaçait tout le prolongement méridional de l'Alaska. Cela jaillissait dans une sorte d'unisson démentiel: des flammes répandues sur une superficie couvrant des milles et des milles, projetant leurs langues d'un rouge orangé parmi la fumée dense... Cela rappelait au Président ces terribles contes d'enfants où des créatures issues des profondeurs des temps s'échappaient d'une mer volcanique, ivres de destruction, pour dévorer la terre.

Certaines parties de l'océan étaient couvertes de points blancs, comme si quelque main géante y avait jeté des confettis. C'étaient des amas d'oiseaux marins, que la fumée avait surpris par dizaines de milliers; ils n'avaient pas pu voler assez vite ou assez longtemps pour échapper au feu, qui les avait rapidement privés d'oxygène.

Le film prit fin et la carte réapparut. Lorsque les lumières eurent atteint leur pleine intensité, le Président resta assis quelques secondes, les mains nouées, les yeux toujours fixés sur l'écran vide. Puis il se leva et alla étudier de près une carte illustrant le procédé Vacusponge. On pouvait voir tout un amas de boyaux d'aspirateur sortant d'un bateau, semblable à un genre de pieuvre mécanique, en train de ramasser une petite flaque. Juste au moment où Henricks venait de terminer sa conversation avec l'amiral, Sutherland demanda:

"Y a-t-il quelqu'un, parmi vous, qui a une petite idée de la somme qu'un nettoyage coûterait au pays?

— Nous envisageons quelque chose comme trois milliards de dollars, monsieur le Président, répondit spontanément Jean. Les compagnies de pétrole ont formé des coopératives pour couvrir leurs responsabilités en pareil cas; mais le TOVALOP a fixé sa limite aux environs de cinquante millions de dollars. Personne n'aurait pu prévoir quelque chose d'aussi gigantesque."

Exaspéré, le Président secoua la tête.

"C'est bien ce qu'il nous fallait pour une année d'élection, dit-il. Mais que sont devenus tous ces pétroliers spéciaux à double fond et doubles parois, dont l'EPA nous avait parlé?

— L'un des pétroliers — le *Kodiak* — était un ULCC à double fond, Monsieur. Mais lors d'une collison aussi violente... eh bien! ça ne change pas grand-chose.

— Un ULCC?

— Oui, un bâtiment de transport géant pour le pétrole brut*, Monsieur.

— Contentez-vous donc de les appeler: bateaux.

— Oui, Monsieur."

Le Président se frotta lentement le front: il tentait de se représenter combien il faudrait de réservoirs géants comme ceux des raffineries du New Jersy, pour contenir six cents millions de gallons. Mais, pour l'instant, il ne pouvait comprendre clairement que ce qu'il venait de voir... Et bientôt, cette monstrueuse nappe de pétrole enflammé de deux mille milles carrés s'étendrait encore, d'un épanchement à l'autre, dans cette mer déjà terriblement polluée. Cela deviendrait alors dix... vingt fois plus grand — à moins qu'on ne l'arrête. Mais comment pouvait-on maîtriser cela? Jamais personne n'avait eu af-

---

* Ultra Large Crude Carrier.

faire à une nappe de cette envergure. Sutherland se disait qu'il aurait dû opposer son veto à la loi qui avait autorisé la construction d'installations pour entreposer le pétrole brut sur la côte. Ils auraient dû s'en tenir au projet d'un pipe-line qui aurait transporté le pétrole par voie de terre à travers le Canada, de Kitimat à Edmonton, puis au-delà du 48e parallèle. Cela aurait mieux valu que de permettre l'utilisation de pétroliers géants d'un million de tonneaux. Et il n'aurait jamais dû accepter que les pétroliers américains, pour épargner du combustible, voyagent près de la côte au lieu de suivre une route passant au large. Il regarda les adjoints rassemblés autour de lui.

"Mais comment diable une telle chose peut-elle être possible?"

Il y eut un silence; les employés de la Maison Blanche éprouvaient le même trouble que leur chef devant l'ampleur de la nappe de feu. Ce fut encore Jean Roche qui proposa enfin une explication.

"Il y a des années, dit-elle, que nous recevons des signaux d'alarme, monsieur le Président. Et les accidents impliquant des ULCC — je veux dire des pétroliers géants —, par exemple, se sont multipliés ces derniers temps: cinq pétroliers par mois, sans compter les ruptures d'installations au large des côtes et les fuites du pipe-line sous-marin."

Le Président tendit le bras vers la carte.

"Si une partie de l'océan Pacifique peut prendre feu, que dire des mers plus petites?

— Ce ne sont que de grandes flaques d'huile, répondit Jean sans la moindre hésitation. Il ne reste plus qu'à les allumer.

— Au diable toute cette histoire! Nous avons des règlements qui nous protègent contre une telle éventualité — non? La législation des Grands Lacs? La loi pour l'amélioration de la qualité des eaux? Est-ce qu'elles ne servent à rien? Que fait l'EPA dans tout cela — elle dort?"

Les autres adjoints se réfugièrent dans leurs dossiers et leurs mémos. Henricks était de nouveau en conversation avec l'amiral, tandis que Jean continuait à encaisser les contrecoups de la frustration du Président.

"Oui, Monsieur, fit-elle. Ces lois sont applicables — mais à peine. Le problème, c'est que nous avons commencé trop tard, à cause de Nixon qui a retenu les neuf milliards destinés à l'amélioration des eaux, et aussi à cause du Congrès qui s'est mis à chicaner à chacune des demandes de l'Agence. C'est dans les Grands Lacs que les risques sont les plus élevés. Nous pensions, d'ailleurs, que quelque chose arriverait d'abord à cet endroit. Il y a déjà eu un épanchement considérable sur le lac Supérieur; mais, heureusement, pas d'incendie.

— Alors, il vaudrait mieux envoyer immédiatement un avis en priorité: je veux qu'on applique ces règlements.

— Oui, Monsieur", répondit Jean.

Elle décrocha le récepteur du téléphone et commença à composer le numéro de l'Agence pour l'application des lois sur la protection de l'environnement, afin de prendre des mesures d'urgence spéciales concernant toutes les lois anti-pollution.

"Est-ce que je vais communiquer la nouvelle aux organes d'information internationaux, monsieur le Président?

— Diable, oui! Et assurez-vous bien que les Russes en prennent connaissance. C'est là un point sur lequel nous devrions tomber d'accord... peut-être.

— Bien, Monsieur. Je vais aussi..."

Mais Henricks l'interrompit.

"Monsieur le Président, dit-il, l'air grave, j'ai reçu de mauvaises nouvelles au sujet des départs de bateaux."

Sutherland fit un geste vers la salle des Communications.

"Mettez ça sur le tas, dit-il.

— La Vice-présidente est prise dans l'incendie."

Dans la pièce, tout le monde resta abasourdi. Pendant un bon moment, personne ne parla; on n'entendait plus que le martèlement continu des appareils de télex. Le visage du Président était devenu blanc. Il regarda Henricks.

"Je croyais qu'Elaine... Je la croyais en excursion de pêche...?

— C'est justement là qu'elle était en train de pêcher, Monsieur: en haute mer, au large de l'archipel Alexandre."

Il jeta un coup d'oeil à son carnet et ajouta:

"Dans les parages de Sitka."

Deux autres adjoints entrèrent dans la salle, portant des cartes et des dossiers. Sutherland sentit poindre une douleur sourde et lancinante au-dessus de son oeil gauche. Jean Roche s'avança vers lui, persuadée qu'il allait s'évanouir. Comme elle l'atteignait, il s'assit à la table.

"Prise au piège", dit-il d'une voix à peine perceptible.

Henricks jeta vers Jean Roche un regard chargé d'appréhension.

"Oui, Monsieur, fit-il. L'amiral Klein vient de me l'annoncer. En examinant les photos prises par le satellite, vous pourriez probablement vous rendre compte que

112

l'incendie ne forme pas vraiment une nappe de feu. En réalité, il reste des secteurs, des poches où l'incendie ne s'est pas encore propagé à cause de vents et de courants contraires. Le bateau est immobilisé dans une de ces zones."

Henricks fit une pause, puis reprit d'une voix plus calme:

"Apparemment, leur moteur les a lâchés. Les réparations ont pris la plus grande partie de la journée. Mais quand le moteur a bien voulu repartir, il était trop tard: ils étaient encerclés par les flammes."

Le Président toussa et fouilla dans sa poche.

"Il s'agit d'un bateau de quelle dimension?"

— Un bateau de trente pieds, Monsieur."

Pour la troisième fois de la journée, le Président était complètement incrédule. C'était un peu comme si l'impossible devenait la norme. Cette fois, il explosa.

"Nom de Dieu! s'écria-t-il. Mais qu'est-ce qui lui a pris d'aller pêcher dans une baignoire de cette grandeur-là?"

Personne ne répondit.

"Est-ce que le bateau ne pourrait pas gagner l'incendie de vitesse?"

La réponse vint d'un des nouveaux arrivés, Norman Blane, employé de l'EPA attaché au personnel de la Maison Blanche. Il était en train d'épingler au mur une carte météorologique provenant d'un satellite. Sur cette carte, on pouvait voir que, sous les nuages et la couche de fumée, il y avait de petites poches de mer libre qui ressortaient dans tout ce noir comme des îles bleutées. Comme la plupart des personnes présentes, Blane ignorait la nature des relations qui existaient entre le Président et Elaine Horton. Malgré ses manières désinvoltes, il ne put faire autrement que de déclarer sur un ton d'impuissance:

"Non, Monsieur. Pas la moindre chance. Il est pris dans un mouvement de tenailles — complètement encerclé par un immense secteur de flammes, qui pourraient les atteindre rapidement."

Le doigt de Blane se déplaça vers l'ouest sur la carte, de Sitka vers la haute mer.

"C'est là que se trouve la Vice-présidente, fit-il — à environ quatorze ou quinze milles du site de la collision. Vous pouvez voir que la nappe avait déjà débordé la position du bateau à l'est, entre lui et l'île Baranof, avant de prendre feu. Peu après, la nappe a formé deux espèces de bras qui l'ont encerclé, se dirigeant vers l'ouest où ils se sont rejoints pour s'étendre en nappe. En fait, cela donne une nappe qui a un peu la forme d'un os. La zone dégagée où se trouve le bateau est au centre de la partie est de l'os. Maintenant, personne ne peut dire à quelle vitesse les flammes avancent vers le bateau. Tout dépend de la pression hydrostatique qui s'exerce à l'endroit où se trouvait le pétrolier russe."

La froideur professionnelle de Blane irritait le Président.

"Allez, Norman, dit-il; dites-moi cela en anglais que je peux comprendre."

L'adjoint reprit ses explications en faisant de grands gestes.

"La pression hydrostatique? Eh bien, c'est l'accumulation du pétrole qui s'échappe au-dessus des réservoirs submergés, Monsieur. C'est un peu comme de la crème fouettée sur le café — mais sous la surface."

Blane sourit, apparemment satisfait de sa comparaison.

114

"Le taux de dispersion, poursuivit-il, dépend du vent et des courants. Et aussi de la température. De façon normale, le pétrole se déplace à environ quatre pour cent de la vitesse du vent; mais si le vent s'accompagne de forts courants, il peut aller bien plus vite. Les gaz peuvent courir sur la mer à la façon d'un feu de prairie ordinaire.

— Quelqu'un peut-il me dire, grogna Sutherland, si nous avons des navires dans les parages?"

Henricks parcourut rapidement le rapport des départs de bateaux.

"Non, Monsieur, dit-il; maintenant que le *Tyler Maine* a disparu, il n'y a aucun navire des Etats-Unis dans le coin. On signale un sous-marin canadien, c'est tout."

Le Président réfléchit un moment, puis demanda:

"Et nos sous-marins?"

Henricks vérifia de nouveau le rapport; mais il secoua la tête.

"Non, Monsieur. Nous avons quatre sous-marins nucléaires en patrouille dans le nord-ouest — deux dans le détroit de Behring et deux dans la mer de Beaufort; de plus, il y a un sous-marin de type conventionnel à cent milles au sud de la chaîne des Aléoutiennes. Ils sont tous trop loin pour arriver à temps, même à leur vitesse maximale."

Sutherland entendit à peine la dernière remarque de Henricks. L'espace d'un instant, son esprit s'était détourné de la crise actuelle pour revivre des moments plus heureux... Il revoyait le visage d'Elaine, tout rouge d'excitation, la première fois qu'il lui avait appris à plonger avec un snorkel à Kauai, l'île la plus septentrionale de l'archipel hawaïen. Il entendait encore sa voix, les mots qui se télescopaient littéralement les uns dans les autres, tellement elle était pressée de décrire toutes ces merveilles qu'elle venait de découvrir: le kaléidoscope des couleurs; le noir poli; le jaune et le bleu du tranchoir qui broutait tranquillement les algues quelques pieds au-dessous d'elle; il y avait aussi ces longues aiguilles blanches avec leurs yeux immobiles et perçants qui ressemblaient à des billes, suspendues comme des morceaux de varech rigide sous la surface doucement agitée par les vagues. Cette excitation était si vive qu'elle en était contagieuse; aussi avait-il senti remonter en lui les émotions qu'il avait éprouvées, dans sa jeunesse, lorsqu'il avait fait ses propres découvertes.

C'était d'ailleurs la vigueur de cette curiosité d'enfant qui l'avait attiré vers elle. Cela avait ranimé en lui des émotions qui l'avaient emporté bien loin des machinations quotidiennes liées au pouvoir. De plus, elle lui avait inspiré le désir de secouer les interdictions imposées par la nature souvent secrète de ses fonctions en tant que membre du Congrès oeuvrant au sein du Comité des crédits budgétaires des forces armées. Après les longues heures passées avec les généraux et les amiraux, à force de subir leurs pressions pour l'augmentation des contrats de la Défense — sans compter les tentatives de corruption à peine déguisées que lui faisaient des fournisseurs trop entreprenants —, il avait fini par soupçonner presque tout le monde à Washington.

Mais il avait découvert qu'en compagnie d'Elaine, il pouvait se détendre. Son sens de l'humour tempérait si bien sa franchise, qu'elle ne blessait jamais personne. Un jour, il l'avait vue remettre à sa place un magnat de l'industrie électronique qui l'importunait. Elle l'avait regardé avec un sourire triomphant et avait déclaré:

"J'espère que vous n'êtes pas en train d'essayer de me corrompre, pour que je vote oui au nouveau projet de loi sur le contingentement des importations. Parce que si c'est votre intention, Jack, je vais voter contre — juste pour vous montrer à quel point les femmes peuvent être folles."

L'incident était clos. Mais elle avait agi avec une bonne humeur si désarmante, que le magnat n'avait plus d'alternative: il paya donc une autre tournée et s'en alla, essayant malgré tout de faire bonne figure. C'était justement ce mélange d'honnêteté enfantine et de sophistication tout à fait mondaine qui avait toujours surpris et séduit Sutherland.

Henricks toussa poliment pour rappeler au Président qu'il attendait ses ordres. Mais Sutherland était toujours à Kauai. Il revoyait cette journée où lui et Elaine avaient marché, main dans la main, sur le sable couleur de paille de la plage déserte. Ils s'étaient baignés dans la mer verte et fraîche, tandis que le disque rouge du soleil s'enfonçait derrière les arbres. Ce fut ce jour-là qu'ils éprouvèrent le plus de plaisir à faire l'amour. Ensuite, ils s'étaient promenés, à Poipu, sur une des plages les plus fréquentées. Ils avaient marché dans la douce lumière du crépuscule, regardant les torches des hôtels, dont la flamme vacillait et se tordait dans le faible souffle de l'alizé, écoutant les vagues qui déferlaient sur le récif et venaient mourir sur la plage en arc de cercle bordée d'un rideau de palmiers et inondée par le clair de lune.

Et à présent, voilà qu'elle allait mourir.

Henricks toussa de nouveau — plus fort, cette fois.

Sutherland fit un effort pour reprendre le contrôle de ses pensées. Il voulait chasser tous ces souvenirs de son esprit, mais il n'arrivait qu'à les raviver.

"Y a-t-il d'autres bâtiments de surface dans les environs? demanda-t-il brusquement. Je veux dire: de n'importe quelle nationalité.

— Il y a un LNG japonais au large de l'île Chichagof, en provenance de Juneau. Il travaille à contrat pour
la compagnie El Paso; il fait route vers Point Conception, juste au nord de Los Angeles. Mais lui aussi est trop
loin."

Rageusement, le Président donna une claque sur la
table. Dans le silence général, les appareils de télex continuaient à crépiter comme des enfants récalcitrants. .

"Je voudrais que vous cessiez tous de vouloir m'im-
pressionner avec vos termes techniques et que vous me
parliez en simple anglais de tous les jours."

Il y eut un long silence. Le Président fouilla dans ses
poches et en retira plusieurs petites boulettes de Kleenex,
qu'il jeta dans un panier. Au bout de quelques secondes, il
demanda calmement:

"A présent, Bob, dites-moi, pour l'amour du Christ,
ce que c'est qu'un LNG... Et le plus simplement possible,
pour que le pauvre ancien de Harvard que je suis puisse
comprendre.

— C'est un bâtiment qui transporte du gaz naturel
sous forme liquide*, monsieur le Président, expliqua
Henricks. Il est presque identique à un bateau-citerne
ordinaire, sauf qu'il a trois — parfois cinq — réservoirs
cylindriques aménagés sous le pont."

Sutherland le remercia d'un mouvement de tête.

"Donc, il ne peut pas nous être utile. Il serait même
dangereux de l'avoir dans les parages de l'incendie...
C'est bien ça? Le gaz ne se dilaterait-il pas à l'intérieur
de ces réservoirs?"

Parmi tous ceux qui étaient présents dans la pièce,
personne ne semblait avoir envisagé cette possibilité.

------

* Liquefied natural gas carrier.

"Et alors? demanda le Président. Est-ce bien ce qui se passerait? Autant que je me rappelle, il faut réfrigérer le gaz naturel pour le transporter; autrement, il deviendrait extrêmement instable.

— Oui, Monsieur, répondit Henricks; c'est probablement ce qui arriverait... Ce serait dangereux, je veux dire."

Mais le Président n'écoutait pas. Il repoussa soudain sa chaise et bondit sur ses pieds en frappant la table de son poing.

"Le sous-marin canadien! fit-il. Il peut passer par-dessous et les sauver!"

C'était une dure journée pour Henricks. Encore une fois, son devoir l'obligeait à être le messager des mauvaises nouvelles.

"Je regrette, Monsieur, mais il est pris au piège tout comme le bateau — seulement, lui, c'est sous le feu. L'amiral Klein est entré en contact avec le Commandement maritime canadien à Esquimalt, en Colombie-Britannique. Ils disent qu'il ne s'agit pas d'un sous-marin nucléaire; c'est un bâtiment de type conventionnel qui sert à l'entraînement et qui a été construit après la Seconde Guerre mondiale — mais peu après. Ils l'ont modernisé; mais, apparemment, il va bientôt être obligé de faire surface pour recharger ses batteries et faire le plein d'air frais. Klein dit qu'il pourrait peut-être passer sous le feu et atteindre le bateau; mais, pour le retour, il devrait tout de même recharger ses batteries et refaire sa provision d'air."

Henricks hésita, puis poursuivit:

"Cela, bien sûr, si les Canadiens veulent bien essayer.

— Et pourquoi refuseraient-ils?" demanda le Président.

Jean Roche répondit vivement:

"Ils s'étaient vivement opposés, avec les états de Washington et d'Orégon, à ce qu'on fasse passer les pétroliers géants le long de leurs côtes, monsieur le Président. Ils ont toujours craint la formation de nappes. Alors, je crains qu'ils ne réagissent assez mal devant ce qui arrive aujourd'hui.

— Ça va de soi, grommela Sutherland, visiblement piqué. Ils n'ont pas besoin d'importer autant que nous."

Il se retourna vers Henricks.

"Vous avez dit que ses batteries avaient "apparemment" besoin d'être rechargées. Est-ce que cela signifie qu'elles vont vraiment en avoir besoin, ou pas?

— Oui, Monsieur. Il va falloir les recharger."

Le Président fit un geste impatient en direction de la carte météorologique.

"Est-ce qu'ils ne pourraient pas procéder à ces opérations dans la zone dégagée où se trouve pris le bateau de pêche?"

Henricks admirait l'esprit d'invention du Président; mais il secoua la tête.

"Cela prendrait du temps, Monsieur. De plus, les flammes pourraient avoir gagné la plus grande partie du secteur, à ce moment-là. Comme Norman disait tout à l'heure, nous ne savons pas à quelle vitesse l'incendie se rapproche de la Vice-présidente et rétrécit les autres poches de mer libre. Tout ce que nous pouvons dire, c'est qu'il se rapproche. Le sous-marin a juste assez de force motrice et d'air pour rebrousser chemin sous le feu et se mettre hors de danger. S'il pénètre plus avant sous l'incendie, il risque d'atteindre un point de non-retour."

Sutherland comprenait maintenant à quel point une telle opération serait dangereuse. Il se plongea de nouveau dans l'étude de la carte météorologique, comme s'il espérait lui arracher une solution.

"Est-ce qu'il ne serait pas possible de noyer l'incendie? Je veux dire par l'action de facteurs météorologiques?"

Les bras de Blane se mirent en mouvement, semblables à des ailes de moulin à vent. Il faisait penser à un professeur enthousiaste à l'idée de pouvoir dire son mot dans cette prise de décision.

"Il y a actuellement un front qui descend de l'Artique, mais il ne faudrait pas trop compter dessus. Il se pourrait bien qu'il ne pleuve pas. En fait, cela ne ferait qu'empirer les choses. Il y aurait alors des vents qui charrieraient la nappe de feu et la pousseraient droit vers la côte.

— Bon, je vois qu'il ne faut pas compter sur l'aide de Dieu, dit le Président en se tournant vers Jean, à la recherche d'une lueur d'espoir. Jean, appelez-moi le général Oster. Demandez-lui s'il n'y aurait pas moyen d'envoyer un hélicoptère ou de faire un parachutage. Et demandez-lui de venir ici.

— Oui, monsieur le Président."

Au téléphone, le général avait une voix sèche et tendue.

"Pas question, dit-il. Même si des avions ou des hélicoptères pouvaient arriver à temps, ils ne pourraient pas opérer efficacement dans cette fumée. Pour tout dire, ils ne pourraient rien faire du tout. C'est trop dangereux de descendre chercher des gens dans un incendie qu'on ne peut même pas voir comme il faut. Ils se brûleraient eux-mêmes — tout comme la Vice-présidente. J'ai communiqué avec la garde côtière: ils ont écarté la possibilité d'utiliser les hydrofoils. Ils seraient inutiles sur la nappe de pétrole, même s'ils réussissaient à s'approcher de l'incendie — ce qu'ils ne peuvent pas faire."

Pendant que Jean lui transmettait la réponse du général, le Président se rassit. L'espace d'un instant, son visage exprima une terrible angoisse.

Clara Sutherland était tranquillement assise dans son cabinet de travail de la Maison Blanche, qui donnait sur le grand monument de Washington dont la blancheur ressortait dans l'éclairage des projecteurs. Elle attendait patiemment que le téléphone sonne. Il ne lui avait même pas appris qu'Elaine Horton était immobilisée dans l'incendie. C'est un des adjoints qui l'en avait informée — sans lui, elle aurait continué de tout ignorer. Elle se gardait bien d'appeler à la salle des Opérations à un moment pareil... Et pourtant, elle avait espéré qu'il aurait peut-être recours à son aide. Mais, dans son cabinet de travail, le téléphone demeurait silencieux. Elle n'était pas du genre à s'apitoyer sur elle-même; cependant, elle se sentait si seule... Aujourd'hui, elle n'éprouvait pas la sensation de confort et de chaleur que lui communiquait habituellement cette pièce où elle avait fait dominer la douceur des teintes automnales — le rouge et le brun roussâtre.

L'obscurité se faisait de plus en plus épaisse. Elle alluma la lampe à pied d'acajou, près du balcon qui dominait la pelouse comme endormie et arrosée de lumière. Puis, elle prit un livre et essaya de lire: mais elle n'arrivait pas à se concentrer. Peut-être téléphonerait-il plus tard? Peut-être avaient-ils dû souper tous ensemble? Elle saisit le contrôle à distance de l'appareil de télévision et se mit à changer les postes — mais elle n'obtenait toujours que des images de l'incendie.

122

Dans la salle des Opérations spéciales, le Président, un peu honteux d'avoir concentré presque toute son attention sur le sort d'Elaine, demanda:

"Et nos agents sur le bateau? Il y en a combien qui accompagnent la Vice-présidente?"

C'était là la question que Jean Roche redoutait. Comme tout le monde, elle déplorait la situation; mais elle ne pouvait s'empêcher de désapprouver le comportement de la Vice-présidente. C'est un Miller affolé qui l'avait appelée de Sitka pour lui faire connaître la situation. Et, à présent, elle craignait de laisser transparaître sa désapprobation.

"Il n'y a personne, monsieur le Président: rien que le capitaine, je crois. La Vice-présidente a refusé de faire ce voyage en compagnie d'agents."

Instinctivement, le Président était irrité à la pensée qu'un être bien-aimé avait inutilement exposé sa vie — mais il ne fit aucun commentaire. Et pourtant, il la comprenait et l'excusait, car lui aussi tentait périodiquement de semer les agents, comme tous les Présidents l'avaient fait avant lui.

"Eh bien, fit-il, il va falloir demander aux Canadiens, même s'ils risquent de parvenir à un point de non-retour. Nous n'avons pas le temps d'attendre une aide d'ailleurs."

Henricks était sceptique. Il songeait aux hommes à bord du sous-marin.

"Ça va être joliment difficile, monsieur le Président."

De nouveau, Sutherland sentit cette douleur qui lui élançait au-dessus de l'oeil. Il y porta la main par réflexe.

"Je sais, Bob, dit-il en grimaçant; mais nous n'avons pas d'autre solution.

— Non, Monsieur.

— Jean, appelez-moi le Premier ministre du Canada. S'il est à l'extérieur du pays, tâchez de le rejoindre, où qu'il soit. Je veux lui parler personnellement. Je prendrai l'appel dans le petit salon.

— Oui, Monsieur.

— Autre chose, Jean.

— Oui, monsieur le Président?

— Passez-moi son dossier; je voudrais le consulter avant de lui parler."

Pendant que Jean Roche enfonçait les boutons qui devaient la mettre en communication avec l'ordinateur, Sutherland regardait le petit cercle rouge qui indiquait sur la carte l'emplacement de l'incendie. Pendant un moment, contrairement à son habitude, il se fit des reproches. C'était sa faute, se disait-il, si Elaine et ce pêcheur étaient dans cette mauvaise posture. S'il ne l'avait pas rencontrée, elle n'aurait probablement jamais fait ce voyage en Alaska, et elle ne serait pas allée à la pêche. Mais, dans ces conditions, les "si" commençaient à s'accumuler. Si les pétroliers n'étaient pas entrés en collision. S'il n'y avait pas eu tout ce brouillard. Si seulement personne d'entre nous n'était né... Il eut un sourire sans joie. De toute façon, les regrets et les lamentations étaient inutiles. S'armant de courage, il se cala dans sa chaise et prit le dossier que Jean avait placé devant lui.

Chapitre 8

Le *Swordfish* rentrait à son port d'attache. Il était parvenu à soixante-quinze milles à l'ouest de l'extrémité nord de l'île Baranof et à quatre-vingt-sept milles au nord-ouest de Sitka — c'est-à-dire 57°20' de latitude N et 137°29' de longitude O. Cap au sud-est, il glissait silencieusement à quatre-vingt-dix pieds sous la nappe de pétrole, à une vitesse uniforme de dix-huit noeuds.

En gros, ce submersible ressemblait à n'importe quel bâtiment d'entraînement de la classe Ranger, construit au début des années soixante-dix. Les seules différences notables étaient les quelques modifications apportées au revêtement de ce cigare long de deux cents pieds; de plus, on avait peint en noir les bouées avant et arrière qui, auparavant, étaient rouges.

Dix semaines plus tôt, quand le sous-marin avait quitté le port d'Esquimalt, le commandant Kyle avait tout pour être un homme raisonnablement satisfait. Il espérait faire une patrouille agréable — c'est d'ailleurs pourquoi il ne s'était pas laissé déprimer par l'incident avec Lambrecker. Mais à présent, il avait des soucis; il se sentait malheureux et avait hâte de rentrer chez lui. Il était seul dans sa cabine et, pour se distraire, essayait de comprendre un des plus récents manuels sur l'équipement électronique; mais il éprouvait de la difficulté à se concentrer. Il se disait que, peut-être, il avait fait une erreur — et une grosse erreur — en acceptant cette mission.

A part les vieux sous-mariniers qui servaient à bord — et parmi lesquels peu avaient déjà combattu pour de vrai —, la plus grande partie de l'équipage de quatre-vingt-quatre hommes était composée de nouveaux. Mais ce n'était pas leur inexpérience qui préoccupait Kyle: au cours des dix dernières semaines, il avait eu l'occasion de les dresser. Il s'était même rendu impopulaire en leur faisant répéter les manoeuvres jusqu'à ce qu'ils soient écoeurés. C'était plutôt leur attitude qui l'inquiétait. Bien sûr, cela pourrait peut-être constituer une marine valable... mais c'était différent — si différent, qu'il avait commencé à douter sérieusement de son aptitude à commander.

Comme il l'avait craint, il y avait à bord des hommes qui exigeaient des explications avant d'obéir aux ordres. Pire, ils pouvaient citer tous les nouveaux règlements qui l'obligeaient à le faire. C'était justement de ces hommes-là qu'il n'avait pas besoin à bord du *Swordfish*. Ils ne faisaient qu'accroître la tension qui régnait sur ce bâtiment où trente hommes, jour après jour pendant trois mois, devaient se partager les couchettes d'un poste d'équipage mesurant six pieds de large sur vingt pieds de long et dix de haut. C'était ce petit noyau de fauteurs de troubles qui avait fait de cette patrouille une des plus épuisantes missions de sa carrière. Leurs questions n'étaient rien de plus que de l'hostilité déguisée, une sorte de répugnance à l'égard de toute forme d'autorité. Et devant leur hésitation à obéir aux ordres dans des situations d'urgence, Kyle éprouvait une inquiétude qui ne lui facilitait pas la tâche — et dont il se serait bien passé. Une telle hésitation, il le savait, pouvait leur coûter la vie... à eux et à tout le monde qui se trouvait à bord.

Il essayait tout de même d'enseigner à cet équipage ce qu'il avait lui-même appris: suivre la même liste de vérifications du matin jusqu'au soir, de sorte qu'en cas d'urgence la sécurité du bâtiment repose sur une habitude bien établie, au lieu de dépendre uniquement de la mémoire ou de variations individuelles. Il leur avait raconté comment les choses se passaient dans l'Atlantique: vous faisiez ce qu'on vous disait et quand on vous le disait — autrement, vous risquiez de vous faire couper en deux par un destroyer allemand. A sa grande surprise, la plupart des hommes avaient très bien écouté ce qu'il disait et avaient appris quelque chose; mais il y en avait toujours quelques-uns qui ne voulaient rien savoir.

A quelques reprises au cours de ces derniers jours, Kyle avait failli perdre son sang froid. Il y en avait un ou deux, en effet, qui, sans aller jusqu'à refuser ouvertement d'obéir promptement aux ordres, avaient ajouté à cette multitude de petits actes d'insubordination qui mettaient constamment sa patience à l'épreuve.

Il soupira profondément, sachant bien qu'il ne comprenait pas plus ces "nouveaux marins" que la toute nouvelle sorcellerie électronique figurant dans le manuel ouvert devant lui. Il appartenait vraiment à un autre âge. Il avait même remarqué que, parmi les plus jeunes officiers, quelques-uns se sentaient mal à l'aise de servir sous les ordres d'un homme de son âge. "Qu'ils aillent au diable"!, grogna-t-il en se levant de sa couchette; puis, il prit deux comprimés d'aspirine dans la bouteille. Il avait mal à la tête: l'air commençait à être vicié.

Il se sentait un peu inquiet, quand il pensait à la nappe de feu qui les obligeait à rester en plongée plus longtemps qu'il n'aurait voulu. Cinquante-quatre heures, plus exactement. Mais cela ne le préoccupait pas excessivement, car il avait commandé à son second de déterminer le chemin le plus court pour sortir de dessous la nappe: c'était précisément le cap qu'ils suivaient actuellement. A peu près une heure encore à faire route au sud, et ils seraient hors de danger. Le sous-marin pourrait alors faire surface pour évacuer le bioxyde de carbone et refaire la provision d'air frais. Puis, il naviguerait en surface, utilisant les moteurs diesel et rechargeant les accumulateurs qui fournissaient la force motrice en plongée. Heureusement, pensait-il, qu'ils n'avaient pas été pris plus loin sous l'incendie. Un pauvre diable qui se serait trouvé dans une telle situation aurait été bien à plaindre. Pour éviter qu'on ne s'inquiète inutilement du sort du *Swordfish,* il décida de donner sa position dès qu'il pourrait faire émerger le périscope: à ce moment, il serait possible de sortir l'antenne de transmission. Jusque-là, il devrait se contenter d'assurer la réception à l'aide de l'antenne flottante que le bâtiment traînait; mais même cette opération était devenue problématique par suite des mauvaises conditions atmosphériques. Le vent et la mer secouaient l'antenne de tous côtés et provoquaient des grésillements qui rendaient la réception très difficile.

A présent que l'aspirine commençait à soulager son mal de tête, il se sentait moins nerveux. Il avait sommeil.

Il laissa le manuel lui tomber des mains et se mit à penser au moment où le sous-marin rentrerait à Esquimalt; déjà, il voyait les jolies collines vertes dans les flancs desquelles gisaient les dépots de munitions du Commandement du Pacifique.

Dans la cabine de la radio, l'opérateur se mit à jurer. Pour la troisième fois en une heure, les parasites causés par les conditions atmosphériques lui avaient fait rater le communiqué du Commandement du Pacifique concernant l'étendue de la nappe de pétrole.

Chapitre 9

Sutherland profita du peu de temps que Jean Roche mit à obtenir la communication avec Ottawa, pour jeter un coup d'oeil sur le dossier concernant le Premier ministre du Canada. Sur la photo, il avait l'air d'un banquier aux manières délicates, avec un début de calvitie et une bouche au pli faible. Mais en quelques secondes, Sutherland avait découvert que la photo donnait une impression fallacieuse; car le Premier ministre Henri Gerrard avait la réputation de diriger fermement — et pourtant sans élever la voix — un gouvernement largement majoritaire. Etant donné la nature de la demande que Sutherland allait faire, il n'avait pas besoin d'en savoir plus.

Comme il décrochait le récepteur, Jean crut plus prudent de le prévenir que l'appel téléphonique avait dérangé le Premier ministre au beau milieu d'une réunion du Cabinet — sans doute convoquée à la suite de l'indignation que la catastrophe avait suscitée au Canada. Sutherland la remercia d'un mouvement de tête et lui fit comprendre qu'il désirait rester seul pour prendre la communication. Elle était en train de fermer la porte du petit salon, qu'il parlait déjà au Premier ministre canadien.

"Monsieur le Premier ministre.

— Monsieur le Président.

— On vient de m'apprendre que j'ai interrompu une réunion du Cabinet. Je m'en excuse.

— Il n'y a pas de quoi. J'avais justement besoin de faire une petite pause."

Sutherland se renversa dans son fauteuil, soulagé par le ton amical de l'autre.

"Vous êtes bien aimable, reprit-il; surtout avec ce qui vient d'arriver. Je suis vraiment navré au sujet de cette nappe de pétrole... Tout à fait désolé."

Il y eut un court moment de silence embarrassé, avant que Gerrard ne réagisse.

"Bien sûr, fit-il. Je comprends. J'imagine que c'est de cela que vous désirez me parler.

— Oui. Ici, nous sommes dans une situation difficile."

Et il ajouta précipitamment:

"Tout comme vous l'êtes, j'en suis sûr. Je me rends compte que les côtes canadiennes sont menacées au même titre que celles de l'Alaska. Si possible, j'aborderai ce sujet dans une minute. Mais, auparavant, j'aurais une grande faveur à vous demander.

— Oui?

— Eh bien, le sort a voulu, monsieur le Premier ministre, que notre Vice-présidente soit prise au piège dans l'incendie."

De nouveau, il y eut un bref silence.

"Mon Dieu!"

Mais Sutherland ne se laissa pas ralentir par l'émotion de son interlocuteur. Seule l'action pouvait venir en aide à Elaine et au capitaine du bateau.

"C'est une situation particulièrement délicate. Pour le moment, elle se trouve dans une poche épargnée par le feu; mais l'incendie peut se rapprocher très rapidement. Et, pour tout dire, monsieur le Premier ministre, nous n'avons aucun bâtiment qui soit assez proche pour leur porter secours. Bien sûr, nous avons des sous-marins en patrouille vers l'ouest; mais, quelle que puisse être leur vitesse, ils mettraient trop de temps à atteindre le bateau."

La réponse de Gerrard vint instantanément.

"Je ferai tout ce que je pourrai pour vous aider, monsieur le Président."

Sutherland était profondément ému. Il n'avait rencontré Gerrard qu'une seule fois, et voilà que soudain il avait l'impression de parler à un vieil ami.

"Je vous remercie beaucoup, monsieur le Premier ministre. Mes... sources d'information prétendent qu'il y a un sous-marin canadien sous la nappe de feu. Evidemment, s'il se portait à leur secours, ce serait... eh bien, à vrai dire, ce serait très dangereux...

— Quelle est la nature précise de ces dangers?"

Le Président expliqua que le submersible courrait le risque d'atteindre un point de non-retour, vu l'épuisement de sa réserve d'oxygène et de la charge des accumulateurs.

"Dans de telles circonstances, je ne vous blâmerais pas de rejeter ma demande...

— Ne dites pas de bêtises, coupa Gerrard. Ce sont

des choses qui arrivent. Naturellement, il va falloir que je consulte mes collègues du Cabinet — pour le bénéfice des média d'information, si vous voyez ce que je veux dire...

— Bien sûr, je comprends."

Malgré sa migraine qui, à présent, lui fendait littéralement le crâne, Sutherland sourit en entendant l'allusion de son homologue canadien. Le Président aimait bien ce type d'homme. Le Premier ministre avait beau porter des vêtements de banquier, il y avait en lui le sens de l'à-propos d'un politicien, en même temps qu'une générosité très humaine.

"Peut-être, ajouta le Premier ministre, vaudrait-il mieux que vos hommes transmettent directement la position de la Vice-présidente au Commandement maritime d'Esquimalt.

— Nous leur communiquons les coordonnées immédiatement.

— Parfait. Puis-je vous rappeler, monsieur le Président?

— Certainement... et merci encore. Ah! monsieur le Premier ministre...

— Oui?

— Je crois que le sous-marin s'appelle le *Swordfish.*"

Le Canadien se mit à rire.

"Oui, je sais, dit-il. Nous n'en avons que deux comme celui-là."

Sutherland ne comprenait pas très bien. Manifestement, le Premier ministre plaisantait.

134

En quittant son bureau situé au troisième étage de la partie centrale du Parlement pour retourner à la réunion du Cabinet, Gerrard s'entretint à voix basse avec son secrétaire. Malgré l'assurance dont il avait fait preuve lors de sa conversation avec Sutherland, il était loin d'être persuadé que le Cabinet approuverait l'idée de risquer le sous-marin canadien. Parmi les membres du Cabinet, c'était Farley, le ministre de la Santé, dont la réaction l'inquiétait le plus.

Farley avait été, autrefois, ministre socialiste au niveau provincial. Puis, dégouté par la stagnation qui régnait au sein de son parti, il avait changé de camp et s'était rallié au Parti libéral fédéral dix ans auparavant. C'était un homme compétent et hargneux. Il entretenait et défendait cette conviction — commune à beaucoup de ministres de l'Ouest — que les Etats-Unis, encore plus que les provinces de l'Est, étaient résolus à utiliser tous les moyens pour voler les ressources naturelles de l'ouest du Canada — du pétrole de l'Alberta jusqu'aux produits miniers de la Colombie-Britannique. Gerrard avait désiré qu'il fasse partie de son cabinet non seulement à cause de son expérience d'administrateur, mais aussi pour faire taire un groupe de députés sans portefeuille particulièrement braillards, dont la plupart étaient de l'Ouest.

A plusieurs reprises, le Premier ministre avait regretté cette nomination — non que sa compétence au ministère de la Santé fût mise en cause, mais parce que le membre du Cabinet qu'il était devenu continuait à semer la discorde dans les discussions sur les affaires canado-américaines, comme à l'époque où il était député sans portefeuille. Ce petit homme aux cheveux roux, de descendance écossaise, avait l'art de polariser les tendances de libéraux normalement modérés. Bien sûr, il lui arrivait d'avoir une influence positive sur ses collègues du Cabinet; mais il agissait presque invariablement avec une terrible ignorance des bonnes manières.

Tout ce que Gerrard espérait, c'était que Farley ne se mette pas à poser de questions embarrassantes et hors de propos — comme, par exemple, la raison pour laquelle les sous-marins nucléaires américains n'étaient pas disponibles. Il décida qu'il se bornerait à rapporter les propos du président Sutherland. Même un homme comme Farley devrait admettre que les Américains auraient fait appel à l'un de leurs submersibles si la chose avait été réalisable. Néanmoins, le Premier ministre savait qu'il lui faudrait beaucoup de doigté pour mener cette affaire... Car on ne pouvait jamais prévoir dans quelle voie s'engagerait Farley, si on lui laissait la moindre chance d'aiguiller le débat vers le nationalisme canadien.

Il fallait s'y attendre: Gerrard avait à peine expliqué, le plus brièvement possible, la demande américaine, que l'air de la salle était comme chargé de tension.

Le ministre des Affaires extérieures, Eric Bern, était tout à fait d'accord pour qu'on envoie le sous-marin immédiatement; mais Farley s'était disputé avec lui avant même que le Premier ministre n'ait fini d'exposer la situation. A présent, Bern était debout devant une fenêtre, les mains dans les poches, regardant d'un air renfrogné le feuillage tacheté des érables qui se dressaient à l'est du quadrilatère occupé par le Parlement. Il se tourna furieusement vers son collègue.

"Je dois vous rappeler, Farley, que la femme et l'homme qui sont dans ce bateau sont avant tout des humains, et ensuite des Américains — si cela peut faire quelque différence chez nos membres de la Colombie-Britannique."

Le petit visage rouge de Farley se tendit d'un air menaçant au-dessus de la table recouverte d'un tapis vert, que Gerrard comparait à un fossé séparant les factions Est et Ouest de son cabinet.

"Et qu'est-ce que c'est supposé vouloir dire? aboya le ministre de la Colombie-Britannique. Que ça ne me fait rien? Alors, laissez-moi vous rappeler..."

Mais Bern, le visage blême, l'interrompit.

"Je vous fais seulement observer que notre honorable ministre de Vancouver-Est et quelques-uns de ses collègues ont fait preuve à plusieurs reprises de ce que je considère — et, je dois dire, de ce que plusieurs considèrent avec moi — un anti-américanisme obsessionnel. Or, ce n'est ni le moment ni le lieu de...

— Bon Dieu, coupa Farley d'une voix étranglée. Vous venez me parler d'obsession, après le foutu beau travail que vous avez fait à Washington! Après avoir fait le lèche-cul pour fixer les contingentements des importations! Tant qu'à faire, pourquoi ne pas leur avoir vendu l'Alberta pour en finir?"

L'altercation qui opposait deux membres de son cabinet — et plus particulièrement la vulgarité délibérée de Farley — n'inspirait que du dégoût au Premier ministre Gerrard. Il lui aurait suffi d'un mot ou deux pour mettre fin à la querelle; mais il ne disait rien. Assis à sa place, il les laissait exprimer leur aversion mutuelle. L'expérience lui avait appris qu'il était toujours plus facile d'arriver à une solution de compromis au sein de son cabinet, une fois que ces deux-là avaient déchargé leur bile et avaient honte de s'être laissé emporter.

Tandis que les autres membres du Cabinet attendaient tranquillement la fin de cet échange d'invectives presque rituel, le secrétaire privé de Gerrard entra dans la pièce. Ignorant soigneusement l'altercation, il alla chuchoter quelque chose à l'oreille du Premier ministre.

Celui-ci hocha la tête en guise de réponse, puis se cala de nouveau au fond de son fauteuil pour assister à la suite du duel. Il avait l'air d'un homme en train de regarder un combat de coqs, qu'il désapprouverait totalement tout en jugeant plus prudent de ne pas intervenir. Certains membres du Cabinet, parmi les plus jeunes, commençaient à s'interroger du regard; mais le ministre de la Santé regardait ostensiblement sa montre en écoutant le ministre des Affaires extérieures.

"En ce qui vous concerne, Farley, le problème est que vous aimez l'humanité avec une ferveur typiquement socialiste, mais que vous ne pouvez pas supporter les humains — particulièrement ceux qui habitent au sud de nos frontières."

Farley poussa son buvard au centre de la table, un peu comme s'il jetait le gant. Il se tourna vers Gerrard, ignorant la dernière remarque de Bern avec un mépris évident. Sa voix avait soudain perdu son agressivité mordante. Il parlait lentement, sans jurer, mais on pouvait voir qu'il avait toutes les peines du monde à se contenir. Les plus vieux membres du Cabinet savaient que, si Gerrard ne s'en mêlait pas, il ne tarderait pas à entrer dans une rage incontrôlable.

"Monsieur le Premier ministre, disait-il, peut-être pourriez-vous éclairer la lanterne de notre collègue à l'esprit épais, et lui expliquer ce que j'essaie de lui faire comprendre: qu'il s'agisse d'Américains ou de Chinois, tout cela se ramène à une simple équation mathématique."

Il lança un regard furibond en direction de Bern, qui regardait de nouveau par la fenêtre.

"Le problème se présente ainsi, poursuivit-il. Il y a deux personnes prises au piège dans cet enfer — qui n'existerait pas en ce moment, je dois le dire, si nous nous étions opposés plus fermement à la circulation de pétroliers le long de la côte ouest. Comme les chances de les sauver semblent assez minces, il serait bon d'étudier attentivement ce projet qui consiste, en fait, à risquer la vie de quatre-vingt-quatre marins — quatre-vingt-quatre *humains,* pour dire comme le ministre des Affaires extérieures. Bref, je veux dire que le ministre et les collègues qui l'appuient semblent plus impressionnés par la position sociale de ces infortunées victimes, que par le nombre d'hommes qui pourraient périr en les secourant. C'est mon opinion, et je ne vois pas comment on pourrait se méprendre et m'accuser de soulever de mesquines questions de nationalisme."

Bern se détourna de la fenêtre.

"Je suis parfaitement au courant, dit-il, des... statistiques auxquelles Monsieur Farley se reporte si assidûment. Mais je voudrais souligner que, dans de telles circonstances, il ne devrait pas être question de prendre de décisions à partir des données d'une règle à calcul. Si nous procédions ainsi, il faudrait aussi laisser périr tous les enfants qui disparaissent, sous prétexte qu'une centaine d'hommes risqueraient leur vie en les recherchant."

Le ministre se pencha en avant, s'appuyant sur ses doigts largement écartés qui blanchissaient sous l'effort.

"Evidemment, poursuivit-il, *évidemment,* cela serait moralement inacceptable — à moins, bien sûr, d'avoir l'esprit obtus."

Farley poussa son buvard encore plus loin et sauta furieusement sur ses pieds. Mais Gerrard leva la main. Cette fois, il estimait que les deux adversaires avaient lâché suffisamment de vapeur et qu'il était temps de les calmer.

"Ça va, messieurs; vous avez eu tous les deux l'occasion de vous exprimer. Tout ce que je puis ajouter à cela, c'est que je remercie Dieu que les débats du Cabinet ne soient pas télévisés. Vous ne nous avez pas donné un spectacle particulièrement édifiant.''

Il y eut un silence plein de malaise, alors que Farley et Bern, bien assis maintenant, regardaient dans le vide.

"Quoi qu'il en soit, poursuivit le Premier ministre, je dois avouer que les deux points de vue sont défendables. Je suis sûr que tout le monde admettra l'argument d'Eric: c'est-à-dire qu'on ne peut pas voter sur de tels sujets en se basant seulement sur des chiffres.''

Puis, il ajouta vivement:

"Mais, d'autre part, John a tout à fait raison en soulignant que, dans cette entreprise, la vie de plus de quatre-vingts marins serait sérieusement menacée — et ce point de vue est aussi important que l'autre. Toutes considérations humanitaires mises à part, il reste que nous sommes les représentants du peuple canadien et que nous devons faire passer leur intérêt en premier.''

Farley rayonnait.

"Quant à moi, continua le Premier ministre, bien que je sois en faveur d'une tentative de sauvetage, je ne peux pas insister pour que le sous-marin tente l'aventure à tout prix. Alors, voici ce que je propose: que le *Swordfish* reçoive l'ordre de se diriger vers la zone en question, mais que son commandant puisse décider librement, en fonction des facteurs inconnus qui se présenteront — l'interruption des communications, par exemple — de renoncer à cette mission si toute tentative de sauvetage lui paraît vouée à l'échec. Si l'on tient compte des deux points de vue qui viennent d'être exprimés, cela me semble la solution la plus équitable et la plus humaine.''

Un bourdonnement de conversations s'éleva dans la

salle du Cabinet et, à mesure que le bruit s'intensifiait, la tension diminuait. Cependant Farley avait immédiatement compris quelque chose que personne n'avait vu — sauf le Premier ministre: renoncer à une tentative de sauvetage à cause de son impossibilité n'était pas la même chose que d'y renoncer à cause des risques que courrait l'équipage du bâtiment.

"Monsieur le Premier ministre, commença-t-il...

— Pas encore! murmura l'un des jeunes ministres.

— Monsieur le Premier ministre, je suis d'accord — et je pense que tous ceux qui avaient exprimé quelques réserves sont d'accord aussi — avec ce que vous proposez. Lorsque quelqu'un est en danger, on doit... eh bien, il faut lui venir en aide, c'est tout. Mais, ici, les conditions sont assez particulières. Et il me paraît très probable qu'une fois que la décision initiale aura été prise, le commandant n'aura peut-être plus la possibilité de reculer — même s'il le désire vraiment."

Gerrard le regarda impatiemment en fronçant les sourcils.

"Oui, oui, dit-il. Mais où voulez-vous en venir?

— Au sujet du sauvetage? Je veux simplement dire que nous devrions nous rendre compte de l'épouvantable responsabilité que nous allons mettre sur les épaules de ce commandant, quel qu'il soit.

— Je suis sûr que nous en sommes tous conscients."

Farley secoua la tête.

"Très bien, dit-il — mais il y a autre chose.

— Eh bien? demanda Gerrard qui sentait monter son irritation.

— Sans parler de cette tentative de sauvetage — à supposer que le commandant décide de tenter le coup — je crois que, pour éviter d'autres désastres de ce genre, nous devons insister le plus énergiquement possible pour qu'on réexamine toute la question des pétroliers géants le long de la côte ouest. En fait, il faudrait renégocier tout cela avec le ministère des Affaires extérieures. Si nécessaire, la garde côtière canadienne, ou même la marine militaire, devraient faire respecter notre souveraineté territoriale. De toute façon, sauvetage ou pas, ce serait certainement aux Américains et aux Russes de payer la note pour le nettoyage qu'il va falloir faire."

Farley marqua un temps d'arrêt et promena son regard sur ses collègues.

"Si cela peut se nettoyer."

Plusieurs membres du Cabinet marmonnèrent sans beaucoup de conviction qu'ils étaient d'accord. Même si, en principe, ils donnaient raison à Farley, ils n'en pensaient pas moins que sa remarque était imprudente, sinon franchement opportuniste. Mais ils durent rapidement modifier leur jugement, lorsque Farley sortit de sa serviette un paquet de grandes photos en couleur qu'il fit circuler à la ronde.

Il s'agissait de photos aériennes. Elles montraient de vastes étalements de pétrole, dont certains étaient parvenus à quelques milles seulement des îles verdoyantes de l'Alaska. Et derrière, pas très loin, il y avait l'Alaska et la Colombie-Britannique. On pouvait voir des langues de pétroles, toutes noires, qui s'étiraient vers la côte. Tout autour de la nappe de pétrole, l'essence rouge et bleue gravitait et tourbillonnait au gré des courants: cela ressemblait à un immense pudding chimique où l'on aurait mélangé des glaces de différentes couleurs. Remarquant à quel point la nappe menaçait la côte, un des membres demanda anxieusement:

"Quand ces photos ont-elles été prises?

— Il y a trois heures.

— Seigneur! Et à quelle échelle?

— Dix milles au pouce. Ce que vous voyez actuellement couvre une centaine de milles — et c'est seulement une petite partie de l'épanchement. Mais à quel point elle est petite, on l'ignore, à cause des marées et de la fumée. Ce qu'on sait très bien, cependant, c'est que toutes les nappes de pétrole du Pacifique Nord prennent feu comme un chapelet de pétards.

— Est-ce qu'on peut faire quelque chose?

— J'ai bien peur que non, dit Farley en passant une photo à Bern. C'est à nos amis américains de jouer. Tout ce que nous pouvons faire, c'est de prier."

Bern était bouleversé de voir à quel point la nappe était proche des côtes. Ils avaient pourtant discuté de son étendue lorsque le Président avait téléphoné pour cette histoire de sauvetage; mais, à ce moment-là, Bern n'avait pas imaginé que la nappe pût être si proche.

"Mon Dieu, fit-il. Heureusement que la région n'est pas tellement habitée. Un incendie le long de cette côte vous détruirait une ville en quelques heures.

Même à ce moment, Farley ne put résister à l'envie de répondre avec une pointe de sarcasme.

"Oh! bien sûr, il y a Vancouver... mais il n'y a là que trois millions d'habitants...

— Je veux dire plus au nord, repliqua Bern.

— Mais moi, je parle de toute cette maudite côte, dit Farley. Ces photos ont été prises vers le nord, au large de Prince-Rupert. Mais dans quelques jours, la situation ne sera pas très jolie plus au sud s'il faut que le vent s'en mêle. On a eu un été long et sec. Si jamais le feu prend dans les forêts de la Colombie-Britannique, ça va être un foutu bel enfer.

— Même chose pour l'état de Washington, lança

quelqu'un, fatigué des petites manoeuvres rancunières de Farley.

— Tout à fait, intervint Bern. En fait, ça irait très mal pour les trois états contigus de l'Ouest — et particulièrement pour la Californie. De plus, il y a peu de chance pour qu'il pleuve dans ce coin-là."

Farley tourna les yeux vers le ministre des Affaires extérieures.

"Eh bien! fit-il. A présent, vous voyez ce que je voulais dire, au sujet des pétroliers: leur foutue route passe trop près."

Bern approuva de la tête.

"Oui, vous avez raison", dit-il calmement.

Il fit une pause, puis, regardant Farley droit dans les yeux:

"Je n'aimerais vraiment pas être pris là-dedans, dit-il. Et vous?"

Farley hocha la tête, lui aussi. Il fallait se montrer beau joueur.

"Moi non plus, fit-il. Pauvres bougres!"

Gerrard fit comprendre à Farley qu'il appréciait son attitude; puis, il s'adressa aux membres de son cabinet.

"Messieurs", dit-il.

Le silence se fit.

"Messieurs, je crois que nous nous sommes mis d'accord sur les instructions à donner au sous-marin. Si important que soit le problème de la pollution, nous devons accorder une attention immédiate à la tentative de sauvetage. Mon secrétaire n'attend que nous pour transmettre le message à l'amiral Jolley, au Commandement maritime. Et, de toute façon, sans vouloir jouer les mercenaires, nous pouvons repenser à ce que mon-

144

sieur Farley vient de nous dire et calculer que cette mission de sauvetage incitera Washington à donner une réponse beaucoup plus favorable au sujet des opérations de nettoyage. Ceux qui sont en faveur?"

Toutes les mains se levèrent. Le Premier ministre sourit et dit:

"Merci. Je vais prévenir Washington en conséquence."

Il inspecta la pièce du regard, le visage soudain tout illuminé par son fameux sourire entendu.

"Je suggère que nous ajournions l'assemblée, jusqu'à ce que nous disposions de plus de détails sur la nappe de pétrole. On m'a informé que Washington nous envoie des photos prises par satellite. Elles devraient arriver d'ici peu."

Le secrétaire chuchota quelque chose et le Premier ministre leva la main.

"Oh! oui... avant de partir... Le ministre de la Défense m'a demandé s'il faut faire connaître notre décision à la presse. Je préférerais qu'on ne fasse pas de commentaires, jusqu'à ce que j'aie pu m'entendre avec le président Sutherland."

Il regarda sévèrement Farley.

"Il a bien assez de problèmes pour le moment, poursuivit-il. Et, avec toute la publicité que la presse donne à l'incident, il peut souhaiter que l'affaire ne soit pas ébruitée — du moins temporairement. Je vous ferai savoir exactement ce que nous aurons décidé. C'est tout."

Tandis que la salle se vidait et que les derniers membres sortaient un à un, Henri Gerrard, l'air aussi frais que s'il venait de se raser et de prendre son petit déjeuner, se tourna vers son secrétaire et lui demanda tranquillement:

"Est-ce qu'on a bien fait parvenir le message au sous-marin?

— Oui, monsieur le Premier ministre. Le Commandement maritime l'a expédié il y a trente minutes.

— Parfait, dit Gerrard en bourrant sa pipe avec son tabac aromatisé à la cerise. Si jamais Farley apprend ça, il a une attaque."

Sutherland raccrocha le récepteur du téléphone rouge et annonça:

"Les Canadiens s'en chargent."

Il y eut un véritable soupir de soulagement dans la salle des Opérations. Il se tourna vers Henricks.

"Bob, dit-il, demandez à l'amiral Klein de prendre contact par radio avec la Vice-présidente. Qu'il lui transmette tout mon am..." Le Président rougit. "Mes plus sincères amitiés. Et qu'il leur dise de tenir bon. Un sous-marin est en route pour les secourir."

Chapitre 10

O'Brien frappa vivement à la porte du commandant. Les yeux encore tout alourdis de sommeil, Kyle se
leva de sa couchette et prit instinctivement sa casquette.
Il rêvait qu'il travaillait encore à terre. Lorsqu'il reconnut le lieu où il était, il remit la casquette à sa place,
sauta sur ses pieds et aspergea son visage d'eau froide.
Pas encore tout à fait réveillé, tâtonnant pour mettre la
main sur une serviette, il demanda d'un ton bourru:

"Qu'est-ce qu'il y a?"

O'Brien lui tendit le message de l'amiral Jolley, que
venait de leur faire parvenir le Commandement maritime. Quand il lisait des messages, Kyle avait l'habitude de
bouger les lèvres. Mais, cette fois, sa bouche était réduite à une ligne mince et sévère; un petit muscle tressail-
lait à l'attache de sa mâchoire, tandis qu'il lisait:

```
RR RCWEWW
DE RCWEW 171
ZNR UUUUU
O
DE MARPACHQ ESQUIMALT
A SWORDFISH
BT
SECRET OPS 143 POUR L'OFFICIER
COMMANDANT
SUJET: VICE-PRESIDENTE DES
        ETATS-UNIS
1. PREMIER MINISTRE NOUS INFOR-
   ME VICE-PRESIDENTE DES EU EN-
   CERCLEE PAR INCENDIE 57° 19'
   LAT. N. 136° 17' LONG O.
2. ORDRE AU SWORDFISH GAGNER LE
   PLUS VITE POSSIBLE POSITION
   MENTIONNEE ET SAUVER VICE-
   PRESIDENTE ET COMPAGNON A
   BORD BATEAU DE PECHE.
3. COMPRENONS RISQUES ENCOU-
   RUS A CAUSE VOTRE TEMPS DE
   PLONGEE MAIS PAS AUTRE MOYEN
   POSSIBLE
4. SI VOUS JUGEZ AUCUNE CHANCE
   DE LES SAUVER AVEZ LA PERMIS-
   SION DE RENONCER
5. MARPACHQ VOUS PRETERA TOU-
   TE ASSISTANCE POSSIBLE
6. BONNE CHANCE
BT
```

Un moment, il resta silencieux. Puis, il toussa et leva sur O'Brien un regard presque défiant.

"Eh bien? Vous avez les coordonnées?" dit-il comme s'il était en train de faire des remontrances à un officier cadet à sa première sortie.

Même s'il trouvait le ton irritant, O'Brien ne pouvait s'empêcher d'admirer le Vieux. De l'avis général, le commandant s'était montré plutôt grognon, ces derniers temps... Et voilà qu'ils venaient de recevoir l'ordre d'aller secourir la Vice-présidente des Etats-Unis d'Amérique — l'ordre le plus important que n'importe lequel d'entre eux pouvait recevoir au cours de toute sa carrière —, et tout ce que le vieux Kyle trouvait à dire était:

"Eh bien?..." Comme si son officier de pont était venu le tirer inutilement de son somme de l'après-midi.

O'Brien sourit.

"Oui, mon commandant, fit-il. Nous avons les coordonnées.

— Alors, nous ferions mieux d'y aller — vous ne croyez pas?

— Je crois que oui, Monsieur. Quelle vitesse?"

Kyle s'accorda un moment de réflexion. Devrait-il mettre toute la sauce, filer en avant toute, relier en séries les accumulateurs et les moteurs du sous-marin de façon à obtenir le maximum de puissance — mais en faisant une forte consommation d'énergie? Ou ne valait-il pas mieux limiter le taux de consommation en se contentant d'aller avant toute? Ils pourraient conserver, de la sorte, une réserve d'énergie pour plus tard. Bien sûr, cette réserve n'aiderait en rien la Vice-présidente; mais s'ils ne l'atteignaient pas à temps, il en auraient besoin pour sortir de dessous la nappe de feu. Avec ou sans la Vice-présidente.

"Nous ne groupons pas nos sources d'énergie: marchez avant toute.

— Oui, mon commandant, fit O'Brien en saluant sèchement."

Aussi bien que le commandant, il savait où en étaient les accumulateurs et les réserves d'oxygène. Voilà cinq heures qu'ils étaient sous la nappe, et ils ne connaissaient pas encore son aire de dispersion; pourtant, l'énergie et l'oxygène du sous-marin n'allaient pas tarder à atteindre un niveau si bas qu'il faudrait faire surface à tout prix. Avant de recevoir l'ordre de sauver la Vice-présidente, ils avaient calculé qu'ils pouvaient parvenir bien au-delà de la nappe. Mais, à présent, il fallait revenir sur ses pas. Tout dépendait du taux de dispersion: s'il était assez lent, ils s'en tireraient — sinon, ils seraient eux-mêmes pris au piège et ils ne pourraient sauver personne... Pas même leur propre peau.

En dépit des risques que l'opération impliquait, O'Brien se sentit tout rempli d'allégresse. Jamais il n'avait été aussi près du service actif. Et ce ne fut qu'en sortant qu'il comprit à quel point la réaction de l'équipage pourrait être différente. Il fit brusquement volte-face.

"Mon commandant?

— Oui?"

O'Brien jeta un rapide coup d'oeil autour d'eux pour se convaincre qu'ils étaient bien seuls.

"Monsieur, je pensais que... eh bien, je pensais à la façon dont l'équipage s'est comporté jusqu'ici, et tout et tout... et je me disais que nous devrions tourner..."

Il y eut une longue pause. Le commandant fronça les sourcils.

"Secrètement? suggéra-t-il.

— Eh bien... oui, Commandant.''

En toute autre circonstance, Kyle aurait repoussé — et rudement — la suggestion de faire tourner le sous-marin subrepticement par mesure de prudence. Le seul fait qu'il ait accueilli la proposition de son officier de pont montrait à quel point le moral était bas à bord du *Swordfish,* au cours de ce voyage.

A terre, les administrateurs avaient souvent peine à comprendre comment le moral de n'importe quel équipage pouvait dégringoler, presque en proportion directe du temps passé en mer, pour atteindre son plus bas niveau juste quelques jours avant le retour à la base. Mais Kyle savait pourquoi. Bien souvent, par le passé, il avait été témoin du phénomène; et, chose étrange, c'était pire en temps de paix. A la guerre, les hommes se sentaient plus proches à cause de ce danger constant que représentait l'ennemi, et qui les menaçait de dessus comme de dessous. Mais en temps de paix, avec des recrues déjà gâtées par le confort de leur foyer et retenues loin de chez elles pour de longues périodes — souvent pour la première fois —, les petits problèmes s'envenimaient et s'amplifiaient à force de vivre les uns sur les autres. Chaque fois que Kyle voulait expliquer cela à un marin de bureau — qui s'était fait une idée du vaste espace disponible à l'intérieur d'un sous-marin d'après les productions de Hoolywood —, il trouvait généralement quelque prétexte pour l'entraîner sous le pont. Le type commençait à comprendre quand il lui montrait la cabine du commandant et lui spécifiait qu'elle était la plus spacieuse à bord. Or, elle n'était guère plus grande qu'un double cabinet d'aisances — et, bien souvent, elle ne sentait pas tellement meilleur au terme d'une longue patrouille.

"Ce n'est pas très régulier, mon commandant, reprit O'Brien, je sais bien, mais...

— Mais vous avez probablement raison, trancha Kyle d'un ton irrité. Bien sûr, ils finiront par s'en rendre compte tôt ou tard; mais peut-être vaut-il mieux que ce soit plus tard. Pas besoin de courir après les ennuis.

— Non, Monsieur, je ne crois pas.

— Ça va. Alors, procédez aussi discrètement que possible. Ne virez qu'un tout petit peu à la fois et attendez le changement de quart pour effectuer le mouvement définitif. Pas un ne sait où il est rendu quand il arrive pour prendre son quart.

— Oui, mon commandant."

La nuit n'était pas encore tombée. Pourtant, le poste de contrôle, situé sous la tourelle, était éclairé en rouge parce que certaines parties de la surface étaient noires comme la nuit quand on les regardait au périscope, à cause de l'épaisse fumée qui les recouvrait. Comme il entrait dans la lueur rouge sang, O'Brien sentit que son excitation de tout à l'heure avait diminué; à présent, il voyait les choses avec plus de circonspection. Hier encore, le commandant lui avait confié que l'équipage l'inquiétait. Une génération avait beau séparer Kyle et O'Brien, celui-ci n'en comprenait pas moins l'inquiétude de son supérieur. Il trouvait difficile, lui aussi, de s'adapter à la "démocratisation" de la marine.

Tandis que ses yeux s'habituaient à la lumière diffuse, il commanda une série de virages et de contrevirages augmentant graduellement. Tout ce qu'il espérait, c'était que l'équipage ne se rende pas compte de ce changement de route imprévu.

Clara Sutherland essayait d'éprouver quelque enthousiasme pour le petit tournedos qu'il y avait dans son assiette. Elle se demandait où pouvait bien être passé son appétit, lorsqu'on frappa à la porte de son cabinet.

"Entrez", fit-elle.

Sutherland fit son apparition. Il avait l'air vieux dans le doux éclairage jaunâtre diffusé par la lampe qui se dressait derrière Clara comme une servante en bonnet en train d'attendre des ordres.

— As-tu mangé? demanda-t-elle doucement.

— Non.

— Veux tu que je te fasse monter quelque chose?"

Sutherland promenait son regard autour de la pièce, sans intérêt. Ce fut un tableau de Van Trier qui retint enfin son attention. Il s'agissait d'un paysage d'hiver, où l'on pouvait voir une vieille cabane blottie dans un bouquet de hêtres. Chaque fois qu'il apercevait ce tableau, il ne pouvait s'empêcher d'admirer le détail des craquelures de l'écorce. Il avait chaque fois l'impression qu'il pourrait se mettre à marcher dans cette neige où il enfoncerait jusqu'à la taille, puis qu'il atteindrait la vieille maison de ferme où il se réchaufferait. Mais, quoi qu'il arrive, ce tableau lui ferait toujours penser à Clara.

"Tu peux manger ma viande, si tu veux, dit Clara. Je n'ai pas très faim.

— Moi non plus."

Elle lui tendit une assiette où il y avait du pain grillé.

"Tu devrais manger quelque chose — pour garder tes forces."

Sutherland prit un morceau de rôtie et se laissa choir dans la chaise berceuse de style colonial.

"As-tu regardé ça à la télévision? demanda-t-il.

— Oui. Pas très joli, n'est-ce pas?

— Les photos du satellite sont encore pires.

— Ce ne sont pas celles qu'on a vues à la télé?"

L'air irritable, Sutherland fronça les sourcils.

"Je parle de celles de la NASA, fit-il d'un ton tranchant.

— Je m'excuse, je croyais..." commença Clara d'un ton désolé.

Sutherland porta la main à son front, au-dessus de son oeil gauche où la douleur avait empiré.

"As-tu de l'aspirine?"

Clara fourragea un moment dans son sac.

"Laisse faire, dit-il. Je vais m'en faire apporter.

— Non, non, j'en ai une ici, quelque part."

Elle parlait d'un ton presque implorant.

"Est-ce qu'une Midol ferait l'affaire?

— Ça va. Y a-t-il du café?

— Je crois que tu ne devrais pas mélanger...

— Mélanger quoi? fit-il sèchement.

— Rien", répondit-elle d'une voix calme.

Sutherland poussa un soupir d'exaspération.

Puis, on frappa discrètement à la porte.

"Entrez", dit Sutherland d'un ton brusque.

Dès que Henricks entra dans le cabinet de travail, il sentit que son patron n'appréciait guère son intrusion.

"Oui? Qu'est-ce qu'il y a?

— Désolé de vous déranger, monsieur le Président; mais les types du ministère de l'Intérieur me harcèlent. Ils veulent savoir s'ils devraient annuler le bal prévu pour ce soir, vu les circonstances...

— Pas question!

— Ah... C'est qu'ils craignent... Eh bien, avant qu'on ait réglé cette histoire d'incendie, il pourrait être joliment tard.

— Il sera tard, c'est tout.

— Oui, monsieur le Président.

— Mais tu es fatigué, intervint Clara. Tu ne pourrais pas remettre cela?

— Non, je ne remettrai rien du tout. Et comment le pourrais-je? C'est la dernière soirée que le scheik passe ici."

Henricks contemplait le Van Trier d'un air embarrassé.

"Je te l'ai déjà dit, Clara; et à toi aussi, Bob, poursuivait le Président. J'ai dit à tout mon personnel que c'était précisément une attitude comme celle-là qu'un président devait éviter en temps de crise. Je dois faire tout ce qui a été prévu — à la lettre. Le moindre changement donnerait lieu à toutes sortes d'interprétations — en fait, on prétendrait que nous sommes dépassés par les événements."

Et c'est justement ce qui arrive, pensait Henricks; mais il se contenta de secouer fidèlement la tête. Sutherland ferma les yeux.

"Tous les adversaires de mon administration n'aimeraient que trop me voir aller au lit. Eh bien, non. Je serai à ce bal. Au fait, que dit le scheik?

— Eh bien, en tant qu'invité d'honneur...

— Alors, il va y être? coupa Sutherland.

— Oui, monsieur le Président.

— Donc, évidemment, il faut que j'y aille. Faites savoir à l'Intérieur que je serai là. Il se peut que j'arrive un peu tard, et même après minuit: mais je serai là

155

pour porter le toast officiel. Nous avons besoin du pétrole de ce scheik; c'est tout ce qui importe.

— Oui, monsieur le Président.''

Après que Henricks se fut retiré, il y eut un long silence, troublé seulement par les tic-tac de l'horloge grand-père. Sutherland se coupa un morceau de bifteck comme s'il s'agissait de la viande de quelque affreux reptile; puis il le mâcha, bougeant à peine la mâchoire, refusant d'admettre que tout à coup il avait faim. Puis, le silence devint insupportable, même pour Clara qui était pourtant habituée à être et à se sentir seule.

''J'aimerais pouvoir être utile'', fit-elle d'un ton plein d'espoir.

Il se coupa un autre morceau de bifteck, plus lentement cette fois, furieux de ne pas trouver d'excuse à la mauvaise humeur qu'il éprouvait devant le désir de plaire de sa femme.

''Tu peux'', dit-il.

Clara sourit.

''Comment?'' demanda-t-elle.

Sutherland lâcha la fourchette, qui tomba bruyamment sur l'assiette de porcelaine. Puis, il mit de nouveau sa main au-dessus de son oeil; cette fois, cependant, il s'agissait moins de douleur que d'un sentiment d'humiliation.

''Tu peux cesser de m'imposer ta maudite... ta maudite gentillesse. Dis seulement ce que tu penses. Il faut qu'on en discute.''

Il repoussa l'assiette, comme si elle lui nuisait.

''Ça m'empêche de penser clairement. Je ne peux pas donner à mon travail toute l'attention voulue, si nous ne pouvons pas être honnêtes l'un envers l'autre.''

Pendant un moment, Clara ne dit rien. La pièce

était sombre et, par la fenêtre, elle regardait la pelouse dont le vert émeraude éclatait sous l'éclairage des projecteurs.

"C'est une chose que j'ai toujours comprise", dit-elle enfin — et, pour la première fois, ce soir elle était incapable de cacher sa douleur.

Sutherland, furieux, se leva de sa chaise pour prendre un Kleenex; mais il en sortit toute une traînée de la boîte, où il les refoula aussitôt.

"Je sais, je sais, dit-il... Evidemment, que tu comprends; mais... eh bien, ce n'est pas assez. Il faut mettre ça au grand jour — surtout maintenant, avant que les journaux ne me tombent dessus. Avant qu'ils ne commencent à dresser l'opinion publique contre moi. Je ne peux pas opposer mon veto à l'opinion publique — que ce soit pour toi ou pour moi.

— Qu'est-ce que tu veux que je fasse, Walter?"

Il se détourna brusquement et marcha vers les hautes portes-fenêtres. Un instant, il regarda le grand dôme du monument de Jefferson; puis, il tourna les yeux, au-delà des pelouses, vers le bassin tranquille qui s'étendait devant le monument de Lincoln. Enfin, il parla, d'une voix ferme mais si basse que Clara dut tendre l'oreille pour la distinguer parmi les tic-tac sonores de l'horloge.

"Je crois que nous devrions parler d'Elaine, dit-il. Je crois..." Il hésita. "Je crois que nous devrions en arriver à un arrangement quelconque."

Le bruit de l'horloge remplissait la pièce. Clara pianotait nerveusement sur l'accoudoir de son fauteuil, tirant sur un fil qui dépassait.

"Ne crois-tu pas qu'il vaudrait mieux oublier tout cela?

— Non, Clara; je ne crois pas. C'est comme un mur entre nous. Nous ne nous parlons plus — ou, du moins, nous ne nous parlons pas *vraiment*.

— Tu sais, je ne t'en veux pas."

Sutherland fit volte-face.

"Nom de Dieu, Clara; tu ne comprends donc pas ce que j'essaie de te dire? C'est... cest que je l'aime encore."

Il se retourna vers la fenêtre.

"J'essaie de me montrer honnête envers toi, mais tu ne me laisses pas faire. Tu te dissimules derrière toutes tes jolies phrases, chaque fois que j'essaie de t'ouvrir les yeux.

— Tu te fâches parce que je ne suis pas en colère, Walter. Et le fait de parler de cela ne me mettra pas en colère, si c'est ce que tu désires... pour te sentir mieux — je veux dire: pour te sentir moins coupable. Tu n'as qu'à faire ce que tu veux.

— Tu crois que je devrais me sentir coupable, dit-il d'un ton où transparaissaient à la fois le triomphe et l'angoisse. Coupable de ne te l'avoir pas dit plus tôt?

— Je ne sais pas si tu devrais, dit Clara d'une voix ferme. Ce n'est pas à moi de juger. Je sais seulement que tu te sens sûrement coupable. Mais je ne vois pas pourquoi nous en profiterions pour nous blesser davantage.

— Au moins, fit-il amèrement, tu admets que tu souffres. C'est au moins un point sur lequel tu es honnête."

A présent, les larmes roulaient sur les joues de Clara.

"C'est parce que je t'aime", fit-elle.

Il n'avait pas besoin de se retourner pour savoir qu'elle pleurait. Elle l'aimait vraiment, il le savait; et il savait aussi ce qu'il essayait de faire: abattre l'écran de politesse derrière lequel se cachait Clara, afin de pouvoir parler rationnellement non seulement de sa liaison avec Elaine, mais aussi de toutes celles qui pourraient survenir dans le futur. Brusquement, il se sentit terriblement honteux.

"Je m'excuse, Clara", dit-il de son ton le plus aimable.

Puis, il ajouta:

"Tu sais qu'elle est prise au beau milieu de l'incendie.

— Je sais.

— Mon compte est bon si les média découvrent quelque chose. Ils vont m'accuser de faire trop d'efforts pour la sauver. Ça va être une belle vacherie pour toi.

— Je les ignorerai."

Il lui sourit tendrement.

"Tu en es sans doute capable."

Pour la première fois depuis des mois, il lui prit la main.

"Dis-moi comment il se fait que tu ne sois pas amère.

— Tu as l'air de me prendre pour Jeanne d'Arc.

— C'est ce que tu es.

— Tu ne sais plus ce que tu dis, lança-t-elle joyeusement.

— N'importe quelle autre femme l'aurait été — j'en suis sûr. Pourquoi pas toi?

— Parce que si je sombrais dans l'amertume, je te perdrais tout à fait."

Au bout d'un moment, il lui demanda:

"Est-ce pour cette raison que tu l'as toujours évitée avec tant de soin?

— Non. Je ne l'ai jamais évitée pour te faciliter les choses.

— Mais alors, pourquoi?

— Je ne l'aime pas. Je ne l'ai jamais aimée."

Sutherland ne répondit rien.

Clara pressa sa main.

"Crois-tu qu'ils vont la sauver? demanda-t-elle.

— Je ne sais pas, dit-il. Je ne sais vraiment pas.

— J'espère qu'ils vont réussir", dit-elle.

Sutherland regarda le dôme du monument de Jefferson, indistinct dans la nuit, puis le monument de Lincoln et, enfin, l'obélisque blanc qui se dressait vers le ciel en mémoire de Washington. Où est-il donc, pensa-t-il, le monument en l'honneur des épouses?

O'Brien frappa de nouveau à la porte du commandant.

"Entrez.

— J'ai bien peur qu'on ait des ennuis, mon commandant. Tout l'équipage est au courant: ils savent qu'on retourne dans la zone de l'incendie.

— Comment l'ont-ils découvert?

— Je veux bien être pendu si je le sais. J'ai effectué le virage sans la moindre secousse. Même les types du radar ignoraient ce que je faisais. J'ai exécuté la manoeuvre pendant le changement de quart, comme vous l'aviez suggéré."

Le commandant passa sa main dans ses cheveux.

160

"Je pense, poursuivait O'Brien, que les gars de la chambre des machines ont pu flairer quelque chose. Ils ont formé une délégation aussitôt qu'ils ont estimé que nous avions définitivement changé de direction."

Le commandant se rinça la bouche pour se débarrasser, du moins temporairement, de ce goût de diesel qu'il y avait dans tout le sous-marin.

"Qui est à leur tête?

— Lambrecker, Monsieur."

Kyle remit le verre à sa place et se tourna en se massant les tempes.

"Une délégation? fit-il. Jésus-Christ, quelle marine! Des délégations, maintenant! D'accord, je vais le rencontrer au poste de contrôle. Arrangez-vous pour que les autres puissent entendre ce que j'ai à dire."

Et il ajouta, avec un sourire peu convaincant:

"Ça pourrait leur faire du bien.

— Oui, mon commandant."

Tandis que O'Brien enjambait le seuil, Kyle prit sa casquette dans l'armoire. On ne portait généralement ni la casquette, ni l'uniforme quand on était en mer. C'est pourquoi O'Brien comprit que Kyle n'avait pas l'intention de passer à Lambrecker la moindre irrégularité.

"Bud, appela-t-il d'un ton amical.

— Mon commandant?

— Vous n'avez pas d'objections... à retourner là bas?

— Non, Monsieur... mais..." Il eut un geste vague de la main.

"Allez-y. Dites ce que vous avez à dire.

— Eh bien, Monsieur, j'aurais préféré que certaines personnes aillent à la pêche plus près de la côte. Ç'a été un long voyage.

— Je comprends", fit Kyle.

Puis, changeant de sujet et indiquant du geste l'infirmerie, il poursuivit:

"Lorsque vous m'aurez envoyé Lambrecker, vous feriez bien de vérifier la trousse médicale.

— Oui, mon commandant."

O'Brien s'engagea le premier dans le couloir. Il était encore si jeune, il marchait avec tant d'assurance, que le commandant se prit à l'envier.

"Croyez-vous qu'ils essaieraient de la sauver quand même, si elle n'était pas la Vice-présidente?" demanda-t-il.

Le front de O'Brien se plissa, tandis qu'il réfléchissait à la question.

"Je ne crois pas", répondit-il enfin.

Le commandant secoua la tête.

"Moi non plus, fit-il, je ne pense pas — du moins, plus maintenant. De nos jours, personne ne donne plus rien pour rien", ajouta-t-il amèrement.

Puis, il entra dans le poste de contrôle et ferma les yeux un moment pour s'habituer à la lumière rouge tamisée.

Il marcha jusqu'à la table qui était coincée, au beau milieu de cette pièce de dix pieds sur vingt, entre le périscope d'attaque à l'avant et le périscope d'observation à l'arrière. Il se pencha et se mit à étudier la carte. Ses yeux étaient irrésistiblement attirés vers le cercle vert qui représentait la superficie de la nappe. Un matelot, sortant du compartiment radio situé juste à l'arrière du poste de contrôle, lui tendit un bulletin de météo. Il lui jeta un coup d'oeil; puis il revint à la carte et y inscrivit la direction et la vitesse du vent; après quoi il traça une flèche allant de la position du sous-marin jusqu'à l'emplacement approximatif du périmètre de l'épanchement. Il laissa tomber le crayon marqueur, grommelant pour lui-même:

"On prévoit des vents violents en provenance de l'Arctique. On avait bien besoin de ça."

Il regarda autour de lui, pour voir si tout le monde était bien à sa place. Devant lui, à droite, il y avait l'électricien, chargé des communications internes. Dans le coin avant gauche, se trouvait l'officier marinier responsable du quart. Derrière celui-ci, au milieu de la cloison de gauche, était assis le barreur de plongée avant qui contrôlait la profondeur du sous-marin; puis venait le barreur de plongée arrière, qui réglait les angles de descente et de remontée. Dans le coin arrière gauche, se trouvait l'arrimeur qui était responsable du mouvement latéral du sous-marin. Le second était posté dans le coin arrière droit, derrière une rangée de leviers qui faisaient penser à ceux qu'on peut voir dans une station d'aiguillage: ils étaient prêts à ouvrir ou à fermer les réservoirs de ballast qui faisaient plonger ou remonter le bâtiment. Hogarth, l'officier de quart, circulait dans le poste de contrôle, vérifiant d'un oeil vigilant les cadrans où les aiguilles noires poursuivaient un incessant mouvement de va-et-vient, un peu comme un essaim de moustiques affolés.

Soudain, le commandant sentit qu'on lui soufflait dans le cou, et il pencha vivement la tête en avant. Il se tourna et tomba face à face avec Lambrecker. Le matelot se tenait là, sans un mouvement; il y avait sur ses lèvres une sorte de rictus hargneux, comme s'il avait pris un plaisir mesquin à abaisser son regard sur un homme plus petit que lui. Il paraissait quelque peu tendu, ce soir-là; et pourtant, son regard fixe était rempli d'agressivité. Le fait qu'il se tînt rigidement au garde-à-vous n'y changeait rien: tout le monde pouvait voir qu'il n'avait absolument pas peur de l'officier qui était devant lui.

Après dix semaines de patrouille, Kyle avait acquis la conviction que l'homme était beaucoup plus dangereux qu'on ne l'imaginait. C'était le matelot le plus ancien du sous-marin; mais il n'avait aucune notion de fidélité envers ses vieilles connaissances — hommes ou bâtiments. Il avait l'air de ne croire qu'à une seule chose: que la familiarité engendre vraiment le mépris — sauf pour lui-même. Et encore, songeait Kyle: peut-être pour lui aussi. Il représentait ce que les officiers d'expérience appelaient familièrement — et sans la moindre trace d'humour ou d'affection — un "cas difficile". Il y aurait sans doute longtemps qu'on l'aurait muté, sans ces nouveaux règlements qui rendaient un tel déplacement virtuellement impossible sans une preuve évidente d'insubordination continue.

En regardant les blue jeans de Lambrecker, qui symbolisaient à ses yeux le laisser-aller insolent de cette "nouvelle race" de marins, Kyle sentit son estomac se contracter.

"Alors, Lambrecker. De quoi s'agit-il, cette fois?"

Lambrecker se faisait un devoir de ne pas regarder le commandant. C'était sa façon de marquer son indifférence à l'égard de tout supérieur.

"Les hommes s'inquiètent, Commandant."

Kyle tendit le bras vers l'écran radar, qui projetait sa lueur sur la carte et la zone d'épanchement.

"C'est la même chose pour tout le monde, Lambrecker. Personne n'est tout à fait ravi de savoir qu'il y a cet enfer qui flotte au large. Il y a les gens de Colombie-Britannique, de Washington et d'Orégon — plus un ou deux autres Américains, j'imagine — qui *s'inquiè-tent*, comme vous dites."

Le commandant désigna la carte.

"Et si l'incendie poursuit son petit bonhomme de chemin sur le courant d'Alaska et passe dans le courant de Californie, toute la côte ouest de l'Amérique du Nord risque de cuire au barbecue. Et cela, est-ce que ça vous... inquiète?"

Lambrecker regardait toujours au-delà du commandant, comme s'il s'adressait à la rangée de cadrans qui apparaissaient sur la cloison. A force de les regarder, il avait l'impression qu'ils ressemblaient tous au visage de Morgan, qui lui souriait stupidement. Il ne pouvait s'en détourner.

"Mais qu'est-ce qu'on a à voir là-dedans? Pourquoi retourner dans la zone de l'incendie? Ce ne serait pas aux Américains de s'occuper de ça? C'est leur problème."

Le barreur de plongée avant regardait obstinément vers le sol, pour éviter de croiser le regard de l'électricien: on attendait la colère du commandant. Mais ils furent déçus, car Kyle avait résolu de garder son calme. Il prit un compas à pointes sèches et se mit à travailler sur la carte, ne se donnant même plus la peine de regarder Lambrecker.

"Nous avons des ordres, Lambrecker, fit-il enfin — mais peut-être l'ignoriez-vous?"

Lambrecker regardait toujours les cadrans.

"D'accord, Commandant, c'est un ordre — mais pourquoi retournons-nous dans l'incendie? On n'a presque plus d'air, et il faut recharger nos accumulateurs. Ça n'a aucun sens."

Kyle comprit vite que, s'il laissait Lambrecker pousser plus loin l'insolence, son autorité en prendrait un coup. Il craignait qu'on n'interprète son calme comme de la faiblesse pure et simple. Il abattit violemment le compas sur la table; puis, l'air menaçant, il fit face à Lambrecker.

"Ecoutez, Lambrecker, dit-il en haussant le ton. C'est seulement par tolérance que vous êtes ici, devant moi. Je n'ai pas de comptes à vous rendre. Je vous ai enduré jusqu'ici à cause de la nouvelle politique de *réaction* adoptée par les gars — je vous ai enduré pendant trois mille milles, à rouspéter, à vous plaindre et à pousser les hommes à la mutinerie. Mais réaction ne signifie pas insubordination, matelot. A présent, retournez à votre poste, ou je serai forcé de vous faire mettre aux arrêts. Compris?"

La voix de Lambrecker était calme.

"Je ne vois toujours pas, dit-il, pourquoi on est obligé d'aller dans le feu, Commandant."

Des gouttes de sueur perlaient maintenant sur le front de Kyle.

"Sortez d'ici, matelot!"

Lambrecker eut un sourire condescendant.

"Mais, Commandant... Je ne comprends pas... Vous n'avez pas expliqué..."

O'Brien se tenait à quelques pieds de là; il craignait que Kyle ne frappe Lambrecker. Mais le commandant, le visage presque violacé dans la rougeur de l'éclairage, cria d'une voix tremblante:

"Monsieur O'Brien!

— Mon commandant?

— Cet homme est aux arrêts. Je veux que vous le mettiez au cachot — et tout de suite. A l'instant même.

— Oui, Monsieur. Venez, Lambrecker. Grouillez-vous!"

Kyle parcourut le poste de contrôle d'un regard furibond. Puis, avisant le jeune sous-officier:

"Hogarth, aboya-t-il, s'il y a d'autres protestations parce que nous retournons là-bas, vous me prévenez. Immédiatement!

— Oui, mon commandant."

Kyle fit brusquement volte-face et se dirigea vers sa cabine, tandis que Lambrecker, avec un sourire méprisant, accompagnait l'officier aux quartiers d'arrêt — un réduit de six pieds de long sur quatre pieds de large et quatre de haut. O'Brien affecta Nairn, le nouveau, à la garde de Lambrecker, de sorte que ses vieux comparses ne puissent s'approcher de lui. Bien que Nairn lui eût parlé le premier jour, Lambrecker ne lui avait pour ainsi dire plus adressé la parole depuis. Une fois dessoûlé, en effet, la générosité qui l'avait poussé à offrir à Nairn la couchette du bas s'était muée en cette humeur morose qui tendait à devenir hargne à l'égard des officiers et de presque tout le monde, à l'exception d'une poignée d'anciens.

Tandis que O'Brien, assis dans le mess, près de la cuisine, inscrivait Lambrecker sur la feuille d'arrêt, celui-ci s'apprêtait à changer de statégie. Il croyait, en effet, qu'il fallait manipuler le lieutenant d'une façon différente. Avec le commandant, il fallait le prendre de haut; il s'agissait de le ridiculiser et de lui faire perdre son aplomb en le traitant comme un égal. Mais avec le lieutenant, c'était autre chose; le prendre de haut ne donnerait rien. Il avait confiance en soi, il était calme — et il lui rabattrait le caquet. Il n'arriverait pas à mettre le lieutenant en colère. Il fallait faire appel à son sens commun; il n'y avait plus un instant à perdre.

Lambrecker frappa du poing l'une des petites armoires de métal.

"Dis donc, mon vieux; tu as entendu ce que le commandant a dit?"

L'officier en second était toujours occupé à remplir la feuille d'arrêt. Surpris par cette soudaine familiarité, il ne leva cependant pas les yeux.

"Je m'appelle O'Brien, Lambrecker. Lieutenant O'Brien.

— Vous avez entendu ce qu'il a dit, Lieutenant? Il a dit de me mettre au cachot."

O'Brien ne répondit pas.

"Y a pas de cachot à bord de ce sous-marin, ni à bord des autres. Vous et moi, on sait ça, mon lieutenant. Même les nouveaux le savent... Tout le monde, excepté le commandant."

Lambrecker se tut un moment, observant les réactions de l'officier en second.

"Est-ce que ça ne vous fait pas penser à quelque chose, Lieutenant?"

O'Brien n'avait pas l'habitude de parler de ses collègues officiers avec les hommes d'équipage. Toutefois, voyant que Nairn écoutait attentivement, il répondit d'un ton désinvolte:

"C'était un lapsus", dit-il.

Puis, avant de pouvoir s'en empêcher, il ajouta:

"Il y a trop longtemps qu'il n'a pas navigué, c'est pour ça."

Les yeux de Lambrecker étincelèrent; il triomphait.

"Vous avez raison! s'exclama-t-il en tendant le bras. Absolument raison!"

Il pointa le doigt vers O'Brien.

168

"Trop longtemps qu'il n'a pas navigué. C'est pour ça qu'on a des ennuis, Lieutenant. C'est exactement pour ça qu'on a des ennuis — et qu'il faut rentrer au plus vite."

O'Brien, la tête penchée, continuait à écrire. Il prit le temps de finir sa phrase avant de répondre:

"C'est *vous* qui avez des ennuis, Lambrecker."

Lambrecker donna de nouveau un coup de poing sur l'armoire, hurlant:

"Pourquoi avez-vous tellement envie d'aller vous faire brûler, Lieutenant? C'est pas les médailles qui vont vous ramener, après. Prenez le commandement: on va être avec vous."

O'Brien leva enfin les yeux. Pendant quelques secondes, il ne dit rien; puis, il remit soigneusement sa plume dans sa poche et dit:

"Je crois que c'est seulement la peur qui vous fait parler, Lambrecker. Je crois que vous pissez dans votre pantalon."

Nairn se mit à rire nerveusement.

Lambrecker regardait fixement O'Brien avec un air sauvage.

"On va être avec vous, Lieutenant."

O'Brien se leva et s'en alla. Il détestait Lambrecker parce qu'il détestait l'insubordination; de plus, il haïssait les bravaches, et Lambrecker, d'après lui, l'était naturellement. Pourtant, d'autre part, Lambrecker détestait le chaos encore plus que les délégations; et, au moins, Lambrecker avait utilisé, jusqu'ici, des voies normales pour soumettre ses protestations. Malgré les problèmes qu'elles pouvaient entraîner, les délégations valaient mieux que la mutinerie — une possibilité qui lui avait toujours paru très lointaine avant les événements de tout à l'heure. "On va être avec vous", avait dit Lambrecker.

Mais ce "on", c'était qui? Et combien de temps encore l'opérateur de radio, garderait-il le silence? Sparks avait le devoir de se taire, bien sûr; mais avec la pression et la peur qui croissaient à bord, qui pouvait dire à quel moment l'équipage apprendrait la teneur des ordres — et, particulièrement, le fait que le commandant avait la permission de renoncer à la mission? De toute façon, pensait-il, il faudrait bien les prévenir tôt ou tard. Et le pire, c'est ce qui allait arriver lorsque Lambrecker et sa bande découvriraient que Kyle les conduisait probablement vers un point de non-retour.

Le sous-marin roula légèrement, puis se stabilisa, pendant que O'Brien retournait au poste de contrôle. Ils seraient bientôt sous le coeur de l'incendie.

Chapitre 11

Ce qui effrayait le plus Elaine Horton, c'était son impuissance. Quant à Harry Reindorp, il était habitué aux caprices de la nature, et toute une vie passée en mer lui avait appris que dans certaines circonstances, il n'y avait rien d'autre à faire que de prier, ou de se reposer — ou les deux à la fois.

Mais pour Elaine, cette situation qui échappait entièrement à son contrôle constituait une expérience nouvelle et remplie de frustation. Elle se sentait comme une personne de la campagne plongée pour la première fois dans les terreurs d'une coupure d'électricité dans le métro. Au loin, au-dessus de l'ondulation des vagues huileuses, ils pouvaient apercevoir, çà et là, des lueurs de l'enfer qui approchait et que des brèches dans le rideau de fumée leur dévoilaient. Une heure plus tôt, cela n'était rien de plus qu'une ligne rose saumon, qui illuminait à peine le ciel derrière l'horizon obscurci par la fumée; mais, à présent, c'était une raie d'une intense couleur de corail, qui châtoyait comme une chose vivante sur toute la largeur de la mer.

"Est-ce qu'il ne vaudrait pas mieux partir?" demanda-t-elle.

Harry pivota en suivant du regard la ligne de feu; les muscles de ses joues tannées se crispaient, tandis qu'il louchait vers cette lumière de plus en plus éblouissante.

"On ne peut aller nulle part, Lainey. Vaut mieux attendre de l'aide ici même. C'est pas en allant plus loin qu'on la trouvera. C'est un véritable enfer. On a envoyé un SOS, ils ont notre position; on n'a rien d'autre à faire que d'espérer que cet enfant de chienne va brûler complètement avant d'arriver jusqu'à nous."

Le sourire qu'Elaine arborait habituellement s'était temporairement évanoui. En la regardant, Harry revoyait la fillette effrayée qu'il avait vue, un jour, se tenir à la jambe de son père, alors qu'ils hissaient à bord un gros marlin.

"Le problème, voyez-vous, poursuivit-il paisiblement en regardant l'incendie qui se rapprochait, c'est que pour le sous-marin qu'ils disent nous avoir envoyé, ou pour n'importe quel bateau, on n'est rien qu'un point dans tout ça. Ils auront bien assez de mal comme ça pour nous repérer. Si on se met à bouger de notre position, on va seulement leur rendre les choses encore plus difficiles. Il faut qu'on leur donne tout le temps qu'on peut. Il suffirait peut-être qu'on s'approche un peu de cet incendie, pour que le feu nous attrape."

Reindorp ne voulait pas l'effrayer davantage, mais il la connaissait assez pour croire que la vérité ne la rendrait pas hystérique.

Elaine éprouva de nouveau ce profond sentiment d'impuissance qui l'a glaçait jusqu'au fond du ventre. Elle frissonna, malgré la température de l'air que l'incendie réchauffait. A la voir là, complètement hors de son champ d'activité normal mais encore courageuse, Harry Reindorp eut désespérément envie de la réconforter, de lui apporter quelque soulagement; mais tout ce qu'il pouvait lui dire, il s'en rendait compte, n'était que très peu rassurant.

"Notre meilleur espoir, dit-il, est probablement le temps qu'il peut faire. La météo prévoit des vents violents."

Mais cela ne signifiait pas qu'ils arriveraient juste à temps. Et même si cela se produisait, ils pouvaient aussi bien souffler les flammes droit sur le bateau, que les éloigner. Harry priait pour qu'il pleuve.

Elaine regarda en l'air. La fumée épaississait de minute en minute. Puis, elle étudia la ligne de feu, sans y découvrir la moindre brèche. Presque instinctivement, elle fit volte-face, comme si elle s'attendait à voir Richard Miller en train d'attendre des instructions. Sentant qu'une vague de panique la gagnait, elle se contraignit à s'asseoir et à rester immobile. Elle savait que le seul fait d'essayer de ne pas penser à l'incendie était le meilleur moyen pour que cette pensée occupe tout son esprit. Elle utilisa plutôt un vieux truc qu'elle avait appris alors qu'elle était membre du Congrès, avant que son parti ne la choisisse pour assumer les fonctions de Vice-présidente. Regardant l'horizon qui se rapprochait toujours, elle essaya volontairement d'imaginer à quoi pouvaient bien ressembler ces flammes; elle s'efforça de penser à chaque flamme prise individuellement, au ciel, à la fumée, à cette étrange et douce chaleur de l'air âcre — enfin, à tout ce qu'il y avait autour d'elle. Bientôt, son esprit se vida, essuyé comme une ardoise. Surchargé par trop de possibilités, il avait temporairement refusé d'en admettre aucune. Comme toujours, tout cela céda la place à une seule et unique pensée. C'était le souvenir d'une nuit à Hawaï, que lui rappelait la sensation qu'elle éprouvait dans cet air chaud et humide — un souvenir qui flottait à la surface de sa conscience.

Walter l'avait amenée à bord du *Beau Regard,* qui faisait une croisière au large de Waikiki. La brise de la nuit jouait dans ses cheveux et charriait l'odeur humide des manguiers et des papayers. Le bateau s'était éloigné du quai du Pêcheur, puis il avait franchi les grosses vagues de la barre; c'est alors qu'on avait arrêté le moteur. Peu de temps après, les voiles de toile se gonflaient comme des poitrines d'oiseaux marins. Ils pouvaient entendre, dominant le bavardage des autres touristes, les agrès qui claquaient au vent.

Au loin, vers le Diamond Head coloré en violet sombre, on pouvait voir une lueur solitaire; elle était difficilement visible et se déplaçait très près de la surface noire de la mer. Elle paraissait trop basse pour être un feu de position; à moins que ce ne fût une bouée décrivant de larges cercles dans les vagues. Au-delà de cette lumière, très loin au-dessus de Makiki, un nimbus se déplaçait rapidement dans leur direction. Ceux qui s'étaient installés à la proue et à la poupe pour observer les lumières de Waikiki qui dansaient et vacillaient dans la nuit, se précipitèrent sous l'abri de la bâche installée au milieu du bateau. Mais elle et Walter étaient restés où ils étaient, tout près de la proue. Pendant un moment, ils perdirent de vue la petite lumière.

La pluie ne tarda pas à les envelopper; mais c'était une bruine très fine — si fine qu'ils la sentaient à peine. Les cheveux qu'Elaine avait mis une heure à coiffer pendaient à présent comme de longs brins de chanvre huileux. Walter se mit à soulever et à laisser retomber ces longues mèches de cheveux, avec l'air de procéder à une expertise légale sur des serpents morts.

"On pourrait peut-être les faire naturaliser", suggéra-t-il.

Elle se mit à rire en le frappant doucement dans les côtes. Se sentant à l'abri dans l'obscurité, il se pencha sur elle et l'embrassa. Elaine était adossée à la rambarde; elle l'attira vers elle, écrasant ses seins contre lui et lui caressant les cheveux. Le rivage continuait à défiler tranquillement.

Tout à coup, on alluma les lumières pour servir les repas et les Mai Tais. Walter Sutherland se redressa immédiatement; mais Elaine gardait sa tête mollement appuyée sur son épaule. Elle regardait les étoiles qui brillaient sur le fond sombre du ciel tout à fait dégagé.

"Je m'excuse, dit-il plus tard.

— Ce n'est rien, répliqua-t-elle. Je sais qu'il faut nous montrer prudents."

Elle n'avait pas profité de la situation pour lui demander pourquoi il ne quittait pas sa femme. On n'était plus à l'époque où un divorce pouvait compromettre les chances d'un homme politique: c'était donc qu'il avait encore besoin de Clara. Mais qu'est-ce qu'elle lui donne, que je ne peux pas lui donner, pensait-elle? Elle essayait d'imaginer ce que c'était, que d'être sa femme et de pouvoir faire l'amour avec lui tous les soirs, sans ce sentiment de culpabilité qu'ils traînaient avec eux où qu'ils aillent.

"Je ne vois plus la lumière, dit-il, la tirant de sa rêverie.

— Quoi?

— La lumière. Cette lumière qui se déplaçait à

la surface de la mer.

— C'était peut-être un bateau à l'horizon.

— Non, dit-il, c'était au large de Pearl Harbor. Je crois que c'était un sous-marin."

La pensée du sous-marin la rejeta dans la réalité: au lieu de la douce odeur de l'alizé, c'était la puanteur du pétrole en feu qui lui desséchait la gorge.

A la table de l'équipage, les graisseurs étaient assis pour le second service du repas. Comme toujours, la purée de pommes de terre était pleine de grumeaux et il n'y avait plus de lait frais. Les matelots, mécontents, se demandaient quand ils feraient surface pour faire le plein d'air frais; ils pourraient alors, à leur tour, changer de décor en montant sur la passerelle. Ils devenaient de plus en plus irritables les uns envers les autres. Ils n'essayaient même plus de s'exciter en parlant de sexe, tant ils ressentaient de tension à la suite de cette réclusion d'une longueur inhabituelle. Longtemps après que leur faim eut été comblée, quelques hommes restaient assis, à s'empiffrer, à fumer cigarette sur cigarette, ou encore à jouer aux cartes dans une sorte de léthargie: il n'y avait tout simplement rien d'autre à faire. Dans de telles circonstances, les cartes pouvaient parfois s'avérer dangereuses, avec ces hommes dont l'humeur risquait de s'enflammer à la moindre provocation. Ils avaient vu tous les films deux fois — quelques-uns étaient même allés jusqu'à trois fois —, et les magazines, du *Playboy* jusqu'au *Sélection,* tombaient littéralement en morceaux. Le quartier-maître Ramsey regardait d'un air furieux l'aide cuisinier, un jeune Canadien-français.

"J'ai dit que je ne voulais pas de ta maudite sauce!"

Le cuisinier fronça les sourcils dans le nuage de vapeur qui montait du réchaud graisseux.

"Ça va, Ramsey, fit-il; perds pas les pédales. T'as rien qu'à l'enlever."

Ramsey leur jeta un regard assassin, et le visage de l'aide devint blême.

"Enlève-la toi-même!"

Le cuisinier laissa tomber la grosse et lourde spatule qu'il avait à la main.

"Jésus-Christ! Donne ça ici. Je vais te servir une nouvelle assiettée — ça va aller comme ça?"

Le cuisinier prit l'assiette, mais Ramsey se tourna de nouveau vers l'aide.

"Non, ça va pas, dit-il. Chaque soir, cet enfant de chienne imbécile me fait le même coup! Il le fait exprès!"

L'aide, toujours livide, était occupé à servir un graisseur; terrifié, il gardait les yeux baissés vers le pont. Le cuisinier tendit à Ramsey sa nouvelle assiettée.

"Il ne le fait pas exprès, dit-il d'une voix égale. Ce garçon a seulement oublié. Ce n'est rien qu'un accident."

Ramsey attrapa l'assiette d'une main, tandis que de l'autre il farfouillait bruyamment parmi les ustensiles.

"Ouais. Je suppose que t'as raison. Cet animal-là est bien trop stupide pour faire n'importe quoi par exprès. C'est lui qui est un gros accident bien merdeux."

Le cuisinier dénoua son tablier.

"Ça va, Ramsey. C'est toi qui l'as cherché, espèce de trou d'cul, et je vais te le donner."

Sa voix vibrait de rage.

Comme il soulevait l'abattant du comptoir, un officier marinier apparut à la porte pour voir d'où venait tout ce vacarme.

"Qu'est-ce qui se passe, ici?" fit-il.

Ramsey, qui avait posé son plateau et se préparait à recevoir l'attaque du cuisinier, le reprit rapidement et, l'air menaçant, se dirigea vers une des tables.

"Rien."

L'officier marinier se tourna vers le cuisinier.

"Et toi, le cuisinier?"

Le cuisinier, qui paraissait encore plus gros hors de son comptoir que derrière, souleva de nouveau l'abattant et retourna à son poêle.

"Rien", répondit-il, regardant Ramsey, puis l'officier marinier.

Il laissa retomber l'abattant, dont le claquement fit bondir sur leur chaise Ramsey et quelques autres.

"Rien, répéta-t-il. J'allais juste faire un peu de purée."

L'officier marinier leva les sourcils.

"Avec un couperet?"

Certains avalèrent de travers et se mirent à tousser.

"Ce n'est rien; faut pas vous inquiéter, chef", dit le cuisinier en rattachant son tablier.

L'officier marinier parcourut la pièce du regard. Ramsey, l'air encore hargneux, avait l'air très occupé à manger et piquait rageusement sa fourchette dans son innocent tas de pommes de terre.

"Parfait, fit l'officier marinier. Je suis très heureux de vous l'entendre dire. Mais que ça continue comme ça, hein?"

Il n'y eut pas de réponse. L'officier marinier sortit et Ramsey déchira sauvagement une croûte de pain.

Quelques instants plus tard, les haut-parleurs de l'interphone se mirent à grésiller.

"Un moment d'attention, s'il vous plaît... C'est votre commandant qui vous parle. Je sais que vous êtes tous fatigués..."

Dans le poste d'équipage, un matelot replia la page centrale tout usée d'un magazine de nus.

"Il veut rire, dit-il. On n'est pas fatigué — mais ça fait dix maudites semaines qu'on est parti."

Le commandant poursuivait:

"Ça été un long voyage. Je sais aussi que vous avez aussi hâte que moi de rentrer chez vous."

Il y eut un silence, pendant lequel les grésillements envahirent de nouveau les haut-parleurs.

"Cependant, j'ai reçu des ordres d'Esquimalt qui, je dois le dire, a reçu aussi des ordres du Commandement maritime de Halifax: on nous ordonne de retourner sous l'incendie pour effectuer une mission de sauvetage. La Vice-présidente des Etats-Unis est prise au beau milieu de l'incendie; on nous envoie la chercher.

— Qui diable...? commença Ramsey.

— Boucle-la, Ramsey, intervint quelqu'un. Laisse-nous écouter jusqu'au bout."

Comme le commandant faisait une pause pour reprendre son souffle, Lambrecker crispa ses mains sur la cloison jusqu'à ce que ses jointures blanchissent. Dans le poste d'équipage, plusieurs hommes s'étaient dressés sur leur séant; dans le compartiment surchauffé du générateur, tout au fond des entrailles du bâtiment, un aide-mécanicien se redressa, ayant tout juste entendu le mot *sauvetage* et essayant désespérément de saisir ce que le commandant disait.

"... Bien sûr, je sais que cela va nous obliger à étirer nos ressources jusqu'à la limite..."

Ramsey bondit sur ses pieds et hurla vers le haut-parleur:

"Tu veux dire les ressources qu'on a dans le cul, pas vrai?

— ... Mais, poursuivait Kyle, ce pourrait être l'un d'entre nous qui soit pris là-haut. Notre sous-marin est le seul qui soit assez proche pour faire quelque chose. Je n'ai pas besoin de vous dire que s'il y avait un sous-marin américain assez proche pour arriver à temps, ou s'il y avait la moindre chance d'utiliser un hélicoptère, on ne nous demanderait rien. Je dois aussi vous dire que l'ordre provient apparemment d'une demande du Premier ministre."

Dans le poste d'équipage, une voix cria:

"Ça nous en fait, un pli!"

— ... De toute façon, continuait Kyle, notre mission consiste à entrer là-dedans et à en sortir le plus vite et le plus proprement possible. Tous les officiers qui ne sont pas de quart devront se présenter dans dix minutes au carré des officiers. Nous savons qu'en maintenant une vitesse maximum, nos accumulateurs peuvent tenir encore quatre ou cinq heures; nous savons aussi que la Vice-présidente est à moins de deux heures d'ici. Nous devrions pouvoir l'atteindre. Mais si le bateau où se trouve la Vice-présidente s'est déplacé, ou si nous ne parvenons pas à les repérer — pour quelque raison que ce soit — d'ici deux heures, nous interromprons les opérations. Ainsi, nous aurons le temps de changer notre route et de sortir de sous l'incendie."

L'homme qui tendait l'oreille dans le compartiment

du générateur entendait mal. Sans s'adresser à personne en particulier, il demanda:

"Danger? Dans quel pétrin qu'ils nous ont fourrés?"

Le commandant toussa et, pendant un moment, les haut-parleurs firent entendre un sifflement perçant.

"Souvenez-vous: tout ce que vous avez à faire, c'est d'imaginer que c'est vous qui êtes pris là-haut. Je compte sur votre entière coopération. Merci. C'est tout."

Pendant quelques secondes, personne ne parla à bord du *Swordfish*. Ce fut un graisseur, qui n'était pas de quart, qui rompit enfin le silence en criant:

"C'est tout? Christ, on est nous-mêmes pris comme des rats ici dedans."

Richards, le préposé à l'infirmerie, eut un sourire forcé. "J'aurais jamais dû voter pour Gerrard."

Son compagnon de bord haussa les épaules. "Ça n'aurait fait aucune différence, dit-il. T'aurais fait la même chose."

Au mess des officiers, O'Brien était en train de remuer son café. Il savait que le jeune Hogarth le regardait, comme s'il attendait de lui un commentaire, une parole rassurante. Un bon moment s'écoula ainsi; puis, l'officier cadet demanda nerveusement:

"Combien d'air nous reste-t-il, lieutenant O'Brien?

— Assez.

— Je ne pensais pas..."

O'Brien frappa avec sa cuiller le côté de sa tasse blanche. Pour Hogarth, il était ni plus ni moins qu'un professeur rappelant sa classe à l'ordre. Puis O'Brien, campant son personnage d'"amiral britannique" qu'il aimait jouer, redressa la tête avec une pompe exagérée et dit:

"Regardez-moi, Hogie, mon garçon — on ne veut pas embêter les gars pour rien, n'est-ce pas?

— Je... je suppose que non, fit Hogarth avec un faible sourire.

— Alors, on fait son jars, hein?"

Hogarth rougit et afficha un large sourire.

"Oui, mon lieutenant."

Voûté sur sa tasse comme un quart-arrière prêt à se jeter dans la mêlée, O'Brien redevint sérieux.

"Tu nous laisses, le Vieux et moi, nous casser la tête au sujet de l'air et des accumulateurs — et de tout le reste. On a besoin d'un homme calme comme toi pour transmettre les ordres. Vu?

— Vu.

— C'est bon. Passe-moi le sucre."

L'hélice tournait régulièrement, les entraînant de plus en plus profondément dans la zone de l'incendie. Dans la chambre des machines, huit matelots discutaient à voix haute. Le front brillant de sueur, le contremaître Jordan essayait de les raisonner. Sheen, un graisseur, frappa la cloison de sa clé anglaise. De sa voix qui dominait toutes les autres, il dit:

"On s'en fout, du feu, Jordan; puis de la Vice-présidente aussi. On n'a pas envie de mourir dans le feu à cause d'un enfant de chienne assez imbécile pour jouer au héros."

Les autres hommes s'étaient tus pendant que Sheen se déchaînait; à présent, ils murmuraient, l'air furieux, pour marquer leur approbation. Sheen fit de nouveau résonner la cloison.

"Surtout, poursuivit-il, quand toute cette histoire de mon cul est de leur faute — les Américains."

Jordan savait qu'il lui fallait gagner du temps, s'accrocher à tout ce qui avait une chance de détourner la conversation du sujet qu'il voyait venir: prendre des mesures immédiates contre les ordres du commandant. Il fit l'ignorant.

"Je ne vois pas, dit-il, ce que vous entendez en parlant de leur faute. Comment diable pouvez-vous savoir que c'est de leur faute?

— Maudits Américains!" hurla Sheen.

Jordan regarda les visages hostiles qui l'entouraient, ravala son orgueil et tendit les mains en un geste suppliant.

"Ecoutez, les gars, fit-il. On ne sait même pas exactement qui a causé tout ça. Tout ce qu'on sait, c'est ce que le Vieux nous a dit — pas vrai?"

Pendant un moment, on n'entendit plus que le doux ronronnement de l'arbre de l'hélice. Au moins, il venait de les obliger à réfléchir — il gagnait encore un peu de ce précieux temps. S'il parvenait à étouffer ici-même le germe de la rébellion, peut-être pourrait-il l'empêcher de se répandre dans tout le bâtiment. Après Lambrecker, Sheen était habituellement le principal porte-parole des insatisfaits. L'officier marinier avait d'abord pensé que le commandant avait pu manquer de sagesse en mettant Lambrecker aux arrêts; mais à présent il était heureux que Kyle eût agi aussi rapidement. Il était toujours possible de les raisonner quand on les prenait un à la fois; mais quand ils étaient ensemble, la chose devenait très difficile, sinon impossible. Au moins, ils écouteraient, à présent que Lambrecker avait été retiré de la circulation.

Sheen répondit enfin:

"Ouais... Que ce soit la faute à n'importe qui — quelle différence? Tout ce qu'on nous a dit, c'est que deux gros maudits pétroliers se sont frappés et qu'ils se sont vidé le ventre partout sur la mer, puis que nous autres, on est supposés aller chercher une pépée assez stupide pour être allée à la pêche à bord d'une maudite baignoire. Je me fous de qui c'est qui est là-dedans: je ne vais pas plus loin. Puis toi, t'essaies seulement de gagner du temps, Jordan."

Jordan détestait les disputes. Tout comme Kyle, il était de la vieille école; il avait l'habitude de donner des ordres auxquels on obéissait promptement. Mais maintenant, il se sentait forcé de plaider sa cause.

"Que feriez-vous si c'était quelqu'un de votre famille? demanda-t-il faiblement.

— Jésus-Christ, Jordan; si c'était quelqu'un de ma famille, il me dirait de ne pas risquer la vie de tous mes copains."

Les hommes s'étaient remis à murmurer. Sheen se tourna et leur cria d'un ton plein de défi:

"Venez. On va libérer Lambrecker. On aurait dû lui donner un coup de main bien avant. Lui, il va savoir quoi faire."

Comme Sheen allait s'éloigner, l'officier marinier le saisit par l'épaule.

"Ecoutez, fit-il, attendez..."

Le graisseur se dégagea d'une secousse, brandissant la clé anglaise d'un air menaçant.

"Lâche-moi! Officier marinier ou pas, je te fais péter la tête si tu me touches encore!"

184

Jordan retira sa main de l'épaule de Sheen. Il bouillait intérieurement. Il y a seulement dix minutes, le matelot aurait pu être inculpé pour sa conduite. Avant que le commandant s'adresse à l'équipage. Même à ce moment-là, bien des esprits étaient surchauffés. A présent, Jordan avait l'impression qu'ils étaient tous enfermés à l'intérieur d'une marmite autoclave submergée — mais sans valve de sécurité. Il savait que, s'il essayait d'arrêter Sheen, il aurait aussitôt une mutinerie sur les bras, ici même, dans la salle des machines. Pourtant, il fit une nouvelle tentative pour les calmer.

"D'accord, dit-il. Mais écoutez-moi, Sheen. Ecoutez-moi tous. Vous avez entendu ce qu'a dit le Vieux. Il a dit qu'il fixerait une limite de deux heures — pas plus. Et si on ne les repère pas, eh bien, on s'en va. On s'en va chez nous. Ça va?"

Un des jeunes matelots secouait la tête; on aurait dit un enfant effrayé. Il tournait les yeux vers Sheen comme pour se rassurer.

"Non, il le fera pas, disait-il. Il va continuer jusqu'au moment où on va griller. Il ment.

— Ouais, ajouta quelqu'un. Qu'est-ce que vous dites de ça?"

Jordan regarda le matelot et secoua la tête à son tour.

"Non, Smythe, il ne ment pas. Pourquoi le ferait-il? Il n'a pas envie de crever plus que nous."

Le matelot ne savait plus quoi dire. Même Sheen hésitait — ce que Lambrecker n'aurait jamais fait, Jordan le savait bien. Le jeune marin cherchait nerveusement l'approbation des autres.

"Je... je ne sais pas, dit-il. Qu'est-ce que tu en penses, Sheeney?"

Il y eut un autre moment de silence. Ce fut à cet instant que Jordan comprit qu'il avait peut-être une véritable chance de les arrêter. Il se mit à parler, rapidement, s'efforçant de prendre un ton détendu.

"D'accord, d'accord. Maintenant, écoutez, les gars... Vous avez confiance en moi?... N'est-ce pas?"

Quelques murmures à moitié convaincus se firent entendre.

"Alors?" fit Jordan en regardant Sheen droit dans les yeux.

Les doigts du graisseur se desserrèrent légèrement sur la clé anglaise.

"Et qu'est-ce qui va arriver, si on fait comme vous dites?"

Jordan leva les mains en un geste de compromis.

"Ecoutez. Je vais faire un marché avec vous. Si on ne trouve pas ce bateau de pêche d'ici deux heures — il jeta un coup d'oeil à sa montre —, c'est-à-dire vers vingt heures trente, et si le Vieux tient quand même à continuer, je vais faire sortir Lambrecker moi-même et nous prendrons les choses en main. Il va falloir le faire. Car, à ce moment-là, nos accumulateurs seront à moitié vides: alors, je serai avec vous."

Il fit une pause pour que les hommes aient le temps d'assimiler sa proposition.

"C'est un bon marché?" demanda-t-il enfin.

Quelques matelots hochèrent légèrement la tête; mais ils avaient encore l'air mal à l'aise. Les autres observaient Sheen. Pendant quelques secondes, il ne dit rien. Puis, pointant sa clé anglaise vers l'officier marinier, il répondit pour ses camarades.

"Ça va, dit-il. Vingt heures trente, pas une seconde de plus, Jordan — ou bien vous allez le regretter, vous aussi. Pas de saloperie, hein!"

Jordan approuva de la tête. Comme le groupe se dispersait, il choisit quelques matelots pour les affecter à diverses tâches sans importance — vérifier des provisions qu'il avait lui-même vérifiées, par exemple. Il s'agissait de les tenir séparés autant que possible — ce qui s'avérait déjà difficile à bord du sous-marin en temps normal, et encore plus problématique à présent qu'ils avaient une cause commune qui les incitait à la méfiance.

Comme il sortait de la chambre des machines, Jordan essayait d'imaginer ce que cela pouvait être, que de se trouver pris au piège sur une mer en flammes. Ce devait probablement être, estimait-il, un peu comme suffoquer par manque d'oxygène dans un sous-marin en panne. Il décida que, s'il était encerclé par l'incendie, il n'attendrait pas que les flammes l'atteignent; il n'attendrait même pas qu'elles s'approchent assez pour qu'il soit menacé de périr par suffocation, après une longue agonie — il se tuerait avant. Mais alors, songeait-il avec un esprit pratique presque macabre, comment faire, à bord d'un petit bateau? Il n'y aurait pas de solution facile. Bien sûr, on pouvait sauter dans le feu ou essayer de se noyer; mais les deux solutions lui paraissaient trop horribles pour qu'on pût s'y résoudre de soi-même. Par contre, s'il y avait une autre personne avec vous sur le bateau, elle pouvait se charger de faire ce petit travail pour vous — avec un couteau à poisson ou n'importe quoi.

Jordan pinça les lèvres. Quand son heure viendrait, il souhaitait que cela se passe dans son lit, en présence de sa femme... Si jamais il la revoyait.

Chapitre 12

A la Maison Blanche, la conférence de presse du Président venait de se terminer. Le général Oster avait vu son ami soumis à un feu roulant de questions, posées par toute une batterie de journalistes. Plus tôt au cours de la journée, son attaché de presse avait émis des communiqués au sujet de la catastrophe; toutefois, il n'avait pas révélé tous les détails sur la situation de la Vice-présidente. La presse, pourtant, savait qu'elle avait faussé compagnie au Service secret tôt dans la matinée; on savait également qu'elle et son compagnon étaient pris dans l'incendie. Avant la tenue de cette conférence, on avait posé des restrictions inhabituelles. On n'y avait admis ni la radio, ni la télévision; de plus, le Président avait demandé aux média de ne pas entrer dans les détails de l'opération de sauvetage, pour des considérations humanitaires.

"Qu'entendez-vous par *considérations humanitaires*? avait demandé un journaliste d'un ton sarcastique.

— Je veux dire, répondit le Président, qu'on n'a pas prévenu les proches de certains membres du personnel naviguant impliqué dans ces manoeuvres de sauvetage. Et puisque la vie de ces hommes sera exposée jusqu'à un certain point, advenant des circonstances imprévues, je crois qu'il faudra attendre que les familles soient prévenues avant de donner plus de détails."

Plusieurs journalistes levèrent la main. Tous les visages étaient tournés vers le Président — beaucoup avec une expression soupçonneuse.

"Comme vous le savez très bien, poursuivit-il d'un ton égal, la police locale agit aussi de cette façon d'un bout à l'autre du pays, dans les cas où les reportages des média pourraient devancer les avis officiels.

— Etes-vous en train de nous dire, monsieur le Président, demanda l'envoyé du *Times* de Los Angeles, que des membres de notre garde côtière, ou n'importe qui d'autre, sont en train de risquer leur vie?

— Non. Je n'ai jamais dit cela, monsieur Rawlins.

— Mais vous avez dit... commença Rawlins.

— Ce que j'ai *dit,* coupa Sutherland, c'est que leur vie sera exposée jusqu'à un certain point, advenant des circonstances imprévues."

Sutherland transpirait. Il attrapa un Kleenex et fit un geste vers une autre main levée. Cette fois, c'était le jeune reporter qui avait parlé à Clara Sutherland de la Vice-présidente qui était debout. Sutherland comprit tout de suite la bévue qu'il venait de commettre; mais il était trop tard, à présent qu'il l'avait invité à formuler sa question. Henricks regarda d'un oeil glacial le jeune journaliste qui demandait:

"Monsieur le Président, on dirait que ça vous coûte de parler de la Vice-présidente Horton."

Mais Sutherland était prêt.

"C'est que nous avons très peu de renseignements pour le moment. Nous vous préviendrons lorsque nous en saurons davantage."

Le journaliste sourit avec une nuance de dédain.

"Bien sûr", fit-il.

Mais déjà Sutherland s'était tourné vers les autres reporters. Une jeune femme, qui agitait frénétiquement la main depuis plusieurs minutes, se leva.

"Monsieur le Président", commença-t-elle d'une voix quelque peu tremblante; puis, elle s'éclaircit la gorge et poursuivit d'un ton plus ferme: "Serait-il juste de dire, monsieur le Président, que les restrictions apportées à cette conférence ont pour but de dissimuler le fait que, pour sauver la Vice-présidente, vous exposez les sauveteurs à un péril extrême — que vous prendriez en considération s'il ne s'agissait pas d'elle?"

Le silence tomba sur la salle. Malgré la sueur qui lui piquait les yeux, Sutherland résista à la tentation de s'essuyer le visage.

"Ce ne serait... ce ne serait certainement *pas* juste, répondit-il en s'efforçant de garder son sang-froid. J'aurais exigé... demandé... l'aide de ces mêmes hommes pour sauver n'importe quel citoyen des Etats-Unis: blanc ou noir — n'importe quel citoyen des Etats-Unis... Je... pour quelque citoyen américain que ce soit."

La femme lui sourit par-dessus son carnet, tandis que certains journalistes, pourtant blindés, regardaient le bout de leurs chaussures.

"Oh! poursuivit-elle, je ne voulais pas insinuer que les relations... euh... particulières d'un Président avec une Vice-présidente pouvaient lui valoir un traitement de faveur. Je voulais tout simplement dire que, avec toutes les protestations que la catastrophe suscite à travers le monde, vous souhaitiez peut-être sa présence à vos côtés."

Elle se hâta de finir, car déjà plusieurs têtes s'étaient tournées vers elle et lui jetaient des regards chargés de reproches.

"...Etant donné le risque — historiquement très élevé — d'assassinat, que vous courez en tant que Président des Etats-Unis.

— Je suis persuadé, répondit Sutherland en s'obligeant à parler très lentement, que vous surestimez la situation mondiale. J'ai confiance; je persiste à croire qu'en dépit de ces... conditions locales, notre administration — avec la collaboration du Congrès — continuera à améliorer les relations internationales avec les Etats-Unis."

Et, sur ces mots, il quitta la tribune.

Lorsque les correspondants de presse se levèrent, le Président et Henricks avaient déjà disparu derrière les tentures de velours rouge.

"C'est qui, cette chienne-là demanda rageusement Sutherland.

— Je ne sais pas, Monsieur, répondit Henricks.

— Maudite chienne!

— Oui, Monsieur."

Comme Oster pénétrait à leur suite dans la salle des Opérations spéciales, Sutherland demandait à Henricks:

"D'après vous, comment s'est passée la conférence?"

192

Henricks se mit à réfléchir.

"Va à l'essentiel! fit Sutherland d'un ton mordant, comme s'il avait pu lire dans les pensées de l'autre.

— Je crois vraiment que ça s'est bien passé, monsieur le Président. Mais je dois avouer que, à mon avis, ils ne garderont pas bien longtemps le silence sur la tentative de sauvetage. Ils vont nous donner quelques heures pour prévenir les proches des sauveteurs; puis, si nous leur ressortons notre histoire de *considérations humanitaires,* ils vont se rendre compte que nous cherchons à gagner du temps. Et si cette femme — si elle ou n'importe qui d'autre vient à apprendre que nous avons fait appel à un sous-marin canadien, ça va sûrement faire un bruit de tous les diables. On va nous reprocher le fait qu'il n'y ait pas eu de submersible américain dans les parages — comme si nous étions censés avoir su exactement quand et où cela allait arriver."

Sutherland hocha pensivement la tête.

"C'est bon, dit-il lentement. A ce moment-là, le sauvetage sera terminé. Il ne restera plus rien pour donner lieu à des hypothèses.

— Oui", répondit Henricks avec un sourire qui exprimait une confiance qu'il n'éprouvait pas.

Tout en s'éloignant afin de laisser seuls le Président et le général, il murmurait, pour lui-même, que si le sauvetage échouait, il n'y aurait pas de sous-marin du tout.

Encouragé par le sourire de Henricks, le Président se sentit, un moment, tout à fait optimiste. Il se tourna vers Oster.

"Eh bien, Arnold, fit-il; comment l'as-tu trouvée, cette conférence de presse?

— Répugnante.

— Oh, je t'en prie!" fit Sutherland d'un ton plein de

surprise et d'indignation.

D'un geste adroit, le général retira d'entre ses dents un morceau de tabac fort.

"Cette femme-là t'a acculé dans les câbles, Walter."

Sutherland rougit.

"Tu crois qu'elle avait raison? Qu'en voulant sauver Elaine, je laisse tomber des responsabilités plus importantes?"

Henricks s'était retiré dans le coin le plus éloigné de la pièce. En entendant le Président hausser le ton, il leva la tête d'un air protecteur. Oster alluma un nouveau cigare.

"Je dis tout simplement qu'elle t'a fait perdre ton sang-froid. Je pense qu'on va nous poser d'autres questions, et qu'il est désastreux de laisser ces gens...

— Excusez-moi, Général, intervint Henricks. Je me demande si vous ne pourriez pas nous donner un coup de main, à la carte."

Oster savait bien à quoi rimait l'interruption de Henricks: il voulait laisser au Président le temps de réfléchir. Quant à lui, Oster croyait que c'était justement ce qu'il fallait éviter par suite du combat qui se livrait, chez le Président, entre ses devoirs officiels et ses devoirs personnels. Néanmoins, le général suivit Henricks.

Sutherland se massa lentement les yeux. Il se rassit et se mit à jouer avec une petite cuiller d'or frappée aux armes de Venise. C'est Clara qui la lui avait offerte, deux ans auparavant, lors de leur voyage en Italie. Il s'en servit pour remuer son café noir et huileux. Cette maudite femme avec ses questions sur le sauvetage et ses insinuations perfides au sujet d'Elaine! Peut-être Arnold avait-il raison; peut-être avait-il mal manoeuvré lors de la conférence de presse. Peut-être avait-il tout simplement convoqué les journalistes avec l'espoir inconscient de voir cette bonne volonté interprétée comme la preuve qu'il n'avait rien à cacher, qu'il n'accordait pas à Elaine un traitement de faveur en essayant de la sauver. Mais il avait demandé de l'aide au Canada; on risquait quatre-vingt-quatre vies — le bonheur de quatre-vingt-quatre familles — pour sauver sa Vice-présidente, son ancienne amante... Au fait, une amante pas si ancienne que cela. C'était, bien sûr, un échange de bons procédés entre les pays concernés; mais les risques, eux, n'étaient pas partagés. Aurait-il fait la même chose pour quelqu'un d'autre? L'aurait-il fait pour le pêcheur seul? Il en doutait. Il en doutait même de plus en plus. Il se demandait même s'il l'aurait fait pour Clara. Et le seul fait d'avoir pu se poser cette question le remplissait de honte. Ce doute ne l'avait d'ailleurs même pas effleuré lorsqu'il s'était agi d'Elaine. Il se disait qu'à cette occasion, il n'avait obéi ni à des motivations politiques, ni au sens commun: il avait agi par amour pour une femme. Et cela, croyait-il, ni ses amis ni ses ennemis ne le lui pardonneraient. Par-dessus tout, il ne se le pardonnerait pas lui-même.

Au bout de quelques minutes, il s'aperçut que quelqu'un était assis à côté de lui. C'était Clara. D'habitude, il n'aimait guère qu'elle l'interrompe dans son travail, surtout dans la salle des Opérations spéciales; mais ce soir-là, il n'y voyait pas d'inconvénient. Quand il avait des soucis, il trouvait toujours sa présence réconfortante.

"Tu ne viens pas te reposer? demanda-t-elle. Il va falloir que tu veilles tard, ce soir.

— Non, dit-il. Je n'ai pas sommeil — pas pour le moment.

— Mais tu as l'air épuisé.

— Je n'ai pas sommeil, Clara.

— D'accord, dit-elle. Tu vas appeler ? Si tu as besoin de quelque chose?

— Oui, répondit-il en se reprochant le ton sec qu'il prenait avec elle. Oui, je vais le faire."

Il la regarda s'éloigner, émerveillé par cette dignité tranquille qui l'avait si souvent fait rougir de son emportement. Il devait s'efforcer d'accorder toute son attention à la nappe de feu, de se noyer dans la multitude de détails de ce problème. Il éviterait ainsi de s'interroger sur ses motivations et de se culpabiliser jusqu'à l'impuissance.

Il leva les yeux au moment même où les horloges avançaient simultanément d'une minute. A Washington, il était 21 heures 17.

Chapitre 13

Pour Elaine, à trois mille milles de là, le soleil était sur le point de se coucher. Autour du bateau de pêche, l'incendie avait reculé. Un grain, en effet, était survenu et, sans éteindre le gros de l'incendie, avait dispersé les traînées de pétrole enflammé les plus proches.

Dès que la première bruine la toucha, Elaine, tout exaltée, se tourna vers Harry Reindorp qui, de son côté, s'était mis à tousser encore plus que d'habitude.

"Vous devez avoir des relations", dit-elle.

Le vieil homme parvint à lui faire un pâle sourire. Il dit quelque chose, qui se perdit dans les hurlements de la bourrasque qui annonçait l'arrivée du grain proprement dit. Puis, la voûte de nuages noirs disparut aussi rapidement qu'elle était apparue, pompée à sec par l'incendie, ne laissant derrière elle que quelques vagues qui strièrent encore un moment à la surface de la mer. Et l'incendie, semblable à un géant un instant agacé par une mouche, reprit son inexorable progression. Elaine se sentait vidée de toute son énergie; son optimisme soudain s'évanouissait, au fur et à mesure qu'elle reprenait conscience de leur situation sans espoir.

Sentant que le découragement allait s'emparer d'elle et que son souffle, déjà superficiel, se raccourcissait, Elaine essaya de nouveau de penser à tout à la fois, pour court-circuiter temporairement son cerveau, pour l'engourdir devant ce qu'elle considérait comme leur fin inéluctable. Mais cette fois, le truc ne réussit pas: des images d'incendie remplirent son esprit, résistant à toute tentative de les déloger.

Elle essayait désespérément de reternir ses larmes, de ne pas se mettre à pleurer comme un enfant.

"Vous rappelez-vous la fois..." commença-t-elle sans pouvoir finir sa phrase.

Une senteur brûlante, sulfureuse venait de lui couper le souffle.

"Vous rappelez-vous, reprit-elle courageusement lorsque les émanations se furent dispersées, la fois que nous sommes allés à la pêche?"

Harry voyait bien qu'elle était au bord des larmes.

"Oui, fit-il doucement. La dernière fois, dans le détroit du Prince-Guillaume?

— Oui... oui. Mon père avait pris un gros saumon.

— Je m'en souviens, dit Reindorp en hochant la tête. Il en a parlé pendant des jours."

Le grain avait repoussé la fumée; mais, à présent, elle revenait. Il y eut un long silence, tandis qu'Elaine observait les flammes qui rampaient là-bas. Elle tourna la tête pour regarder son compagnon.

"Vous avez déjà pêché en Nouvelle-Zélande, Harry?

— Oui.

— Est-ce que c'était aussi bien que nos voyages à nous?

— La compagnie n'était pas aussi bonne; mais c'était de toute beauté, fit-il en essayant de ne pas tousser. J'ai jamais vu de plus beaux couchers de soleil. Et puis, vous pouviez sentir la terre. Et ça sentait joliment bon."

Elaine regardait fixement l'incendie. Il y eut encore un long moment de silence.

"Il y a là des zones thermiques, n'est-ce pas?" dit-elle enfin.

Puis, sans lui donner le temps de répondre, elle enchaîna:

"Vous avez déjà vu quelque chose comme ça? Pas le feu, ajouta-t-elle rapidement: je veux parler de la fumée."

Reindorp avait les yeux qui pleuraient; il pouvait difficilement distinguer quelque chose à travers ses larmes.

"J'ai déjà vu quelque chose de semblable à Rotorua, dit-il; et à l'île White aussi.

— Où est-ce que c'était le plus intéressant?"

Elaine avait le visage rouge comme une betterave. Harry estima qu'il devait faire autour de 105°F.

"C'était plus intéressant à l'île White, répondit-il d'une voix morne.

— Pourquoi?"

En parlant, elle se détournait de l'incendie et fixait son regard sur le petit gaillard d'avant où l'obscurité augmentait rapidement; de cette façon, elle ne pouvait apercevoir dans son entier la ceinture de feu. Etonné qu'elle l'ait écouté, Harry tenta de se rappeler pourquoi cet endroit lui était resté dans la mémoire.

"Eh bien, dit-il; c'était une vieille île volcanique. C'était comme mystérieux."

A présent, Elaine était assise en face de lui. Bien qu'elle parût avoir recouvré un peu de son sang-froid, il y avait dans son attitude quelque chose de forcé, une sorte d'intensité qui n'avait rien de commun avec son équilibre et son calme habituels. Reindorp se demandait quoi faire. Il décida que, étant donné les circonstances, le mieux à faire était de continuer à parler.

"L'île avait seulement cinq acres en tout — son centre avait explosé, il n'en restait plus rien. A cet endroit, on ne voyait rien d'autre que des trous par où sortent des gaz — des fumerolles, que les géologues appellent ça. Tout ce que ça faisait, c'était de siffler et de cracher presque tout le temps; ça soufflait des gaz sulfureux. Des fois, ça faisait juste des glouglous, puis ça envoyait quelques bouffées de fumée; mais à ce moment-là, avant que vous ayez eu le temps de faire ouf, ça vous lâchait des jets de vapeur. Pleine de soufre, cette vapeur-là. Si vous respiriez ça, vous aviez l'impression d'avoir une fournaise dans la gorge.

— Qu'est-ce qui est arrivé aux hommes?" demanda Elaine en reportant son regard sur le mur écarlate qui n'était plus qu'à un demi-mille.

Tout à coup, Reindorp comprit qu'Elaine devait déjà connaître l'histoire et qu'elle l'avait délibérément incité à la lui raconter. Une chose l'intriguait cependant: il était à peu près sûr de ne lui avoir jamais parlé de cela — bien qu'il n'eût pu en jurer.

"Les hommes? poursuivit-il. Eh bien, en 1916, ils étaient à peu près quatorze sur l'île et le bateau leur laissait des provisions fraîches et toutes sortes de babioles toutes les trois semaines, ou environ."

Elaine s'allongea sur le plat-bord et essuya la sueur de son visage. Elle souleva légèrement son chandail et s'éventa le cou.

"Est-ce qu'ils n'exploitaient pas une mine de soufre?

— Quoi?

— Du soufre... c'est bien ça?

— Oui, c'est exact. Pour les munitions. Alors, ils — je veux dire ceux du bateau —, ils sont revenus deux semaines plus tard et tous les hommes avaient disparu.

— Sans laisser de traces."

Harry hocha la tête d'un air las. Il n'avait pas envie de poursuivre cette histoire. C'était la pire histoire à raconter dans une situation comme la leur — comme parler de famine à des hommes qui crèvent de faim. Mais Elaine le regarda.

"C'étaient les émanations, n'est-ce pas? demandat-elle. Une activité soudaine de... comment les appelezvous?

— Les fumerolles.

— Oui.

— Mais attention, fit Harry, faisant de son mieux pour semer le doute; ç'aurait pu être n'importe quoi."

Elaine ferma les yeux et secoua la tête. Puis elle dit, d'un ton tout à fait prosaïque:

"Mais il n'y avait pas de trace de quoi que ce soit. Pas de débris volcaniques, pas de corps.

— Ils ont dû être pris de panique, dit Harry d'un ton net. Une fois que la panique vous a pris, c'est fini. Ils ont dû, tout simplement, se mettre à courir et se jeter dans les quelques embarcations qu'ils avaient.

— Mais quatorze hommes? On pourrait croire qu'au moins quelques épaves auraient été rejetées sur l'île.

— Il n'y avait pas de plages", dit Harry, dégoûté.

Il avait l'impression que quelque chose était en train d'embrouiller son esprit; cela lui faisait croire qu'il était de la plus haute importance qu'Elaine et le monde entier sachent qu'il n'y avait pas de grèves de sable à l'île White, cinq mille milles plus loin dans le sud-ouest du Pacifique.

"Pas de sable", marmonna-t-il.

Chaque fois qu'il respirait, les gaz lui brûlaient la gorge.

"Mais c'était très rocheux. On aurait dit quelque... Oh! mon Dieu!" fit-elle en se dressant sur son séant, les yeux grands ouverts, regardant sans rien voir dans le nuage de fumée qui s'élevait du pétrole en flammes.

En la voyant, Harry reprit aussitôt ses esprits. Il la prit par le bras et l'attira contre lui d'un geste protecteur.

"Qu'est-ce qu'il y a? demanda-t-il d'un ton pressant. Qu'est-ce qui ne va pas, Lainey?

— C'étaient les requins, dit-elle. Maintenant, je me souviens. C'étaient les requins. Ils ont massacré les hommes. C'est pour ça qu'on n'a rien retrouvé.

— Mais qui vous a raconté cette maudite histoire? demanda-t-il d'un ton irrité. Est-ce que c'est moi?"

Elaine lui tapota doucement la main.

"Je n'aurais jamais dû vous raconter ça, dit-il d'une voix chargée de reproches.

— Vous ne l'avez pas fait, Harry. C'est mon père — vous la lui aviez racontée.

— Alors, j'étais un satané imbécile.

— Non. C'était de ma faute. J'ai essayé de penser à mon père; mais tout ce qui me revenait à l'esprit, c'était cette histoire. Je peux encore le voir en train de me la raconter. Vous étiez de grands conteurs, tous les deux."

Harry la regarda de haut en bas.

"Etiez? Eh, fillette, je ne suis pas encore mort. Je suis bon pour encore quelques mille milles."

Elle se força à sourire. Il y eut un bruit d'éclaboussement près du bateau. Ils ne tournèrent même pas la tête pour regarder l'oiseau mort qui remontait à la surface. Ils en avaient déjà vu tomber des douzaines, morts d'épuisement en voulant survoler l'incendie.

"Vous vous souvenez de votre dixième anniversaire, Lainey?

— La petite voiture, dit-elle.

— La petite voiture rouge."

Tout en parlant, Elaine avait de nouveau fermé les yeux, pour essayer de les protéger de la fumée.

"Dans le quartier, tous les garçons disaient que les filles ne conduisaient pas de voiture — qu'elles ne pouvaient pas conduire de voiture."

Harry hocha la tête.

"C'est *moi* qui ai dit que les filles ne conduisaient pas de ces boîtes à savon. Et c'est ce qui a poussé votre père à vous en construire une. Ce n'est pas les autres enfants qui lui ont mis ça dans la tête: c'est la grande gueule du vieux Reindorp.

— C'était bien mon père, dit-elle. Puis, il a fallu que j'aille me fendre le devant de la jambe sur le bord du banc. J'ai encore la cicatrice.

— Je ne me souviens pas de ça", fit Harry.

Il trouvait de plus en plus difficile de croire que c'était bien la Vice-présidente qui était assise là, et non pas cette petite fille de la campagne, muette de saisissement devant le Pacifique bleu ciel qu'elle voyait pour la première fois.

"Oh oui, poursuivit-elle, cela a fait rire les garçons — les petits monstres; mais papa a simplement pris un morceau de tuyau d'arrosage en caoutchouc bien épais, il l'a fendu dans le sens de la longueur et il l'a collé sur le bord du banc."

Elle fit une pause.

"Je pensais, reprit-elle, qu'il était l'homme le plus gentil du monde. Je veux dire qu'il était toujours là pour aider — particulièrement après la mort de maman. Evidemment, il avait ses défauts, comme tout le monde, mais..."

La lèvre d'Elaine se mit à trembler.

Harry se pencha pour s'étirer le dos.

"Je sais, Lainey, dit-il, en lui tapotant doucement la main. Je sais."

Elaine enroulait et déroulait une ficelle graisseuse autour de son doigt.

"Il me manque", dit-elle; mais sa voix se perdit dans l'explosion d'une flaque d'essence qui flottait parmi le pétrole.

Le pétrole lui-même, d'ailleurs, brûlait de plus en plus, à mesure que sa vapeur d'eau était éliminée sous l'effet de la chaleur dégagée par l'essence enflammée.

A présent, la fumée bouchait tout le ciel où les dernières lueurs du jour déclinaient rapidement. Ils s'efforçaient de respirer le plus lentement qu'ils pouvaient, de bouger le moins possible, afin de conserver les forces qui leur restaient. La zone épargnée par l'incendie et au milieu de laquelle se trouvait le bateau, avait maintenant la dimension d'un lac. Ils avaient beau avoir peur, ils avaient beau voir et entendre ce mur de feu qui les encerclait et rugissait pas très loin d'eux, ils ne pouvaient s'empêcher d'être frappés par sa terrifiante beauté.

Les flammes jaunes de l'essence ne jaillissaient plus comme avant; c'étaient maintenant des boules de feu cramoisi que la mer en ébullition vomissait vers le ciel indigo. De temps en temps, une rafale de vent faisait vaciller les flammes et des nuages de fumée noire comme du goudron roulaient en direction du bateau. Chaque fois que cela se produisait, ils avaient l'impression que la zone de mer libre était réduite à rien. Elaine croyait voir une immense araignée noire en train de se moquer de sa proie prise au piège. Parfois, les vapeurs âcres les aveuglaient pendant de longues minutes; puis, sans avertissement, le vent tombait et la fumée se dissipait juste assez pour qu'ils puissent constater que les flammes ne les avaient pas encore atteints. Epuisé à force de tousser, Harry était étendu sur le plat-bord; il tenait mollement un tuyau d'arrosage, pour essayer de refroidir le bateau de bois. A côté de lui, une pompe ronronnait et amenait des jets d'eau de mer souillée sur le pont. Il toussa de nouveau; sa gorge était douloureuse et brûlante.

"Ça va, Elaine? fit-il en haletant dans le nuage de fumée qui venait de les envelopper.

— Non... je peux à peine respirer."

Convulsé dans un accès de toux, Harry laissa échapper le boyau d'arrosage, qui se mit à ramper sur le pont comme un serpent à bout de forces. Finalement, son jet atteignit la pompe et la noya. Lorsque sa toux lui laissa un répit, Harry s'employa aussitôt à faire repartir la pompe.

"Tout ce qu'on peut faire, c'est de s'arroser. J'ai jeté par-dessus bord tout ce dont on n'avait pas besoin, au cas où il faudrait partir à toute vitesse."

Attentivement, il parcourut le bateau du regard pour

voir s'il ne restait plus rien à jeter. Puis, bien que l'effort l'amenât au bord de l'évanouissement, il parvint à faire repartir la pompe. Il lui donna quelques claques affectueuses, comme s'il s'était agi d'un brave animal familier.

"Ça pèse son poids — ça nous alourdit, je sais bien; mais si le sous-marin arrive jusqu'ici, je la balance à l'eau. A ce moment-là, un surplus de vitesse va être le bienvenu."

La Vice-présidente n'écoutait pas. Elle n'entendait rien d'autre qu'un grand rugissement; elle ne voyait rien d'autre que le mur de flammes qui les entourait complètement comme les parois d'un canyon.

"Croyez-vous qu'il nous reste une chance de lutter?"

Effondré contre la bouée de sauvetage, Harry toussait sans pouvoir s'arrêter. Il finit par avaler une lampée d'eau douce réchauffée par l'incendie; il se râcla la gorge et cracha du sang par-dessus bord. Il attendit encore un moment, puis il répondit lentement:

"Non, Lainey, je ne crois pas. Une chance de lutter, ça veut dire au moins une probabilité de cinquante pour cent."

La fumée s'épaissit tout autour du bateau.

"Une chance sur dix, peut-être?

— Je dirais plutôt une sur cinquante."

Pendant plusieurs minutes, ils ne dirent plus rien. Elaine ne voulait penser à rien, et moins que tout à ses minces chances de survie. Mais elle savait qu'elle devait armer son esprit contre la panique qu'elle sentait de nouveau monter en elle. Mais tout ce que sa conscience laissait filtrer, c'était la pensée de tous les ennuis qu'elle causait. Elle pouvait entendre la respiration sifflante et pénible du vieillard. Elle le regarda tristement.

"Je suis vraiment..." commença-t-elle faiblement,

tout en toussant. "Je... Je n'aurais jamais dû vous entraîner là-dedans... J'aurais dû laisser les agents m'accompagner... On aurait pris un plus gros bateau."

Le vent avait de nouveau changé de direction; les vapeurs suffocantes battirent en retraite et ils se sentirent tout de suite mieux.

"Même si le bateau avait été plus gros, ça n'aurait rien changé, Lainey. Une centaine d'agents non plus. On serait quand même pris ici, et eux autres avec nous. De toute façon, c'est la faute du moteur."

Avant d'interrompre la communication pour ménager leur batterie, ils avaient parlé par radio à l'amiral Klein. Ils lui avaient dit que si l'opération de sauvetage devait mettre la vie d'autres personnes en péril, ils préféraient ne pas être secourus. Evitant de les informer de la position précaire du *Swordfish,* du taux de dispersion de la nappe de pétrole, des conditions météorologiques qui se détérioraient, ou de tout ce qui pouvait rendre l'opération de sauvetage périlleuse, Klein les avait tout d'abord remerciés. Puis, il leur avait dit que, malgré le souhait qu'ils avaient formulé, le Président des Etats-Unis et le Premier ministre du Canada avaient décidé qu'il fallait essayer de les sauver. Tout ce que Harry avait trouvé à dire était:

"C'est diablement gentil de leur part, les Canadiens."

Elaine avait approuvé volontiers ce projet; même cette faible possibilité de sauvetage suffirait à la soutenir.

Mais, par la suite, elle avait compris qu'elle avait obtenu un certain calme intérieur en acceptant la fatalité. A présent qu'il y avait de l'espoir, si mince fût-il, le calme faisait place à l'angoisse.

Ce qui la terrifiait le plus, dans cet incendie, c'était qu'il n'offrait pas de point de repère fixe qui permette de calculer la vitesse de sa progression. Il était même possible, pensait-elle, qu'il se retire lentement comme il l'avait fait plus tôt quand le grain s'était abattu. Elle essaya d'estimer la vitesse et la direction du vent; mais comme celui-ci était en grande partie provoqué par l'incendie lui-même, il donnait l'impression de venir de partout à la fois. Harry lui tendit de l'eau. Elaine avait l'impression qu'il lui restait juste assez de force pour tendre la main et prendre la gourde. Elle but, et l'eau goûtait l'essence. Elle essuya ses lèvres avec un bout de chiffon, pour enlever l'espèce de croûte qu'y avait déposée la fumée. La gorgée suivante avait un goût encore plus affreux. Elle boucha la gourde et la rendit à Harry.

"D'après vous, quelle grandeur de... de flaque nous reste-t-il?

— On avait à peu près cinq milles.

— Avait?

— Le feu gagne du terrain. Le vent s'est levé."

La Vice-présidente sentit passer une onde de panique.

"Mais, dit-elle... Je veux dire... Comment pouvez-vous dire ça? Le vent ne cesse de tournoyer autour de nous."

Harry fit un mouvement vers la console de contrôle. "Le dérivomètre."

Elle regarda sa montre.

"A quelle vitesse croyez-vous que cela avance?

— A peu près un demi-mille à l'heure. Il devrait nous rester environ quatre milles de diamètre. C'est le temps d'aller encore une fois vers le centre — faut prendre tout l'éloignement qu'on peut."

Dans un effort, Harry se remit sur pieds et marcha vers la console. Elaine, le visage tordu à cause de la chaleur, lui demanda:

"Vous avez dit quatre milles?"

Harry hocha la tête et appuya sur le bouton du démarreur.

"Alors, nous avons quatre heures... avant que ça ne nous atteigne?"

Le bateau se mit lentement à bouger.

"Moins que ça, Lainey. Dans quatre heures, le feu va nous avoir rejoints tout à fait. Ça me surprendrait qu'on puisse tenir à moins d'un quart de mille des flammes. A ce moment-là, tout l'oxygène va avoir disparu. Je dirais deux heures — peut-être même moins."

Malgré le ton paternel de sa voix, cette évaluation froide avait quelque chose d'effrayant. Elaine soupçonnait le vieil homme de ne plus leur donner même une chance sur cinquante; il croyait sans doute qu'il ne leur restait plus de chance du tout.

Lorsqu'ils atteignirent le centre de la zone libre et que Harry eut arrêté le moteur, ils purent voir que des traînées de pétrole se détachaient de la nappe principale. Cela s'enroulait autour de la proue avec des couleurs d'arc-en-ciel, se mêlait au sillage et étendait çà et là de longs tentacules. Au loin, il y eut un crépitement assourdissant: une autre nappe d'essence venait d'exploser avec un long éclair bleuâtre et jaune se découpant sur l'orange terne du pétrole en feu. Ils virent bientôt de nouvelles colonnes de fumée, qui se courbèrent pour former une voûte au-dessus d'eux, emportées par les boules de flammes qui avançaient en se projetant les unes sur les autres, grossissant et s'étendant au fur et à mesure que l'incendie principal les alimentait au passage. Chaque fois qu'une vague de feu atteignait le périmètre de la zone dégagée, elle s'écroulait et s'étendait avec un sifflement dans ce territoire fraîchement conquis.

Bientôt, les explosions de l'essence ressemblèrent à un barrage d'artillerie; cela élevait la température de la nappe tout entière et, ainsi, amenait de plus en plus de pétrole brut à son point d'ignition. Contrairement à l'essence en feu qui créait des figures dansantes et diaprées, le pétrole brut ne produisait aucun effet particulièrement dramatique en s'enflammant — rien qu'un lent grouillement de flammes orangées. Mais une fois allumé, le pétrole, plus épais, pouvait brûler très longtemps: des jours et même des semaines de plus que l'essence.

Harry devinait assez bien ce que ces explosions signifiaient; mais lorsqu'Elaine lui demanda ce qui se passait, il lui dit qu'il n'en savait rien. Plus de feu voulait dire moins d'oxygène — et moins de temps à vivre en attendant le sous-marin. Brusquement, une violente rafale de vent chaud souffla sur le *Happy Girl*. Cela brûlait littéralement la peau. Ses cheveux flottant derrière elle, Elaine se sentit plaquée contre le plat-bord. A présent, l'incendie créait son propre système de vent; c'était là son premier assaut. Harry savait que cela ne ferait qu'empirer. Bien sûr, les hautes vagues soulevées par le vent au centre de l'incendie pouvaient éteindre les flammes ici et là, à force de brasser et de disloquer la couche de pétrole. Mais il était persuadé que ces mêmes vents avaient déjà poussé une partie de l'incendie sur la côte nord-américaine — et qu'ils en pousseraient davantage. Il se garda bien, toutefois, de confier cela à Elaine. Cela n'aurait fait que lui inspirer encore plus de regrets de l'avoir entraîné à cet endroit.

"Quelle heure est-il?" demanda-t-elle.

Il se tourna vers elle et lui sourit aimablement, ré-

210

pondant à sa question comme si cela avait vraiment de l'importance; comme s'il leur restait réellement la moindre chance.

"Presque six heures quarante-cinq."

Maintenant, la fumée et les émanations du pétrole commençaient à envelopper le bateau. Avec la nuit qui tombait, cela jetait sur eux comme une couche de poix.

Elaine calcula que le sous-marin avait encore jusqu'à huit heures quarante-cinq, au plus tard, pour les trouver. Et si le vent se mettait à souffler plus fort au sein de l'incendie, elle savait que cela durerait encore moins longtemps.

Chapitre 14

A Tokyo, on était au début de l'après-midi. A travers la fumée et le brouillard plus denses que d'habitude, qui voilaient le chantier naval d'Asanami, le chef de police Sunichi Yamada pouvait apercevoir la haute coque encore inachevée d'un pétrolier géant d'un million de tonneaux. Une foule de dix mille manifestants entourait l'immense carcasse; on aurait dit des fourmis. La main de Yamada se resserra sur la poignée du mégaphone: la foule, composée en majorité d'étudiants, venait de franchir la barrière principale, laissant derrière elle les clôtures de barbelés et pénétrant profondément à l'intérieur des terrains du chantier.

Yamada porta le mégaphone à sa bouche et ordonna:

"Formation en fer de lance!"

Vivement, d'un seul mouvement, les Kidōtai — l'escouade mobile — formèrent deux lignes de cent hommes: le double fer de lance. Ces hommes, en uniforme bleu-noir et portant le bouclier d'aluminium, étaient équipés pour faire face aux émeutes. Grâce à cette double formation, si un homme de la première rangée tombait pendant le mouvement, un homme de la seconde ligne le remplaçait aussitôt.

Yamada pouvait distinguer, ici et là, des groupes d'ouvriers qui s'étaient joints à la manifestation contre les constructeurs du *MV Kodiak* vendu aux Américains. Mais, en général, certains signes apprenaient au chef de police que tout cela était l'oeuvre des étudiants de l'université. Et, pour cette raison, il ne comprenait pas comment il se faisait que la marche de protestation eût été si mal organisée. Cela était sans doute attribuable au fait que l'incendie — contrairement aux événements politiques — s'était déclaré sans avertissement. En temps normal, les organisateurs radicaux n'auraient jamais laissé la foule s'engager dans un chemin qui ne possédait pas de dégagements latéraux et n'offrait qu'une voie de sortie — en l'occurrence, la barrière située à l'autre bout du chantier, au-delà du pétrolier inachevé, qui n'offrait pour toute issue que les eaux froides du port. La seule issue possible passait par les Kidōtai; et pour une cohue en furie, il n'y avait pas d'issue du tout. Yamada prit une profonde inspiration. Cette manifestation risquait de se transformer en émeute. Il regarda de nouveau sa montre: c'était la sixième fois en une heure. Il éleva le mégaphone.

"Je vous informe que vous êtes sur une propriété privée. Cela constitue une violation du règlement civil numéro..."

Le grondement de la foule couvrit ses paroles. Patiemment, il attendit une minute, puis ajouta:

"A partir de maintenant, vous avez cinq minutes pour quitter les lieux."

Une grêle de cailloux et de bouteilles partit de la foule et s'abattit sur les Kidōtai.

"Formez l'auvent!" aboya Yamada.

Aussitôt, la seconde rangée de boucliers s'éleva avec un fracas métallique, réfléchissant le soleil en un seul et unique éclair. Ils allèrent s'appuyer sur ceux du devant, qui demeuraient verticaux et protégeaient les hommes de la première rangée. Cela formait un véritable toit d'aluminium, qui couvrait la formation en fer de lance tout entière. Les projectiles rebondissaient, inoffensifs, et tombaient sur la route déjà parsemée de débris.

Le bataillon de Kidōtai ne bougeait pas. Les hommes attendaient l'ordre de manoeuvrer, leur visage déformé par la visière transparente de leur casque. Ils avaient vécu des situations semblables des centaines de fois auparavant. Aucun ne tourna la tête lorsque des autobus munis de barreaux remontèrent la route en grondant et vinrent s'arrêter derrière eux. Ils restaient là, tout simplement, immobiles, tenant le bouclier de cinq pieds à la main gauche et la matraque de deux pieds et demi à la main droite. Ils faisaient penser à des légionnaires romains. Juste derrière eux, des groupes de la police régulière préparaient les fusils à gaz lacrymogènes, fixant les contenants métalliques au bout des canons noirs. La position qu'elle occupait permettait à la police régulière de recharger et d'avancer dans une relative sécurité, à l'abri des Kidōtai.

En temps normal, Yamada aurait utilisé les boyaux d'incendie au lieu des gaz lacrymogènes; mais quelqu'un avait taillé la plupart des boyaux. Au moins, ils étaient organisés sur ce point, songea-t-il. Une dernière fois, il consulta sa montre. A présent, il leur restait deux minutes. C'était sans espoir. Il savait qu'ils n'écouteraient pas; mais il lui fallait essayer. Une longue expérience lui avait appris que la foule ne désirait pas la violence, mais qu'elle ne pouvait pas freiner son élan. Là-dedans, il y avait probablement des centaines de personnes qui essayaient désespérément de s'en aller. Mais ils étaient pris au piège, parmi tous ces corps pressés les uns contre les autres et qui avaient acquis une sorte de vie collective et indépendante; cela n'obéissait plus qu'à sa masse et à son poids. Mais l'usage voulait qu'on leur laisse une chance — du moins jusqu'à ce qu'il devienne trop dangereux de les laisser augmenter la force de leur élan. Il y en aurait inévitablement quelques-uns de blessés: mais mieux valait quelques-uns tout de suite, que beaucoup un peu plus tard.

Soudain, la foule se mit à avancer vers la police. Yamada éleva calmement le mégaphone.

"Envoyez les gaz!" fit-il.

Il y eut une série de faibles détonations et les petits contenants argentés filèrent par-dessus les têtes pour aller tomber dans la foule. Des nuages de fumée commencèrent à se répandre. Dès qu'il entendit que la toux était devenue générale, Yamada commanda:

"Marchez — avancez!"

Le fer de lance s'ébranla d'un seul bloc. Les hommes agitaient leur matraque de haut en bas de façon menaçante; ils étaient prêts à tout. Une volée de cailloux s'abattit sur la ligne noir et argent. Un officier vacilla une seconde; mais une main apparut à son côté et le ramena, un peu étourdi, dans le rang.

Une autre grêle de cailloux frappa leur ligne, et deux hommes s'écroulèrent. Deux remplaçants sortirent du

216

rang arrière pour boucher les trous. Au même moment, la longue ligne de matraques s'éleva d'un seul mouvement.

"Chargez!" hurla Yamada.

Les Kidōtai fondirent sur le premier rang des manifestants. Il y eut un grand cri de panique et une vingtaine de personnes tombèrent. A présent, la foule s'était rétrécie de moitié, comme une limace effrayée. La police régulière effectuait une opération de nettoyage, tirant et poussant les personnes arrêtées sur la route jonchée de débris, vers les autobus qui attendaient. Un étudiant d'environ dix-huit ans se précipita sur le côté de la rue et se mit à grimper frénétiquement à l'auvent d'une boutique. Un agent de la police régulière laissa tomber son bâton et attrapa le jeune homme par une cheville. Mais celui-ci, d'une violente ruade, fendit la joue de l'agent. Dans sa rage, le policier ne sentait pas la douleur. Il attrapa de nouveau la jambe de l'étudiant et le tira jusqu'à lui. Puis, il le projeta contre le mur et lui porta un coup de pied au bas-ventre. Le jeune homme s'effondra; mais le policier continua de le frapper à grands coups de pied en plein visage, lui écrasant le nez, si bien que le sang ruisselait sur les bras de l'étudiant qui essayait désespérément de se protéger la tête. A ce moment, deux autres policiers survinrent et maîtrisèrent leur collègue. L'un des deux s'écria:

"Ça suffit! On s'en charge. Ça suffit!"

Comme on l'entraînait vers un autobus, l'étudiant inclina mollement sur sa poitrine sa tête qui ressemblait à un fruit écrasé. L'un des policiers qui le soutenaient était presque hors d'haleine. Tout en haletant, il murmura:

"Tout ça... à cause... à cause d'un peu de pétrole. Est-ce que ça valait la peine, mon vieux? Hein?... Hein...

217

est-ce que ça valait la peine? Petit saligaud!''

A trente-deux milles à l'est de la nappe de feu, sur la côte sud-ouest de l'île Kruzof — qui protège Sitka de la mer à la façon d'un bras —, le village Tlingit avait été évacué.

Le petit établissement indien était adossé à une forêt d'épinettes et de pin s'étendant ver le mont Edgecumbe qui dominait l'île avec ses trois mille pieds de hauteur. Quelques heures plus tôt, quatre-vingts hommes, femmes et enfants y vivaient encore. Mais à présent, cela ressemblait à s'y méprendre à un village fantôme. Bien sûr, on savait que le village avait été fondé, assez récemment, par des familles descendant des clans angoon de l'île de l'Amirauté; mais, cela mis à part, on pouvait voir partout des signes d'une occupation récente. A l'intérieur des maisons de planches à toit pointu, des assiettes pleines de nourriture et des lits défaits témoignaient de la fuite précipitée des Indiens. Dehors, le linge se balançait sur les cordes comme des drapeaux de reddition en lambeaux; du varech séchait sans surveillance sur des claies, tandis que les totems de l'Oiseau-Tonnerre, du Castor et de l'Ours-en-colère, silencieux, lançaient des regards courroucés à travers le village, comme s'ils avaient eu l'intention de livrer combat à la mer.

Les Tlingit tiraient une grande partie de leur subsistance de l'océan; mais ils le craignaient aussi. Certains d'entre eux étaient chrétiens de nom — mais ils croyaient encore que si un homme se noyait et qu'on ne retrouvait pas son corps, il était exclu à coup sûr du paradis. Les hommes du clan étaient des pêcheurs modernes. Mais, ce jour-là, la terreur était remontée de la mer avec le fracas des vagues. Et ils avaient eu assez peur pour abandonner leurs bateaux de pêche à moteur, qui se balançaient à présent sur l'eau, muets, semblables à des animaux attendant docilement une fin inévitable.

Au-delà de l'enchevêtrement de bois piquant, de buissons de canneberges et de lis d'eau qui poussaient à la lisière de la forêt, le fumoir du village laissait toujours échapper de la fumée par sa cheminée à tabatière, comme si cela devait durer à jamais. L'odeur du saumon en train de cuire flottait jusque dans la forêt d'épinettes au sol couvert de mousse, puis s'élevait lentement au-dessus d'un espace défriché qui était le site de l'ancien charnier.

C'est un vieux chef qui, le premier, avait aperçu la fumée sombre qui rayait l'horizon rose saumon. Il avait aussitôt remonté ses lignes et ses flotteurs; puis il avait mis le cap sur la rive, pour aller donner l'alerte au village. Mais personne ne l'avait écouté; on avait prétendu qu'il était impossible que la mer fût en feu. Même les hommes blancs, avec toute leur folie, étaient incapables de faire cela.

Autrefois, le vieux chef n'aurait pas cherché à les persuader qu'il serait plus sage de partir, de peur que le vent ne forcisse et ne pousse l'incendie sur eux: il leur aurait tout simplement ordonné de partir, et ils auraient obéi. Mais, à présent, les chefs étaient élus. C'était maintenant un homme plus jeune qui dirigeait le village; et celui-ci s'était rallié à l'opinion des autres pêcheurs: la fumée provenait probablement d'un gros bateau en feu, c'était tout.

Au moment où ils apprirent l'existence de la nappe de feu, le vent avait déplacé toute la partie nord de l'incendie. Ainsi, la nappe avait pris la forme d'une faucille dont l'extrémité, portée par les puissants courants locaux, avait atteint le cap de Pointe Mary, à quelques milles au nord du village. Les forêts de la côte étaient sèches comme de l'amadou, après cet été long et chaud, de sorte qu'elles avaient pris feu quelques minutes après que des billots gorgés de pétrole et flambant à plein eurent abordé dans l'anse, où la végétation était particulièrement dense. Bientôt, des milliers de cyprès se mirent à exploser, se fendant en deux, se tordant en figures grotesques, tandis que les flammes, poussées par le vent, couraient au sommet des arbres et devançaient l'incendie qui faisait rage au niveau du sol.

Ce croissant de flammes leur interdisant la fuite par la mer, les Indiens s'étaient empressés de rassembler leurs biens; puis ils étaient partis vers le nord, luttant de vitesse avec l'incendie et tentant de gagner la baie de She-likof. C'était là leur seul espoir. Il leur fallait traverser l'île par le chemin de l'exploitation forestière, long de cinq milles, conduisant à Mud Bay. Il s'agissait ensuite de trouver une embarcation capable de transporter au moins quelques-uns d'entre eux à travers le détroit de Hayward et le goulet, jusqu'à Sitka. Comme ils entreprenaient leur marche forcée vers la route, le chef ne pouvait s'empêcher de se rappeler que ses ancêtres avaient déjà rasé Sitka — et, à présent, c'était là que lui et son clan allaient chercher refuge.

Le Président avait bu trop de café; il se sentait agité et nerveux. Pourtant, il tenait à garder l'esprit alerte: il attendait les rapports concernant la tentative de sauvetage et le péril encore plus grand auquel seraient exposés des millions de personnes, si jamais l'incendie atteignait la côte. Peut-être, après tout, le front arctique n'apporterait-il pas ce vent qui risquait d'étendre l'incendie... Ou si le vent forcissait, peut-être soufflerait-il en tempête, comme l'avaient prédit les météorologistes; cela empêcherait alors la nappe de feu de poursuivre son mouvement vers la côte, la brisant en milliers de flaques plus faciles à contrôler. Mais même dans ce cas, la forme et la direction de la nappe dépendraient en grande partie de la vitesse des courants.

Sutherland se mit à faire les cent pas devant la carte, jetant de temps en temps un coup d'oeil sur les pendules à affichage numérique. Leur neutralité, la régularité de leurs déclics lui donnaient l'impression de se trouver devant une rangée d'arbitres automatisés en train de mesurer froidement le temps qui jouait contre lui. Il savait que c'était irrationnel, mais il ne pouvait s'empêcher d'éprouver de l'hostilité à leur endroit: elles étaient si ordonnées, si efficaces par rapport au désarroi humain. Et lui, le Président d'une puissante nation, du peuple qui possédait peut-être la technologie la plus avancée du monde — il était impuissant à arrêter la progression de cette nappe de flammes. Tout ce qu'il pouvait faire, semblait-il, se résumait à des mesures défensives — comme celles qui concernaient l'évacuation massive de toute la population civile du nord-ouest du Pacifique.

Dans le nord-ouest de la Colombie-Britannique, le prolongement méridional de l'Alaska, les îles de la Reine-Charlotte et l'archipel Alexandre, la police canadienne et américaine travaillaient aussi vite que possible à organiser l'évacuation. Les autorités avaient demandé que tout se fasse dans l'ordre; mais, en fait, cela commençait à ressembler à une débandade comme on en voit en temps de guerre.

A l'est de Ketchikan, à la frontière Hyder-Stewart séparant le Canada de l'Alaska, de longues files de réfugiés, saisis de panique par l'annonce de l'incendie qui se rapprochait, se pressaient sur la grand-route. Il y avait des voitures et des camions surchargés pendant des milles et des milles. Les enfants pleuraient, les grands-parents essayaient de les calmer et les parents, impatients, s'efforçaient avec plus ou moins de succès de contenir cette angoisse croissante qui menaçait de les jeter dans une rage aveugle. Les officiers de la douane, n'ayant pas reçu de directives explicites de leurs supérieurs, continuaient de dire à chaque immigrant:

"Bonsoir. Où demeurez-vous? D'où venez-vous? Est-ce que vous importez quelque chose au pays?"

Finalement, il avait fallu retenir le chef héréditaire d'une tribu locale de Haida, qui voulait faire un mauvais parti à un officier de police qui avait passé la tête dans l'auto bondée d'Indiens et avait demandé d'un ton ingénu:

"Etes-vous des immigrants reçus?"

A ce moment-là, le personnel du Président avait trouvé le temps de réunir les experts en pétrole; certains étaient à la Maison Blanche et d'autres, d'un bout à l'autre du pays, participaient au moyen d'une série de relais téléphoniques. De plus, on avait envoyé des observateurs dans les régions côtières.

A mesure que les minutes passaient, le Président avait l'impression d'être l'entraîneur d'une équipe en train de perdre, mais à qui on demanderait de stopper l'adversaire. Mais la lutte lui semblait disproportionnée; un adversaire apparemment invincible grugeait peu à peu le territoire de son équipe. Dans l'annexe, un appareil de télex se mit à crépiter et Henricks alla prendre le dernier message. L'air angoissé, Sutherland se détourna des pendules.

"Est-ce que ça s'étend?

— J'ai bien peur que oui, monsieur le Président. Les photos des satellites montrent qu'on a atteint le point d'ignition. Il y a une immense concentration de fumée. Ils disent que ça signifie qu'il y a encore plus de pétrole en train de brûler."

Sutherland pensa à Elaine et le regretta aussitôt.

"Est-ce à cause du vent?" demanda-t-il, autant pour se changer les idées que pour connaître la réponse.

Henricks appela l'un des experts en pétrole. C'était la première fois que celui-ci mettait les pieds à la Maison Blanche. C'était un petit homme flasque qui avait une démarche comique mais qui faisait preuve, en toute chose, du plus grand sérieux — comme pour compenser.

"Ah... en partie, monsieur le Président", commença-t-il d'un ton nerveux.

Puis il s'éclaircit la gorge.

"En partie... Je veux dire par là qu'une partie du vent provient... eh bien, du front qui descend de l'Arctique, et qu'il y en a une autre provoquée par le feu lui-même, qui crée son propre système de vents. C'est, euh... un feu qui s'attise lui-même, voyez-vous?"

"Hmm", murmura Sutherland.

Et il se tourna vers Henricks, tandis que l'expert se retirait.

223

"Et le sous-marin? Qu'est-ce qu'il fait?

— Il file à sa vitesse maximum — dix-huit noeuds en plongée —, mais il n'atteindra pas la Vice-présidente avant deux heures."

Henricks grimaça, puis poursuivit.

"Et ça, c'est à condition que le bateau de pêche soit encore à flot. Il y a déjà un bon moment que le sous-marin ne l'a plus sur son sonar.

— S'ils sont toujours dans leur zone calme, est-il possible que le bateau puisse attendre le sous-marin aussi longtemps malgré le vent qui augmente?"

Henricks laissa échapper un soupir de lassitude tout en consultant son carnet.

"Ils ont à peu près deux heures... peut-être..."

Le Président l'interrompit.

"A peu près, à peu près! Tout ce que j'entends, c'est des *en partie*, des *à peu près* et des *peut-être*! Est-ce que je pourrais avoir une réponse précise?"

Le spécialiste en pétrole, qui se tenait tout près, se sentit gêné et rougit. Mais Henricks répondit, sans se laisser démonter:

"Eh bien, monsieur le Président, tout — je dis bien *tout* — ce que les photos du satellite nous montrent, c'est de la fumée noire et quelques petits morceaux de la nappe. A aucun moment le satellite ne nous montre le bateau de la Vice-présidente; et quant à eux, sur leur bateau, ils n'en voient pas assez pour pouvoir se faire une idée. Sur un bâtiment de cette grosseur, il n'y a pas d'équipement de navigation Loran.

— Ça va, Bob; je m'excuse. Mais pour combien de temps en ont-ils, d'après vous?

— Pas plus de deux heures. Ils supposent peut-être qu'ils en ont pour plus longtemps, parce qu'ils ne savent pas qu'il y a ce vent du Nord qui fonce sur eux. Et avec toute cette fumée qui s'est épaissie, il nous est impossible de dire ce que le système de vents de l'incendie a fait de la zone dégagée où ils se trouvent... Ou se trouvaient... Il y a pire: les deux systèmes de vents pourraient bien cesser de s'opposer l'un à l'autre — l'un poussant l'incendie vers eux et l'autre l'éloignant. Ou encore, ils pourraient se mettre tous deux à pousser les flammes vers le bateau.

— Et si nous les prévenions que le vent se lève? Je veux dire le vent ordinaire... Christ, je ne sais plus de quel maudit vent je veux parler."

Plein d'angoisse, le Président fronça les sourcils.

"De toute façon, ne croyez-vous pas que nous devrions leur envoyer un mot? Les prévenir?"

Henricks admirait l'élan qui portait le Président à vouloir informer la Vice-Présidente et son compagnon de leur situation; mais le Commandement de la recherche et du sauvetage les avait mis en garde contre ce genre d'initiative. Il jeta un regard autour de lui, à la recherche de café.

"Je ne crois pas que nous devrions faire ça, monsieur le Président. De toute façon, ils ne peuvent rien faire. Ça ne les aidera pas de savoir que leur situation peut empirer."

Le Président approuva; puis il demanda:

"Et le sous-marin? Si le vent étend la nappe trop loin, ils sont vraiment dans une situation délicate. Qu'est-ce que nous pourrions leur dire?

— Rien pour le moment. Il fait trop noir pour que le satellite puisse prendre des photos. Mais, en ce moment, la garde côtière envoie des patrouilles pour relever le contour de l'incendie. De cette façon, nous pourrions avoir une idée de la distance parcourue par la nappe de feu. Mais nous ne le saurons probablement pas avant que la Vice-présidente ait été rescapée. Si on la rescape.

— D'accord, Bob, je vous laisse ça entre les mains. Mais prévenez les Canadiens le plus tôt possible. Ces gars-là sont en train de forcer leur chance.

— Oui, monsieur le Président."

Fatigué de s'être trop longtemps tenu debout devant la carte, Sutherland s'assit. Devant lui, il y avait une pendule à affichage numérique où était écrit: Temps de l'incendie. Les chiffres des secondes apparaissaient et disparaissaient; puis celui des minutes disparut dans le mouvement du rouleau électronique. Sutherland regardait fixement le visage imperturbable de la pendule. Dans sa fatigue, il avait l'impression qu'elle se moquait de lui. Une autre seconde passa.

Comme le moment prévu pour le sauvetage approchait, Kyle avait ordonné de fermer le système de climatisation de l'air à bord du *Swordfish,* afin d'épargner leurs ressources. Et plus il faisait chaud, plus les esprits s'échauffaient.

Un graisseur, le quartier-maître Evers, s'était évanoui et était tombé sur l'arbre de l'hélice en plein mouvement. On l'avait aussitôt transporté à l'infirmerie, souffrant de graves brûlures causées par la friction. Dans le poste de contrôle toujours éclairé en rouge, il faisait déjà 103°F — et la température ne cessait de monter. Les cadrans indiquaient que l'on utilisait plus d'oxygène qu'il n'avait été prévu. La puanteur des légumes pourris emplissait l'air. Deux jours plus tôt, Kyle avait organisé un exercice épuisant et volontairement très long. S'il avait su, à ce moment-là, qu'ils allaient être forcés de rester en plongée si longtemps, il aurait suivi la routine habituelle et aurait ouvert les épurateurs d'air, qui auraient maintenu le bioxyde de carbone à un niveau normal durant toute la durée d'immersion. Mais à présent, tout ce que les épurateurs pouvaient faire, c'était de préserver le peu d'air respirable qui restait.

D'un bout à l'autre du bâtiment, les hommes s'étaient mis à se traîner, au lieu de marcher normalement. La plus infime aggravation de la situation pouvait déclencher l'explosion d'une furie collective démesurée par rapport aux inconvénients qui l'auraient provoquée. Ceux qui n'étaient pas de quart restaient étendus ou assis, ruisselants de sueur et hébétés. Il y avait déjà longtemps qu'on ne parlait plus pour le plaisir de parler.

Lambrecker était mollement assis, adossé à la cloison du minuscule bureau du bâtiment. Il roulait une cigarette tout en observant d'un air renfrogné son jeune gardien qui n'en menait pas large. Depuis leur rencontre du premier jour, il avait très peu revu Nairn, qui était pour ainsi dire disparu parmi les quatre-vingt-quatre hommes de l'équipage. O'Brien avait fait coucher Nairn dans un autre poste d'équipage. Et puisqu'ils n'étaient pas de quart ensemble, les deux hommes avaient rarement eu l'occasion de se rencontrer.

Lambrecker frotta une allumette pour allumer la cigarette; mais, presque tout de suite, la flamme vacilla et s'éteignit. Avec l'air à la fois exténué et dédaigneux d'un clochard assis dans le ruisseau, il poussa un grognement à l'intention du matelot au visage de bébé.

"Eh! toi."

Nairn essaya de regarder ailleurs; mais il n'arrivait pas à empêcher ses yeux de se fixer sur Lambrecker.

"Eh! toi... Nairn, c'est ça?"

Nairn se contenta de hocher la tête, déterminé à ne rien dire. O'Brien l'avait mis en garde; il lui avait dit de ne pas parler au prisonnier. Lambrecker frotta une autre allumette. Cette fois, il pompa rapidement et très fort sur sa cigarette. Malgré tout, le tabac ne s'alluma qu'en partie, avant que le feu ne s'éteigne. Il tendit vers Nairn l'allumette noircie:

"T'as vu ça?"

Nairn essayait toujours de ne pas le regarder.

"Eh! fit Lambrecker, tenant toujours l'allumette. Je t'ai demandé si t'avais vu ça."

Malgré toutes ses bonnes résolutions, Nairn se sentait tenu de répondre à Lambrecker — ne serait-ce que pour le faire tenir tranquille. Et puis, après tout, la question lui semblait bien innocente.

"Oui, dit-il. Je vois."

Il ajouta ensuite, avec un regain d'intérêt:

"Et alors?

— Et alors? se moqua Lambrecker. Pourquoi l'allumette a-t-elle de la difficulté à brûler? Veux-tu bien me dire où t'es allé à l'école, Nairn? Ça veut dire qu'il ne nous reste plus grand oxygène, coco —c'est aussi simple que ça! C'est pour ça qu'on est tous assis, en train de suer comme des cochons."

Nairn pointa le canon de sa carabine vers Lambrecker, tentant vainement de l'intimider.

"Tu ferais mieux de la boucler", dit-il.

Lambrecker ricana.

"Oh, Jésus-Christ!" fit-il.

Puis, après quelques secondes, il demanda:

"T'as déjà baisé avec une femme, Nairn?

— Ecoute, dit Nairn en rougissant, tu ferais mieux de fermer ta...

228

— T'as jamais baisé avec personne?"

Nairn ne répondit pas.

"Alors, t'en fais pas, ricana Lambrecker. Parce que tu ne baiseras plus jamais avec personne. Jamais.

— Qu'est-ce que tu veux dire?

— Ce que je veux dire, c'est qu'on va suffoquer; c'est rien que ça, coco."

De nouveau, Lambrecker tira très fort sur sa cigarette.

"T'endors-tu?"

Nairn haussa les épaules.

"Un peu, il me semble.

— Un peu! Me fais pas chier, mon gars! Encore une heure comme ça, et tu seras même plus capable de te tenir sur tes jambes. C'est à cause du bioxyde de carbone qu'il y a dans l'air. C'est ça qui va t'endormir. Pour toujours. Et toi, tu vas rester là, comme un bout de bois, et tu vas laisser ce vieux bâtard incompétent te faire ça — pas vrai? Tu vas marcher dans tout ça sans pleurnicher. Comme un mouton imbécile à l'abattoir."

O'Brien, qui revenait au poste de contrôle après avoir inspecté la chambre des machines, perçut une odeur de cigarette; mais il décida de ne rien dire. Bien sûr, cela gaspillait de l'oxygène, mais pas assez pour faire une différence. Et même si c'était le cas, la plupart des commandants, se disait-il, auraient préféré tolérer cette habitude, plutôt que de risquer de créer des tensions en la combattant. Comme il passait près du petit bureau, il entendit Lambrecker qui parlait, malgré ses ordres. L'espace d'une seconde, ni Nairn, ni son prisonnier ne le reconnurent, parce qu'il portait les lunettes rouges que tous les officiers utilisaient durant leur quart de nuit, afin que leur vue puisse s'adapter rapidement à l'éclairage rouge du poste de contrôle. O'Brien pointa Lambrecker du doigt. Lorsqu'il eut repris son souffle, il dit:

"Ta gueule, Lambrecker. Ménage ton énergie.

— Pour quoi faire?"

D'une chiquenaude, Lambrecker projeta dédaigneusement sa cigarette éteinte aux pieds de O'Brien.

"Le sauvetage, y en aura pas, O'Brien, et vous le savez."

O'Brien jeta un coup d'oeil à Nairn et dit:

"S'il l'ouvre encore, cogne dessus."

Et il se détourna.

Lambrecker le regarda s'éloigner.

"O'Brien, fit-il, s'il m'arrive quelque chose, je te fais condamner à vie."

L'officier en second s'arrêta, se retourna et fit un clin d'oeil à Nairn.

"Comment vas-tu pourvoir faire ça, Lambrecker, si on est censés y laisser notre peau?"

Lambrecker grommela quelques jurons particulièrement obscènes et entreprit de se rouler une autre cigarette, tandis que Nairn, debout devant lui, le regardait en souriant.

La sueur perlait sur le front de O'Brien et pénétrait sous le rebord de ses lunettes, avec des picotements d'insectes. Il voulut accélérer le pas dans le couloir; mais il s'aperçut qu'il se trouvait dans la même situation que le sous-marin lui-même. C'est-à-dire que plus il allait vite, plus il dépensait d'énergie. Il aurait besoin de toutes ses forces lorsqu'ils trouveraient le bateau de pêche — s'ils le trouvaient. Tout en sachant qu'il leur fallait épargner leur énergie, il comprenait que Lambrecker pouvait avoir raison. S'ils n'arrivaient pas à temps, ils ne sauveraient personne — pas même leur propre peau. Passant de l'éclairage blanc du sous-marin à la lumière rouge du poste, il enleva les lunettes avec un soulagement visible. Il consulta la pendule et vérifia sa propre montre. Il était 19 heures 30. Dans une heure exactement, ou un peu plus, soit à 20 heures 31, il leur faudrait rebrousser chemin, avec ou sans la Vice-présidente.

Comprenant qu'il ne pouvait rien faire pour Elaine et son vieux compagnon avant d'avoir reçu des nouvelles du sous-marin, le Président appela Jean Roche. Peu de temps après, elle arrivait en portant une édition spéciale du *New York Times* et un choix de journaux provenant de tous les coins du pays et qu'elle avait réunis à la hâte; elle apportait aussi des télex de la presse étrangère. Il lui faudrait se préparer pour les inévitables critiques qui surviendraient, et pour les conférences de presse qui allaient suivre. Du geste, il invita Jean à s'asseoir. Elle était manifestement épuisée; aussi ne se fit-elle pas prier pour s'asseoir. Elle s'affaira aussitôt à mettre de l'ordre dans ses notes. Le Président remarqua que ses traits étaient tirés; sa coiffure, habituellement impeccable, commençait à se défaire. Il sourit en lui tapota l'épaule.

"Prenez votre temps, dit-il. Avez-vous mangé?

— Non, mais ça ne fait rien."

Le Président appela un jeune attaché de presse

"Faites venir de quoi manger, voulez-vous?"

Il se tourna vers Jean.

"Du café ou du thé?

— Du café, s'il vous plaît. Ce ne serait pas de refus."

Pendant que l'attaché décrochait le récepteur pour commander de la nourriture, le Président demanda, aussi jovialement que le permettaient les circonstances:

"Eh bien, qui est-ce qui hurle le plus fort? Au sujet de la nappe de pétrole, tout d'abord.

— L'Organisation des Etats américains, le Marché commun, les nations de l'Unité africaine — en somme, toute l'assemblée générale des Nations Unies."

Le Président se laissa aller au fond de sa chaise.

"Parfait! Ça veut dire que, pour changer, tout le monde se sent coupable. Continuez."

Jean fit un geste vers le tas de coupures de presse qui était devant elle.

"Je ne sais pas trop par où commencer. Ralson, du réseau CBS, s'est rendu à Sitka. Malheureusement, il y a reconnu certains de nos agents."

Le Président sursauta.

"Quels agents? Jésus-Christ, ne me dite pas qu'ils essaient de mêler la CIA à tout ça!"

Jean Roche intervint aussitôt. Si le Président se mettait à protester contre tous ces gens qui croyaient avoir vu le fantôme de la CIA sous leur lit, ils n'arriveraient jamais à passer à travers toutes ces coupures de presse avant la réunion d'urgence sur la pollution, prévue pour plus tard dans la soirée.

"Non, non, monsieur le Président, dit-elle. Il s'agit des gens du Service secret qui étaient supposés accompagner la Vice-présidente."

Mais le Président était encore en colère.

"Jésus-Christ! Maintenant, on a vraiment l'air intelligents!"

Il se leva vivement de sa chaise, la repoussant si violemment que Henricks, occupé au téléphone juste à côté, dut se précipiter pour l'attraper et l'empêcher de tomber. Le Président écarta un exemplaire du *New York Times*.

"Je ne comprends pas pourquoi Elaine est allée à cent milles en pleine mer, sur cette maudite coquille de noix."

Jean crut prudent de ne pas relever le fait qu'il ne s'agissait que d'une distance d'environ quarante milles, et non cent. Les épaules du Président s'affaissèrent légèrement. Il fit une pause, puis poursuivit.

"Eh bien, je suppose que je devrais le savoir. Pauvre fille... Elle n'a pas une seconde à elle."

Il regarda Jean d'un air sympathique.

"Comme vous", ajouta-t-il.

Pour quelque raison qu'elle-même ne comprit pas, Jean rougit.

"De temps en temps, reprit le Président, une personne est forcée d'en sortir... pas vrai?

— Oui."

Le Président se rassit.

"Que dit le Service secret?

— Au dire de tout le monde, le chef Holborn est complètement furieux. Il dégomme des agents d'ici à Anchorage."

Sutherland hocha la tête.

"Bien sûr. Il a raison, évidemment."

Puis il regarda Jean et demanda:

"Pourtant, qu'est-ce que vous auriez fait, si la Vice-présidente des Etats-Unis vous avait laissée à terre pour avoir un peu d'intimité?

— J'aurais loué un autre bateau, répliqua Jean sans hésiter; et je l'aurais suivie, monsieur le Président."

Sutherland sourit.

"Bien dit, madame Roche. Vous pourriez être utile au Département d'Etat."

Jean retourna à ses coupures de presse, disant calmement:

"J'aime encore mieux rester ici."

Sutherland lui jeta un regard plein d'affection.

"Merci, Jean, fit-il.

— Monsieur le Président", appela Henricks en bouchant le récepteur d'une main et en jetant rapidement quelques notes sur son carnet de l'autre main.

Puis, il se remit au téléphone.

"Oui, Amiral. Où? Hmmm. A quelle distance?"

Une femme d'âge moyen, employée à la cuisine, entra en poussant un chariot grinçant où il y avait des sandwichs et du café. Henricks leva la main vers elle. Elle s'arrêta pile, tandis que l'adjoint, les traits tendus, poursuivait sa conversation avec l'amiral.

"Je vois... oui. Qu'est-ce qu'ils vont faire, alors?... D'accord... Oui, je le lui dis tout de suite. Merci, Amiral."

Avant même que Henricks ait pu raccrocher, le Président demanda:

"Des nouvelles sur l'incendie?

— L'amiral Klein vient d'être informé que le LNG japonais — un navire citerne transportant du gaz liquide et venant de Juneau — a été pris dans l'incendie près de l'île de Chichagof. Il a fait volte-face et a essayé de gagner le feu de vitesse; mais le vent a poussé l'incendie autour de lui, comme un anneau."

Henricks jeta son carnet sur la table d'un air découragé.

"Le bateau a explosé il y a onze minutes. Il paraît que les réservoirs de gaz ont été projetés comme des missiles."

Henricks ne voulait pas dire le reste au Président; mais il savait bien qu'il n'avait pas le choix.

"On estime que ça ajoute plus de quarante mille tonnes de méthane liquide à l'incendie. Ça signifie aussi qu'une véritable tempête s'est créée au sein de l'incendie. On rapporte des vents de cent vingt milles à l'heure au centre de la nappe. Ils vont probablement couler une partie du pétrole en produisant d'énormes vagues dans la zone où le LNG a sauté. Mais ils vont causer encore plus d'ennuis en aspirant des particules de pétrole, qui vont devoir retomber quelque part.

— De quelle façon cela affecte-t-il la position de la Vice-présidente?" demanda le Président d'une voix tendue.

Henricks marcha jusqu'à la carte et indiqua l'intersection des coordonnées que lui avait données l'amiral: un point situé à environ soixante milles au nord-ouest de l'île Baranof et à une vingtaine de milles de l'extrémité méridionale de l'île Chichagof.

"Ça ne les touche pas, dit-il. C'est trop loin vers le nord."

Le Président suivit des yeux la longue courbe de flèches qui indiquait, dans le sens contraire des aiguilles d'une montre, le mouvement du courant d'Alaska lorsqu'il se séparait, vers le nord, du courant du Japon; il voyait également la courbe, dans le sens des aiguilles d'une montre cette fois, du courant de Californie qui allait vers le sud. Il se tourna alors vers le diagramme illustrant l'effet combiné de la Force Coriolis qui tournait — dans le sens des aiguilles d'une montre — dans l'hémisphère Nord et la puissante alliance qui se formait quand la direction du vent coïncidait avec celle du courant.

"Mais ça va amener le pétrole de cette zone à son point d'ignition, dit-il enfin; et ça va le diriger vers les côtes de l'Alaska. C'est bien ça?

— Je n'en suis pas sûr.

— Faites venir Monsieur Partly.*

— Monsieur?" fit Henricks d'un air médusé.

Le Président fit un geste vers les téléscripteurs, à l'autre bout de la pièce.

"Le spécialiste en pétrole — le petit gros.

— Oh, dit Henricks, Monsieur Parks."

En se retournant, Jean aperçut la domestique, toujours figée auprès de son chariot.

"Pauvre vous! Laissez-moi m'occuper de ça", dit-elle en souriant.

La femme, l'air terrifié, inclina la tête et se retira au plus vite.

Parks arriva et, de sa voix nerveuse, se mit à donner son opinion sur la possibilité que le nord-est de la nappe atteigne Sitka.

"Euh, monsieur le Président, je pense que la nappe pourrait atteindre la côte — en partie à cause du courant d'Alaska et en partie à cause du vent, qui vient du nord-nord-ouest. Je veux dire que le courant qui charrie le pétrole vers le nord pourrait être dévié par le vent. Une partie, au moins, pourrait être poussée vers l'est — plus ou moins."

Le Président trouvait difficile de dissimuler l'ennui que lui inspiraient les "si" et les "mais" dont étaient

————

* Jeu de mots intraduisible en français.

émaillés les discours des soi-disant experts.

"Monsieur Part... Monsieur Parks, dit-il, d'après vous, qu'est-ce qui *va* se produire?

— Oh, je crois que ça va brûler. Sitka. Ça va prendre feu comme une boîte d'allumettes. Après ça, l'incendie va s'étendre sur le continent.

— Jésus-Christ! fit le Président, qui regarda, tour à tour, Henricks et Jean. Et comment est-ce que ça pourrait se faire? L'incendie ne peut certainement pas sauter sur le rivage...

— Oh, je suis certain qu'il va le faire, coupa Parks d'un ton passionné... A moins que le pétrole ne forme des boules noires — de très grosses boules noires."

Peut-être était-ce une réaction inconsciente à la pression de cette crise, Sutherland n'en savait rien: tout ce qu'il savait, c'est qu'il devait faire des efforts presque surhumains pour retenir le fou rire qui poussait au fond de lui comme une explosion. Monsieur Parks et les boules noires semblaient faits pour aller ensemble.

"Ah oui? fit le Président. Et qu'est-ce qu'elles font?"

Monsieur Parks eut un large sourire.

"Ce sont de lourdes concentrations de pétrole, qui se forment si la mer devient assez mauvaise pour briser la nappe. Les boules coulent alors et descendent au fond de l'océan. Mais avant qu'elles aient eu la chance de se former, je suis sûr que le feu aurait déjà rasé... eh bien... Sitka, certainement; puis, il s'attaquerait à toute la côte, ravagerait la Colombie-Britannique et continuerait probablement plus loin vers le sud. Cela est dû en partie, voyez-vous, au fait que les flammes vont tout simplement sauter sur la rive et continuer vers l'intérieur des terres. Les vagues qu'il y a là ne sont pas assez puissantes pour fragmenter la nappe ou pour noyer les flammes. Et dans les anses, où l'eau est si calme et où il y a souvent des trains de billots, le feu va se répandre encore plus facilement."

Parks paraissait tirer une grande satisfaction de ses sinistres prévisions. Il s'en retourna vers les téléscripteurs en se frottant les mains, comme s'il savourait d'avance les beaux désastres tout frais.

Sutherland observa un moment l'expert en pétrole, puis il secoua la tête d'un air désespéré.

"Où diable a-t-on déniché ce type-là?" dit-il. Sans attendre de réponse, il se tourna vers Henricks.

"Appelez l'amiral Klein. Je veux savoir le temps le plus court que pourrait mettre l'incendie pour atteindre les côtes de l'état de Washington par le courant de Californie."

A Sitka, seize milles à l'est de la partie sud de l'île Kruzof qui n'est séparée de l'île Baranof que par un détroit, les vieux refusaient de partir.

Le plus braillard de tous était un vieillard qui persistait à appeler la ville par son nom russe original, New Archangel, qui lui avait été donné en souvenir des beaux jours de la Russian-American Fur Company. Brandissant sa canne, il résistait vigoureusement aux infirmières du Pioneers' Home qui essayaient de le faire monter dans l'autobus qui devait les conduire à l'aéroport. Elles n'avaient pas besoin de lui parler de l'incendie. Même si, à présent, ses yeux ne voyaient plus très bien, il pouvait cependant sentir l'odeur du pétrole qui se mêlait à celle de bois pourri qui montait de la papeterie. Mais, pétrole ou pas, il refusait de partir.

La plus grande partie de la population, toutefois, faisait ses bagages. Des nuées d'oiseaux, apparemment interminables, venaient de la mer en feu qui continuait d'apparaître et de disparaître comme un coucher de soleil prématuré, voilé par la fumée noire qui salissait l'horizon et par la silhouette du mont Edgecumbe sur l'île Kruzof.

La nappe de feu se répandait rapidement à travers l'archipel, polluant l'eau bleue de ses détroits et de ses goulets, noircissant ses baies tranquilles où la mer était à peine ridée, rampant de plus en plus près du prolongement méridional de l'Alaska et des vastes régions boisées de l'arrière-pays. Il était évident qu'il n'y avait pas assez d'avions pour assurer l'évacuation immédiate des quatre mille habitants. Priorité fut donc accordée à l'hôpital, puis aux femmes et aux enfants. Ce qui portait les esprits à s'échauffer, c'est que, les malades et les impotents devant être évacués les premiers, le gouvernement avait réquisitionné tous les avions civils pour répondre à la demande. Déplacer à la fois tous les patients du sanatorium des tuberculeux, de l'hôpital orthopédique et du Pioneers' Home aurait été difficile dans le meilleur des cas. Mais avec la plus grande partie de la ville qui se préparait elle-même activement à partir, cela confinait à l'impossible. Un temps précieux était perdu, tandis que les avions attendaient — du temps qu'on aurait pu employer pour transporter ceux qui étaient déjà à l'aéroport.

Quelques propriétaires de ces petits bateaux qui étaient amarrés, collés les uns sur les autres, dansant sur la houle de la baie Crescent, avaient pris la mer pour essayer de fuir de ce côté. Dans le crépuscule qui tombait, il suffisait d'un seul coup d'oeil sur l'horizon obscurci et sur les contours indistincts de l'incendie pour dissuader les plus braves de tenter une percée jusqu'à la mer libre par le détroit. Mais à présent, le gros de l'incendie — qui avait poussé, plus tôt, des ramifications jusqu'à Point Mary et, au-delà, jusqu'à l'île Kruzof — interdisait complètement, vers le nord, la fuite vers Juneau, en bloquant la passe de Kakul qui sépare les îles Baranof et Chichagof. Certains s'étaient raccrochés à l'espoir que l'entrée ouest du détroit de Sitka, au sud de l'extrémité méridionale de l'île Kruzof, pourrait encore offrir une porte de sortie. Mais peu après sept heures, une série d'explosions assourdies et de petits éclairs se produisirent au loin, leur apprenant ce que les gens savaient déjà dans la ville isolée: Sitka était encerclée.

Bientôt, les quelques embarcations qui s'étaient aventurées en mer rentrèrent dans la baie.

De nouveau, le Président revint au tas de coupures de presse où se manifestait l'indignation publique.

"Ça va, Jean. Où en sommes-nous?

— Le *New York Times* s'oppose à ce qu'il appelle "la grossière irresponsabilité de ce gouvernement qui permet la circulation massive des pétroliers... Une action décisive de la part du Président et du Congrès aurait pu prévenir la situation presque incroyable, où l'intervention du *Tyler Maine* a tourné à la catastrophe."

— Le *Tyler Maine*?

— Le destroyer qui a mis le feu."

Le Président, chaussant une paire de demi-lunettes qui lui donnaient un petit air professoral, parcourut la coupure de presse.

"Foutaise. Pourquoi donc mes amis du *Times* n'ont-ils pas rejeté le blâme sur les emmerdeurs de l'industrie du pétrole? Quels pouvoirs réels s'imaginent-ils que nous ayons? Qui a écrit ça?

240

— Liley.

— Ça va de soi, grommela le Président. Pourtant, j'imagine qu'il a raison. Et qu'est-ce qu'on dit dans le *Los Angeles Times*?"

Jean farfouilla dans ses papiers.

"Je l'avais ici, quelque part."

Le Président trouva la coupure et la sortit du tas.

"Ça ne doit pas être particulièrement joli, puisque vous prenez la peine de le cacher."

Jean se mit à protester.

"Je ne voulais pas...

— N'y pensez plus", fit-il.

L'éditorial était coiffé du titre: "Les fruits de l'incompétence". Quant à l'article, il attaquait énergiquement "les insuffisances évidentes de la législation sur les pétroliers... l'influence illégitime du monde du pétrole... les tractations secrètes". De plus, on dénonçait "ce qu'on pourrait appeler la complète impuissance du Président à inspirer confiance, au sein de son cabinet comme dans la nation, à l'occasion de la crise de l'énergie."

Un jeune assistant s'approcha de Jean d'un air hésitant et lui chuchota quelque chose. Elle s'excusa et sortit; mais le Président était si absorbé dans sa lecture de l'article, qu'il ne remarqua pas son départ.

A l'extérieur de la salle des Opérations spéciales, un écriteau lumineux rouge clignotait au-dessus des deux marines. Il portait l'inscription: "En conférence". Près des gardes, un messager militaire attendait. Il était porteur d'une nouvelle cassette magnétoscopique. Avant de rentrer dans la salle avec la cassette, Jean put voir une véritable mer de manifestants et de policiers dans l'obscurité, devant la Maison Blanche. Elle pouvait entendre les hurlement des sirènes, assourdi par les vitres à l'épreuve des balles.

Quand elle rentra, le Président lisait toujours. Pointant furieusement du doigt l'éditorial du *Los Angeles Times,* il déclara:

"J'ai été à l'école avec cet âne-là."

Il se rassit et se frotta les yeux.

"Au moins, Liley a écrit quelque chose de constructif — pas comme cet enfant de chienne-là!"

Jean s'empressa de feuilleter les coupures de presse étrangère, dans l'espoir d'attirer l'attention du Président sur un autre sujet. Cependant, Sutherland replaça ses lunettes et se pencha vers l'avant, comme pour montrer qu'il était prêt à encaisser n'importe quoi.

"Et que dit *Le Monde*?

— Il était déjà sous presse quand ils ont appris la nouvelle. Mais nous avons reçu, par le télex, une traduction de l'éditorial de Dupré à la télévision française.

— Qu'est-ce qu'il dit?

— Il blâme à la fois les Russes et nous-mêmes."

Le Président joignit les mains, l'air assez satisfait.

"Pas mal; ça va faire changement — les Russes qui écopent."

Jean dissimula volontairement une caricature peu flatteuse, qui représentait le Président et le leader du gouvernement soviétique se vautrant dans une mare à cochons remplie de pétrole. Le dessin portait le titre: "Qu'on est bien chez soi!" Elle passa rapidement à un résumé des commentaires de Dupré.

"Il fait une mise en garde contre *le danger immédiat que cela représente pour le plancton, essentiel à la survie des petits animaux marins — non seulement pour l'Amérique du Nord, mais aussi pour tous les pays du Pacifique et, évidemment, du monde entier... une leçon que tous les*

242

écoliers ont apprise. Il parle aussi du *danger qui menace les mers plus petites...*

— En attendant, coupa le Président, il brûle de l'essence pour aller lire son texte au studio. A part ça, c'est un plein de merde — à l'entendre, c'est toujours la fin du monde. Ils ignorent donc tous que le pétrole est un produit naturel? Ça va finir par se fragmenter et se disperser. Jésus-Christ, il y a des insectes qui se développent là-dedans. Je ne parle pas des types qui nous reprochent cette histoire d'incendie. Là, je suis d'accord: c'est ça, la vraie menace. Mais tous ces crétins qui nous ramènent leur foutaise de plancton assassiné — ils n'étudient pas leurs leçons! —, ils ont l'air de croire que le pétrole, c'est la même maudite chose que le DDT."

Sutherland repoussa les coupures de presse.

"Ça va bientôt être l'heure de la réunion sur la pollution. Mais je vois que vous avez une nouvelle bande magnétoscopique. Est-ce que nous devrions la regarder?

— Je crois que oui, monsieur le Président."

Mais Sutherland n'était pas convaincu.

"Qu'est-ce que ça montre?

— Des manifestations."

Sutherland se redressa.

"Des manifestations? Pouvez-vous me dire pourquoi je voudrais voir des manifestations?"

Il agita la main en direction de la foule, à l'extérieur.

"J'en ai une qui se déroule dehors, en ce moment-même."

Apparemment, les rapports de presse commençaient à faire leur petit effet sur le Président. Jean espérait qu'à la réunion, où il aurait besoin de tout son sang-froid, il ne serait pas trop agressif. Ce qu'il lui fallait, pensait-elle, c'était une évidence indiscutable qui parle pour lui. Elle lui désigna la cassette de vidéo.

"Sur ce film, on a les manifestations les plus importantes, monsieur le Président. Nous ne sommes pas les seuls à avoir des manifestations sur notre parterre. Je crois que ces images seraient très utiles pour exercer une pression, afin d'obtenir des pouvoirs d'urgence pour le contrôle du pétrole, comme vous le désirez. Ça ne va prendre que quelques minutes."

Sutherland eut un soupir de résignation.

"Quelques arguments de plus ne pourraient certainement pas nuire. Particulièrement avec le bloc du Texas. Ça pourrait peut-être leur faire bouger le cul, pour changer.

— Exactement, monsieur le Président.

— Ça va, vous m'avez convaincu. Allez-y."

Tandis que Jean insérait la cassette dans l'appareil magnétoscopique, Sutherland demanda:

"Combien de Japonais tués dans le LNG, Bob?

— Trente-trois, monsieur le Président. Tout l'équipage. Ces choses-là, ça saute comme des bombes.

— Ça, je vous le garantis", intervint la voix nerveuse de Parks, avec une allégresse qui paraissait obscène dans le crépitement des téléscripteurs.

Le Président fit semblant de n'avoir pas remarqué son intervention; il se tourna vers l'immense écran de télévision.

Les flammes écarlates pointaient de temps à autre, irrégulièrement, dans l'obscurité épaisse qui enveloppait Harry et Elaine. On aurait dit les langues de lézards monstrueux, à la recherche d'une proie.

Manquant d'air, à moitié étouffés, la Vice-présidente et le vieillard étaient à présent jusqu'à la taille dans la mer couverte de pétrole. Ils se retenaient aux anneaux de cordage que Harry avait pris soin, un peu plus tôt, d'attacher au plat-bord, en prévision de la chaleur torride qui accompagnerait la progression finale de l'incendie. La pompe parvenait tout juste à aspirer de l'eau à plusieurs pieds sous la surface et à en arroser le pont. Cela réduisait le risque de voir le bois s'enflammer — du moins pour le moment. Toutefois, le matériel laminé du pont gondolait et se soulevait, se tordant en des formes grotesques sous l'effet de la chaleur. Harry toussait violemment, les épaules nouées de spasmes, crachant toujours du sang.

Une petite zone de mer libre restait encore autour d'eux; mais des coulées de pétrole en feu, semblables à de la lave, se rapprochaient de minute en minute. Utilisant une écope, Harry noyait les petites flaques de feu qui se détachaient des courants principaux et qui se rapprochaient trop. A bout de force, il tendit l'écope à Elaine. Elle voulait prendre une bonne inspiration et plonger sous l'eau pour se rafraîchir la tête; mais Harry l'en avait empêchée, de crainte que le pétrole qui resterait dans ses cheveux ne la transforme en torche vivante au contact de la moindre flamme.

Le Président pensait constamment à Elaine, de sorte qu'il trouvait difficile de se concentrer sur le bulletin de nouvelles montrant l'émeute du chantier naval d'Asanami. Lorsqu'il parvint à fixer son attention sur ce qui se passait à l'écran, une chose le frappa immédiatement: qu'une émeute aussi violente ait pu éclater dans un pays qui, ne produisant pour ainsi dire pas de pétrole, en avait besoin plus que toutes les autres nations du monde industrialisé. C'était là un sinistre présage. Il consulta sa montre. Il lui faudrait bientôt partir pour la conférence sur la pollution; mais il était heureux que Jean eût insisté pour lui faire voir le film. Cela secouerait le Département d'Etat — et peut-être bien d'autres personnes — et l'inciterait à exercer des pressions sur le Congrès. N'importe quel fou pouvait voir que la politique étrangère américaine allait souffrir, et souffrir gravement, du niveau d'indignation qui avait saisi l'opinion publique — et ce, peu importe qui allait être blâmé pour la catastrophe.

Le Président se leva. La lumière revint, tandis que sur l'écran de télévision l'image disparaissait et faisait place à un point silencieux. Cela donnait un peu l'illusion que par le simple jeu d'un interrupteur, le monde était revenu à la normale.

"Jean, fit-il, apportez cette cassette avec vous à la chambre verte.

— Oui, monsieur le Président.

— Et les coupures de presse aussi. Certains membres du Congrès y sont cités aussi. Il faut bien qu'ils aient leur part, eux aussi.

— Oui, Monsieur."

Les gardes se mirent sèchement au garde-à-vous quand ils passèrent. Par les fenêtres du long corridor qui conduisait à l'aile ouest, ils pouvaient voir l'immense foule des protestataires, rompue ici et là par des groupes de policiers de l'escouade anti-émeute casqués de blanc. Ils avaient l'air à la fois rassurants et effrayants, avec leur masque à gaz pendant à leur havresac comme une tête réduite. Un détachement se déplaça et alla occuper une autre position. A ce moment, Jean eut l'impression que les têtes étaient soudain devenues vivantes, sautillant et se balançant librement dans la lueur rouge sang des lumières clignotantes. Son regard s'arrêta sur une jeune femme qui, de loin, ressemblait à la Vice-présidente. Elle se demanda si elle reverrait jamais Elaine Horton.

Chapitre 15

Hogarth surveillait l'assiette et l'inclinaison du bâtiment, alors qu'on essayait de maintenir la vitesse maximum de dix-huit noeuds tout en suivant au plus près la route tracée plus tôt par O'Brien. Le commandant, qui en temps normal ne prenait pas de quart, s'occupait du périscope; il parcourait constamment du regard le poste de contrôle, à l'affût du plus léger signe qui pourrait annoncer des ennuis. Ce qui l'inquiétait particulièrement, c'étaient les risques de voies d'eau. Le Ranger de type XXII était un bon sous-marin; mais chaque type de bâtiment avait ses points faibles. Comme c'était le cas pour n'importe quel submersible, la pression subie par sa coque doublait à chaque cent pieds de profondeur. Et, par-dessus tout, le *Swordfish* était actuellement le plus vieux sous-marin de son type encore en service. Il était loin de sa profondeur maximum de sept cents pieds, mais Kyle devait tout de même le tenir à bonne distance de la surface, de peur de frapper des flaques de pétrole en train de former de grosses boules noires — ou de donner dans ces boules elles-mêmes pendant qu'elles descendaient lentement vers le fond. Kyle savait que si cela se produisait, le pétrole, semblable à de la mélasse, envelopperait le sous-marin et se collerait à la fibre de verre qui constituait la couche extérieure du pont et du kiosque. Si le *Swordfish* devait, dans un tel état, faire surface un peu trop près du feu, il pourrait s'enflammer rapidement lui-même.

Les hommes qui s'occupaient de l'assiette et les deux matelots qu'on avait désignés pour manoeuvrer manuellement les ailerons — afin d'épargner le courant électrique qui aurait normalement alimenté le contrôle automatique — étaient nerveux et couverts de sueur. Hogarth était très conscient de la présence du commandant; c'est pourquoi il avait tendance à les engueuler à cause du gaspillage d'énergie engendré par les moindres variations dans le mouvement horizontal ou vertical du sous-marin. Les auxiliaires aussi étaient nerveux; ils attendaient anxieusement l'ordre d'injecter de l'air comprimé dans les réservoirs de ballast, afin de regagner la surface.

O'Brien s'essuya le front et baissa les yeux vers la table des cartes. Il observait la lumière, pas plus grosse qu'une piqûre d'épingle, qui se déplaçait avec des bonds et des secousses sous la carte, au fur et à mesure que le gyrocompas automatique fournissait ses coordonnées. Pendant quelques minutes, il fit un relevé du mouvement de la lumière, afin de constater à quel point le sous-marin avait dévié de la route établie. Puis, il effectua une contre-vérification en faisant fonctionner le sonar de profondeur pendant une minute ou deux. Il compara ensuite les résultats du sonar avec le relevé de la carte. Compas en main, il travaillait rapidement, de sorte qu'il put bientôt annoncer à Hogarth:

"Correction. Gouvernez zéro sept deux pendant six minutes."

Malgré la forte gîte qu'avait prise le sous-marin en changeant de direction, l'opérateur de sonar, dégoulinant de sueur à force de concentration, ne cessait pas d'observer son écran ou d'écouter les bruits qui leur parvenaient. Afin d'étendre sa portée, il avait mis l'appareil au mode passif, qui ne lui permettait pas d'envoyer des impulsions mais seulement de recueillir les bruits de l'extérieur — comme celui d'un moteur de bateau, par exemple. Mais l'opérateur n'entendait, pour le moment, que le bruit de l'incendie. Il était prêt, toutefois, à demander au commandant la permission de remettre l'appareil au mode actif, de courte portée. De cette façon, le sonar, en plus de capter les sons, émettrait une onde qui serait renvoyée par tout objet solide sur son passage. S'ils avaient de la chance, cet objet serait un bateau de pêche. Jusqu'ici, ils étaient trop loin de la position de la Vice-présidente pour espérer capter le moindre écho; mais à présent, le bateau devait être à portée de leur appareil.

Le téléphone sonna, le panneau indicateur annonçant un appel de la chambre des torpilles avant. O'Brien décrocha le récepteur.

"Poste de contrôle", dit-il.

D'abord, il crut qu'il n'y avait personne à l'autre bout. Puis, il entendit, faiblement, comme un rire nerveux de fille.

"Poste de contrôle, répéta-t-il d'un ton sec. Voulez-vous bien me dire ce que vous foutez?"

Il y eut un rire hystérique. Quelqu'un disait, tout hoquetant:

"Il... il veut... savoir... Il veut savoir..."

O'Brien raccrocha.

"Quelqu'un qui a perdu la tête, dit-il. Le manque d'oxygène, je suppose. Ça ne doit pas être fameux, à l'avant."

Kyle, malgré son inquiétude, ne put rien faire de plus qu'un signe de tête plein de lassitude à l'intention du commissionnaire qui se tenait près de lui.

"Faites brûler un des générateurs d'oxygène", dit-il.

Mais O'Brien n'était pas sûr que le commissionnaire eût déjà allumé l'un de ces générateurs. Il leva la main à contrecoeur.

"Je m'en charge", dit-il.

Puis, il mit les odieuses lunettes rouges. Comme O'Brien sortait du poste de contrôle, le commissionnaire demanda au commandant:

"Excusez-moi, mon commandant, mais ça peut nous donner de l'oxygène pour combien de temps, ces générateurs-là?

— Deux heures. Environ une heure chacun, grogna Kyle, ne cherchant même pas à cacher sa fatigue. Ne vous inquiétez pas."

Mais le matelot était moins rassuré que jamais. Il en savait assez pour comprendre que chaque générateur, tout en leur fournissant un supplément d'oxygène, ferait en même temps monter la pression à l'intérieur du sous-marin. Cela augmenterait l'effet du bioxyde de carbone et, par conséquent, les risques d'asphyxie.

Comme il allait entrer dans le petit bureau pour y prendre le générateur, O'Brien s'arrêta net. Nairn était étendu par terre, inconscient. Quant à Lambrecker, il avait disparu. O'Brien inspecta les alentours, sans trop espérer y découvrir Lambrecker. Il détacha rapidement de son support l'un des générateurs, un cylindre blanc de six pouces sur douze pouces; puis, il l'inséra dans le manchon d'acier galvanisé soudé au pont et frappa le percuteur, sur le dessus. La cartouche de 22, chargée à blanc éclata au niveau des produits chimiques avec un claquement sec. Quelques secondes plus tard, la bougie de chlorate commençait à brûler, dégageant l'oxygène vital. O'Brien la regardait qui sifflait doucement et, à travers ses lunettes rouges, elle lui faisait penser à un énorme bâton de dynamite.

L'officier en second décida de ne pas apprendre immédiatement l'évasion de Lambrecker au commandant: cela ne ferait qu'augmenter la tension dans le poste de contrôle, au moment même où l'on venait d'entrer dans la zone de sauvetage et où l'on tâchait de recueillir le plus imperceptible écho. Il se rendit plutôt au mess des officiers mariniers. L'officier marinier Lane et l'officier marinier en chef Saxton étaient assis, l'air complètement vidés, comme sous le coup d'une insolation.

"Vous venez avec moi les gars?"

Lane, le plus jeune des deux, se leva péniblement.

"Qu'est-ce qui se passe, mon lieutenant?

— J'ai besoin d'aide. C'est Nairn: il est évanoui. Et Lambrecker a foutu le camp."

O'Brien tourna les yeux vers l'autre officier marinier.

"Ted, dit-il, je veux que vous preniez quelques gars avec vous et que vous me retrouviez Lambrecker. Vous le garderez à vue. Cette fois, vous le ligoterez, le bâtard."

L'officier marinier leva paresseusement la tête.

"On y va."

Tout ce que Nairn put se rappeler en revenant à lui, c'est que le matelot Sheen avait apporté à Lambrecker un plateau de nourriture qui provenait de la cuisine de l'équipage. L'officier marinier en chef secoua la tête.

"Sheen et Lambrecker! Mais bon Dieu, mon gars, t'as jamais regardé *Gunsmoke?*"

Nairn avait la tête qui lui élançait.

"Je... je vous demande pardon, Monsieur?

— Peu importe. Venez avec moi. Je vais vous arranger ça. Eh ben, mon vieux, vous avez une jolie bosse. La canaille!"

O'Brien s'en retourna, laissant derrière lui le sifflement du générateur d'oxygène et se dirigeant vers le poste de contrôle. Il était 19 heures 45. Encore quarante-cinq minutes avant l'expiration du délai prévu pour le sauvetage. Mais où diable était donc Lambrecker, pensait-il; et, plus important encore, que faisait-il?

Comme il approchait du poste de contrôle, il remarqua que le bâtiment était anormalement tranquille. Probablement à cause de la chaleur, conclut-il; personne n'avait le goût de bouger, ni même assez d'énergie pour le faire. Mais cette explication ne satisfaisait pas l'officier en second. Non, la chaleur seule ne pouvait être responsable du sinistre pressentiment qu'il avait éprouvé en découvrant le jeune Nairn étendu par terre. Ce n'était pas seulement la vue du jeune homme évanoui qui l'avait troublé. Il avait eu l'impression de se trouver en présence de quelque chose d'autre, qu'il aurait dû voir — quelque chose de bien plus troublant que le fait de découvrir Nairn proprement assommé, mais qu'il ne parvenait pas à se rappeler. Et plus il essayait de se souvenir, plus cela lui échappait.

252

Les deux officiers mariniers se séparèrent; chacun était armé d'une matraque anti-émeute de la police militaire. L'officier marinier en chef se dirigea vers la section avant, tandis que Lane allait explorer l'arrière du bâtiment et, dessous, la chambre du générateur.

Comme il passait devant les corps inertes étendus en travers des couchettes ou affalés contre les cloisons suintantes, Lane pouvait sentir l'espèce de mauvaise humeur qui flottait dans le silence de l'équipage. En traversant le poste d'équipage, le mess des officiers vide, le bureau du bâtiment, la soute aux provisions et les deux compartiments avec leurs douze couchettes chacun, juste comme il atteignait la chambre des machines, il sentit cette hostilité ouverte provoquée par sa présence. Un petit graisseur barbu, reluisant de sueur dans ce compartiment arrière où il faisait 110° F, lui lança un regard furibond de derrière l'arbre de propulsion couvert d'huile. Lane rencontra son regard et se tourna pour lui faire face.

"Qu'est-ce qui ne va pas?"

Le matelot versa de l'huile sur un roulement à billes.

"Rien, dit-il.

— Alors, qu'est-ce que tu regardes?

— Je ne regardais pas."

L'officier marinier était trop fatigué pour insister.

"As-tu vu Lambrecker? cria-t-il assez fort pour dominer le bruit de l'arbre.

— Qui?"

Lane dut prendre plusieurs profondes inspirations avant de pouvoir poursuivre.

"Lambrecker, répéta-t-il.

— Connais pas.

— Comment ça, que tu ne le connais pas! C'est un graisseur.

— Il doit faire partie d'un autre quart.

— Bon Dieu! C'est le gars qui est aux arrêts!

— Ah! *Lui...* Ben oui, je l'ai vu."

Et le graisseur baissa les yeux; il se mit à dévisser le bouchon d'une burette, comme pour mettre fin à la conversation. Lane passa le bras sur son front.

"Où est-ce que tu l'as vu?"

Le graisseur remplissait la burette avec beaucoup d'attention. Trop d'attention. Lane sentait que quelque chose n'allait pas.

"Où est l'officier qui commande ici?" demanda-t-il vivement.

L'espace d'un instant, l'officier marinier put apercevoir une ombre, pas plus grosse qu'un crayon, qui venait d'apparaître sur l'arbre de l'hélice. Puis, l'instant d'après, il gisait par terre, inanimé. Trois matelots, y compris le graisseur, aidèrent Lambrecker à transporter Lane hors de la chambre des machines, jusqu'à la soute où Jock McMahon, l'ingénieur, était assis, les mains liées derrière lui à un taquet de la cloison de tribord. L'Ecossais avait le visage d'un rouge violacé. Quand il aperçut l'officier marinier inconscient, il explosa.

"Vous êtes complètement fous, pauvres bâtards! Vous ne vous en tirerez pas comme ça, c'est moi qui vous le dis."

Pas un instant Lambrecker n'avait cessé de penser à Fran et Morgan. Lorsqu'il était éveillé, il passait son temps à imaginer des scènes de pardon ou de vengeance sanglante; quant à ses longues heures de sommeil troublé, elles étaient remplies du stérile désir qu'il avait d'elle. Mais il n'y pouvait rien; il ne pouvait strictement rien faire avant son retour. La voix de McMahon lui parvenait de très loin. Tout ce qu'il entendait au fond de lui, c'était le ton insupportablement sûr de lui de Morgan. Il arrivait même à trouver une ressemblance avec Morgan dans le visage mou de McMahon.

Le poing de Lambrecker atteignit McMahon au plexus solaire. L'ingénieur se plia en deux comme une poupée de chiffon, en expulsant tout l'air de ses poumons dans un grand soupir. Tandis que Lambrecker ligotait Lane, Haines, le graisseur, remonta l'escalier pour aller surveiller la coursive. Au bout d'un moment, il redescendit.

"Et s'ils l'entendent? demanda-t-il à Lambrecker.

— Qui pourrait l'entendre? fit Lambrecker d'un ton méprisant. Au poste de contrôle? Ils sont bien trop loin vers l'avant.

— Non, je veux parler des autres — le reste de l'équipage."

Lambrecker prit le temps de bien serrer le noeud.

"La plupart des gars savent ce qui se passe. Ce n'est pas eux autres qui vont nous arrêter.

— Qu'est-ce que t'en sais?" demanda nerveusement Haines.

Lambrecker retira de ses lèvres minces le mégot de cigarette qui y brûlait, puis il le jeta par terre et l'écrasa avec sa grosse bottine.

"Y a trois petites choses que je sais, dit-il. Premièrement, ils sont trop fatigués pour se mêler de ça; deuxièmement, ils savent que si on ne s'en retourne pas tout de suite, on va se noyer comme des rats quand l'énergie du sous-marin va faire défaut, ou griller tout vifs si on remonte à la surface pour essayer d'en réchapper

255

comme ça; et troisièmement, les gars veulent rentrer chez eux autant que nous autres. Ils vont nous laisser faire tout le sale travail. Si ça marche, ils vont être avec nous. Si ça ne marche pas, ils vont dire qu'ils n'ont jamais entendu parler de rien. On appelle ça jouer gagnant. Ils ne s'en mêleront pas, je te dis. Ça va?"

Mais Haines avait encore l'air inquiet.

"D'accord, commença-t-il d'un ton peu convaincu. Mais qu'est-ce que je fais, s'ils en envoient un autre à ta recherche?

— Si on agit assez vite, on va pouvoir lui tomber dessus avant qu'il comprenne ce qui lui arrive. C'est moi seul qu'ils cherchent — ils ne sauront pas qu'on est cinq... jusqu'au moment où on va frapper. A ce moment-là, il va être trop tard pour qu'ils puissent faire quelque chose. Maintenant, retourne en haut et va jeter un coup d'oeil aux officiers qui ne sont pas de quart. Vérifie s'ils sont bien attachés. Puis, amène Sheen et les autres ici — vite.

— Mais il y a aussi le quatrième officier et l'ingénieur en chef. Et l'officier marinier en chef Jordan. On ne les a pas encore.

— Le quatrième officier et Jordan ne sont pas de quart; ils sont à l'avant. Le chef ingénieur est à l'avant aussi; il vérifie les réservoirs de carburant. T'en fais pas — on les cueillera en se rendant au poste de contrôle."

Haines se sentait mieux, maintenant qu'il avait l'impression de comprendre. Ce cher vieux Lambrecker. Il eut un sourire entendu.

"D'accord. Je m'occupe des autres."

Lorsqu'il fut parti, Lambrecker bâillonna McMahon et Lane; puis il s'assura que les deux hommes étaient solidement attachés. Même à travers le bâillon, il pouvait entendre les grognements étouffés de l'officier marinier Lane qui reprenait conscience. Lambrecker se pencha, souleva la tête de l'officier marinier et le traîna à l'écart, de sorte que personne ne puisse l'apercevoir en entrant dans la soute. Comme il appuyait l'officier marinier à une armoire de métal, tout près de McMahon, Lambrecker s'aperçut que la main avec laquelle il avait soutenu la tête de Lane était couverte de sang chaud. Il le regarda un moment, puis l'essuya rapidement à son pantalon.

Soudain, Haines apparut dans la porte; son visage était pâle comme la mort. Le graisseur était manifestement saisi de panique. Il tremblait.

"Il... il vient par ici!"

Lambrecker étendit le bras, attrapa Haines par le collet de sa combinaison et lui fit descendre les deux dernières marches. Les bottines du graisseur glissèrent sur le pont de métal et il battit l'air de ses bras pour reprendre son équilibre. Lambrecker l'appuya violemment contre la cloison.

"Ecoute, petit trou d'cul, fit-il, ne perds pas la tête ou tu vas tout foutre en l'air. Maintenant, dis-moi, lentement, qui c'est qui vient par ici.

— Un... un... officier marinier... Saxton... un chef. Je suis venu aussitôt que je l'ai vu.

— Où est-ce qu'il est? demanda sèchement Lambrecker.

— En haut, au poste d'équipage; mais il vient par ici. Il te cherchait à l'avant."

Lambrecker jeta un coup d'oeil vers le haut de l'escalier, où la porte ouverte donnait sur la coursive. Il regarda sa montre, puis revint à Haines.

"Ça va. Laisse-le faire; qu'il me trouve. On n'a plus de temps à perdre.

— Quoi... Je ne...”

La main de Lambrecker se resserra, jusqu'à ce que Haines commence à étouffer.

“Va me chercher Sheen et les autres, puis reviens ici au plus vite. Faut qu'on se grouille, maintenant; avant qu'ils s'aperçoivent que je ne suis pas tout seul. Compris?”

Haines secoua vigoureusement la tête. Lambrecker relâcha sa prise, et le graisseur, tout suffoquant, aspira profondément.

“Qu'est-ce qui va arriver, s'il... si le chef...”

Le cerveau de Lambrecker fonctionnait à toute vitesse; il avait prévu la question du graisseur.

“S'il me trouve avant que tu reviennes, je m'en occupe. Mais s'il veut jouer les héros, je pourrais avoir besoin d'aide. Alors, grouille-toi.”

Haines se rua dans l'escalier.

“Marche, espèce d'enculé!” siffla Lambrecker.

Haines s'arrêta net. Il regarda autour de lui et, luttant contre la panique qui montait en lui, il sortit dans le couloir.

Avant d'avoir atteint la porte qui conduisait à la soute, l'officier marinier en chef Saxton croisa un quartier-maître occupé à vérifier le niveau du réservoir de carburant de tribord. Le matelot cogna sur la vitre de la jauge récalcitrante.

“Ramsey, dit le chef d'une voix lourde de fatigue, avez-vous vu Johnny Lane quelque part?”

Par habitude, Ramsey tapota la jauge une seconde fois.

“Ah, excusez-moi... De quoi s'agit-il, chef?

— L'officier marinier Lane. Il est supposé être venu

ici, à la recherche de Lambrecker. L'avez-vous vu?"

Le matelot paraissait éprouver de la difficulté à lire à travers la vitre embuée par l'humidité.

"Ouais. Je l'ai vu dans la chambre des machines. Il parlait avec Haines, il me semble.

— Vous êtes sûr? Je l'ai cherché partout.

— Ouais... Je pense."

Ramsey hésitait.

"En y pensant bien, je dois dire que je ne l'ai jamais vu se rendre jusqu'à l'arrière. Il a dû descendre à la soute."

Le chef eut juste le temps de se raccrocher à une épontille: il avait temporairement perdu le sens de l'équilibre, étourdi par l'effort que demandait le fait de marcher et de respirer dans l'atmosphère oppressante du compartiment arrière. Ramsey se précipita et le retint. Au bout d'un moment, il se sentit mieux.

"Merci", dit-il.

Il lâcha sa matraque et la laissa pendre à son poignet par la courroie. Puis, il s'engagea dans l'escalier de la soute, en appelant:

"Tu es là, Johnny?"

Il ne vit même pas Sheen se faufiler derrière lui, une clé anglaise à la main. A présent, trois hommes seulement n'avaient pas connu le même sort: le quatrième officier, l'ingénieur en chef et Jordan. Leur tour viendrait.

Tout ce que O'Brien put entendre en rentrant au poste de contrôle, ce furent les "ping!" caractéristiques du sonar. Cela lui apprenait que Sparks devait avoir fait passer l'appareil du mode passif au mode actif. Et s'il s'attendait à capter un écho, cela devait signifier que le sous-marin était actuellement à moins de dix milles de la position approximative du bateau de pêche.

Mais le commandant, comme s'il avait pu lire dans les pensées de O'Brien, secoua la tête d'un air découragé.

"Sur le mode passif, l'indendie produisait trop de bruit de fond. Ce feu fait un vacarme de tous les diables."

Il s'interrompit pour prendre une inspiration.

"A peu près impossible de repérer leur moteur dans tout ça. Ecoutez un peu, voir."

L'opérateur remit le sonar au mode passif, tandis que O'Brien prenait le casque d'écoute. Tout ce qu'il put entendre, ce fut un assourdissant concert de craquements qui faisaient penser à un incendie dans une forêt de cyprès. Il rendit le casque et alla consulter la carte.

"Pourtant, on devrait être dans les parages."

Le commandant était appuyé contre le périscope de recherche. Dans le poste de contrôle, la température avait grimpé à 110°F et il ne restait plus de comprimés de sel. O'Brien se sentait un peu coupable de n'avoir pas rapporté l'évasion de Lambrecker. Mais le visage reluisant de sueur du commandant, ses traits tirés, sa respiration laborieuse suffirent à le convaincre qu'il avait eu raison. Ils avaient tous besoin de se serrer les coudes un peu plus longtemps que prévu. Une fois que le sauvetage aurait commencé — si jamais il commençait —, tout le monde aurait beaucoup trop à faire pour se pencher sur ses propres problèmes. De toute façon, on retrouverait Lambrecker tôt ou tard.

Pendant que de précieuses minutes s'écoulaient et que le sonar envoyait ses ondes à travers les profondeurs de l'océan, le commandant Kyle observait l'écran de l'appareil où le balayage laissait des traits lumineux qui s'évanouissaient aussitôt. O'Brien avait raison; ils devaient être parvenus assez près du bateau de pêche pour pouvoir en capter l'écho — s'il y avait encore un écho. Mais même si le bateau était encore à flot, il n'était pas possible de savoir à quelle distance de sa position originale l'incendie l'avait repoussé.

Il y avait un autre problème qui l'inquiétait: les accumulateurs du sous-marin, qui se déchargeaient rapidement. S'il fallait que l'énergie électrique baisse trop, le *Swordfish* se trouverait terriblement handicapé: il serait incapable de regagner rapidement la surface, ou de s'échapper. Il se rappelait l'époque des sous-marins de type Tench. Il aurait alors suffi de maintenir la vitesse maximum, dans ces conditions, pour épuiser les accumulateurs en une heure. Avec l'avènement du type Ranger, l'autonomie s'était trouvée accrue. Mais ce n'était pas suffisant, et le *Swordfish* ne disposerait que d'une étroite marge de temps pour s'échapper après le sauvetage. Il mâchonna sa lèvre inférieure. Peut-être valait-il mieux renoncer maintenant.

Il parcourut la carte du regard. Ils approchaient du point que O'Brien avait marqué d'un X bleu en traçant leur route: c'était la limite que leur réserve d'énergie leur permettait d'atteindre à pleine vitesse — leur point de non-retour. Si seulement ils avaient pu naviguer en surface, ne fût-ce qu'une demi-heure, pensait Kyle. Ils auraient avancé plus lentement — le sous-marin n'atteignant sa vitesse maximum qu'en plongée —, mais cela leur aurait permis de refaire le plein d'oxygène et de recharger, au moins en partie, les accumulateurs.

L'aiguille des minutes de la pendule fit un bond en avant. Il était presque vingt heures. Kyle observa un autre balayage sur l'écran du sonar, puis il fixa de nouveau son attention sur la carte. La surface couverte par la nappe de feu, telle que relevée sur les photos prises par le satellite du quartier général de la flotte du Pacifique, ressemblait à un énorme haltère — c'est-à-dire deux nappes plus ou moins circulaires, reliées par une sorte d'étranglement.

O'Brien étudiait de nouveau leur route, essayant de trouver le délicat point d'équilibre entre la plus haute vitesse possible et le temps le plus long dont ils disposaient. S'ils maintenaient leurs dix-huit noeuds, il leur faudrait bientôt faire demi-tour. Mais s'ils ralentissaient, cela ferait bien plus que d'ajouter au péril de la situation où se trouvait la Vice-présidente: cette économie d'énergie deviendrait inutile si la nappe s'étendait suffisamment pour vouer à l'échec toute tentative d'en sortir. Une diminution de vitesse signifiait une immersion prolongée — avec l'accroissement évident du danger de suffocation.

A 20 heures 03, O'Brien jura tout bas. Ses doigts, humides de sueur, avaient glissé sur son compas, barbouillant quelques calculs qu'il avait faits au crayon. De plus, la sueur qui lui coulait du front embrouillait sa vision et l'empêchait de se concentrer. Kyle retourna au sonar et demanda:

"L'équipe de sauvetage est prête?"

O'Brien fronça les sourcils. Une heure plus tôt, il avait déjà dit au commandant que tout était prêt, alors que celui-ci avait procédé à l'inspection de l'équipe entassée sous l'écoutille avant.

"Tout le monde est prêt, Monsieur."

Kyle le remercia d'un signe de tête plein de lassitude. Il gardait les yeux braqués sur l'écran, comme si sa seule présence pouvait provoquer l'apparition d'un point lumineux. Sans lever les yeux, il demanda:

"Il nous reste de l'énergie pour combien de temps?"

Cela aussi, O'Brien le lui avait dit cinq minutes plus tôt. Il leur restait une demi-heure, avant d'être obligés de faire demi-tour, puis environ deux heures pour tâcher de se tirer de là.

"A peu près deux heures et demie, mon commandant.

— Je veux une réponse précise, Lieutenant."

Le barreur de plongée de tribord se tourna légèrement sur son siège.

"Regardez ce que vous faites", fit Hogarth d'un ton sec.

O'Brien prit le temps de s'éponger le cou et le visage avant de répondre au commandant, espérant lui faire comprendre ainsi qu'il ne contribuait pas à réduire la tension que tous ressentaient, en posant la même question toutes les cinq minutes.

"Il nous reste de l'énergie pour deux heures et demie, mon commandant.

— Ça, c'était il y a dix minutes."

Exaspéré, O'Brien murmura tout bas; puis il répondit:

"Il nous reste de l'énergie pour deux heures et vingt minutes, Monsieur.

— On économise le courant dans tous les secteurs?

— Oui, Monsieur. Le système de climatisation et l'éclairage sont au minimum."

Pas un instant le commandant n'avait quitté des yeux l'écran du sonar.

"Je veux qu'on arrête complètement le système de climatisation — y compris la réfrigération de la nourriture.

— Mon commandant?

— J'ai dit: arrêtez *complètement* le système de climatisation — y compris la réfrigération de la nourriture."

Cette fois, les deux barreurs de plongée regardèrent Hogarth. L'officier ne dit rien.

"Oui, Monsieur", répondit O'Brien d'un ton las.

Il allait décrocher le récepteur pour transmettre l'ordre, quand il changea d'avis: parler davantage ne ferait qu'augmenter l'irritation de Kyle, collé à son écran de sonar, épiant éperdument le plus imperceptible écho. O'Brien se tourna plutôt vers le commissionnaire et lui dit calmement:

"Allez dire à celui qui s'occupe du système de climatisation de fermer le générateur.

— Oui, mon lieutenant."

Slade, un petit assistant-ingénieur aux cheveux roux, d'origine irlandaise, venait juste de se traîner hors du compartiment des torpilles avant pour prendre un moment de repos dans le petit compartiment du générateur situé au centre du bâtiment. Il n'en croyait pas ses oreilles.

"Sont-ils devenus fous? disait-il. Il fait déjà plus de 110° F, ici dedans. Je viens de prendre la place d'un gars qui s'est évanoui."

Le messager haussa les épaules.

"Il fait chaud comme chez le diable dans le poste de contrôle aussi."

Slade abaissa un interrupteur.

"Ça va, ça va — je vais arrêter tout leur foutu machin. Est-ce qu'ils ont réussi à repérer le bateau?

— Non.

— Sais-tu qu'il va falloir faire demi-tour d'ici peu de temps?"

Le commissionnaire haussa de nouveau les épaules: il ne voulait absolument pas qu'on pût le tenir responsable de ce qui se passait dans le poste de contrôle. Comme il allait sortir pour regagner son poste, Slade le rappela.

"Eh, messager. T'as entendu parler de Lambrecker?"

Le commissionnaire avait l'air intrigué. "Qu'on l'a arrêté? Ouais, j'en ai entendu parler.

— Arrêté! Foutaise! Il s'est sauvé. Il s'est échappé du bureau.

— Jésus-Christ! Où est-ce qu'il est?

— Sais pas."

Slade respira profondément et s'essuya le visage avec un vieux chiffon huileux.

"Veux-tu que je te dise autre chose? fit-il.

— Quoi?

— Evers — le gars qui est à l'infirmerie avec des brûlures.

— Ouais... qu'est-ce qu'il a?

— Le type qui travaille à l'infirmerie pense qu'il va casser sa pipe. Je j'ai vu. Il a vomi partout. Il a l'air d'un sacré fantôme, le gars. C'est tout ce que Lambrecker attend, laisse-moi te dire ça.

— Mon Dieu!"

Slade cessa de promener sur sa gorge la guenille sale, qui pendait librement sur sa poitrine.

"Tu veux dire qu'au poste de contrôle, t'as jamais entendu parler de ça non plus?

— Je... je ne savais rien de tout ça."

Slade fourra la guenille dans la poche arrière de son pantalon.

"Probablement qu'ils ne le savent pas eux mêmes, les trous d'cul. De toute façon, qui c'est qui mène, dans ce maudit sous-marin?"

Le messager haussa de nouveau les épaules et s'en

alla. De retour au poste de contrôle, il fit son rapport à O'Brien.

"J'ai parlé à Slade, mon lieutenant. Il a arrêté le système."

O'Brien eut à peine un hochement de tête, et le commissionnaire s'assit silencieusement dans un coin, se demandant s'il devait raconter ce qu'il venait d'entendre.

Le commandant était de nouveau devant la table des cartes, écoutant toujours le sonar d'une oreille et poursuivant O'Brien de toutes sortes de questions.

"Combien d'air nous reste-t-il?

— Pour quatre heures, au maximum."

Kyle prit le rapport qu'on venait de lui apporter de la radio. Prudemment, à voix basse pour éviter que les autres ne l'entendent, il demanda à Kyle:

"D'après vos calculs, est-ce que ça suffit pour qu'on s'en sorte?"

— Non, mon commandant, répondit O'Brien, à voix basse lui aussi. Pas par où nous sommes entrés. L'incendie s'est étendu partout derrière nous... si les coordonnées d'Esquimalt sont toujours justes.

— Pas de raison de supposer qu'elles ne le sont pas, pas vrai?

— Eh bien, ils ne peuvent plus nous transmettre les relevés des satellites. Il y a trop de fumée. Et même s'ils le pouvaient, notre antenne est trop ballottée pour nous procurer une réception fiable. La plupart du temps, Sparks n'obtient qu'un bruit de pertubations atmosphériques. On ne reçoit plus les rapports de la garde côtière américaine non plus; mais, d'après moi, on devrait déjà être rendus trop loin. La nappe de feu peut s'être étendue bien plus qu'on ne le prévoyait."

Kyle tapota du bout du doigt l'étranglement de la

zone en forme d'haltère.

"Si on s'arrange pour passer là en sortant, est-ce que ça va nous permettre de passer plus de temps dans le secteur de recherche?"

O'Brien jeta un coup d'oeil sur les calculs qui couvraient son carnet.

"Non, Monsieur."

Il posa son doigt au milieu du renflement est de l'haltère.

"Aux dernières nouvelles, la Vice-présidente était ici, au milieu du secteur est. Nous sommes passés du secteur ouest — où nous avons reçu le premier message —, sous l'étranglement qui, soit dit en passant, n'est pas si étroit que ça — sa largeur est estimée à cent milles. Il va être plus facile de poursuivre notre route et d'essayer de sortir sous l'extrémité du renflement est. C'est plus près de la côte, où quelqu'un aurait la chance de nous atteindre. Si nous tournons le dos à l'étranglement pour essayer de sortir au nord ou au sud, nous pourrions bien découvrir que ce secteur s'est étendu — particulièrement s'il est entré en contact avec l'épanchement du LNG japonais. A ce moment-là, nous serions pris sous une nappe de feu, sans personne qui soit suffisamment près du sous-marin. Nous serions complètement seuls.

— Comment êtes-vous si certain qu'on va pouvoir sortir sous l'extrémité est?

— Je ne suis pas certain; mais il vaut mieux essayer de franchir la lisière de l'incendie que de se rejeter dans le feu."

O'Brien balaya tout le secteur de la main.

"Je parierais à dix contre un qu'avec les courants, ce fameux étranglement n'existe même plus."

Après avoir relevé les traces d'usure et de détériora-
tion que la coque du sous-marin comportait nécessairement après un aussi long voyage, le chef ingénieur appela
le poste de contrôle et demanda le commandant.

"Oui, chef?

— Il y a une perte de pression dans un des réservoirs
de carburant avant. Pas beaucoup; mais ça ressemble à
une fuite."

Il y eut une pause: le commandant se demandait quel
effet aurait cette nouvelle sur l'équipage, si jamais il l'apprenait. Un moment, il aurait voulu se retrouver dans un
sous-marin de type O où une telle fuite, bien qu'assez fré-
quente, aurait été impossible à détecter. Aussi nonchalamment que possible, il répondit:

"Ça va, chef. Mais il ne faudrait pas inquiéter les
autres avec ça. Qu'est-ce que vous en pensez?

— Je comprends", dit le chef; et il raccrocha.

Mais le messager, dans son coin, se rendait bien
compte que quelque chose allait de travers. Il comprit
qu'il ne pouvait se taire plus longtemps. Bien sûr, il ne
voulait pas qu'on l'accuse d'avoir dissimulé des renseignements aux officiers. Pourtant, il redoutait ce qui pourrait arriver si des membres de l'équipage prenaient les
choses en main. Il se tourna vers l'auxiliaire et dit:

"Lambrecker s'est échappé."

Tous les visages se tournèrent vers lui. Pendant quelques secondes, on n'entendit plus que le "ping!" du sonar.
Kyle fit volte-face vers O'Brien.

"Etiez-vous au courant, Lieutenant?

— Oui, mon commandant. Mais j'ai envoyé des hommes à sa recherche. Je croyais qu'il valait mieux ne pas vous embêter avec..."

Le commandant attrapa le téléphone et appela le sous-officier Grant. Le messager avait eu l'intention, également, de parler d'Evers; mais en voyant l'expression du visage de Kyle, il préféra se taire.

Grant ne répondit pas. Suant abondamment, son visage congestionné paraissant pourpre dans l'éclairage rouge du poste de contrôle, Kyle reprit le récepteur et composa le numéro de la cabine de O'Brien. Celui-ci ne disait rien. Kyle raccrocha violemment et fit le numéro du quatrième officier. L'embarras nourrissait sa colère.

"Oui?"

Kyle mit une seconde à reprendre sa respiration.

"Ici le commandant. Lambrecker s'est échappé. A bord d'un bâtiment de cette grandeur, ça... ça..."

De nouveau, il dut faire une pause pour respirer.

"Nom de Dieu, explosa-t-il, ça n'aurait pas dû prendre plus de cinq minutes pour retrouver cet enfant de chienne-là. Je le veux aux arrêts — dans une camisole de force s'il le faut. Compris?"

Il y eut un déclic à l'autre bout.

Kyle resta immobile, inondé de sueur, les yeux fixés sur O'Brien. Peut-être, pensait-il, peut-être O'Brien était-il passé de leur côté; cela aurait alors expliqué son silence au sujet de l'évasion de Lambrecker. Il continua de regarder O'Brien pendant plusieurs secondes. C'est O'Brien qui avait eu la responsabilité de toute la navigation. Peut-être qu'en ce moment même ils faisaient route vers l'extérieur de la nappe de feu. Il aurait dû tracer et vérifier la route lui-même. Il s'était complètement fié à O'Brien. Mais enfin, comme O'Brien soutenait fermement son regard, Kyle conclut que la suspicion avait temporairement obnubilé son jugement. S'il ne pouvait pas avoir confiance en Bud O'Brien, il ne lui restait aucune chance de gagner. Il désigna le téléphone.

"C'était Lambrecker, dit-il.

— Jésus-Christ, murmura O'Brien. C'est donc pour ça que tout était si calme."

Brusquement, les trois officiers et les matelots se sentirent très seuls — isolés du reste du *Swordfish*. Ils savaient tous, à présent, que Lambrecker et ses hommes, quel que fût leur nombre, devaient avoir fait prisonniers les autres officiers, de même que tous ceux qui avaient voulu leur résister. Il suffisait de quelques hommes postés à des points stratégiques, pour se rendre facilement maître du sous-marin.

Dans le poste de contrôle, tous comprenaient, à présent, que Kyle avait involontairement forcé Lambrecker à abattre son jeu. Et celui-ci devrait agir rapidement, avant que le poste de contrôle ne réagisse et ne contrecarre ses projets. O'Brien regarda la pendule. Il était 20 heures 31. Le maximum de deux heures promis plus tôt par le commandant était atteint.

Puis, il fut 20 heures 32. Une mutinerie venait de commencer.

Quelques secondes après la fermeture des portes avant et arrière qui donnaient accès au poste de contrôle, les hommes de quart entendirent des voix qui approchaient. Ce fut seulement à ce moment que O'Brien comprit d'où provenait le malaise qu'il avait ressenti en découvrant le corps inanimé du jeune Nairn. Il n'avait aperçu nulle part la carabine qu'il avait confiée à Nairn pour garder Lambrecker. O'Brien regarda Kyle et, d'une voix tendue, dit:

"Lambrecker est armé."

270

Chapitre 16

A présent, l'incendie n'était plus qu'à un quart de mille du bateau de pêche. Depuis longtemps, la lune jaune soufre avait disparu derrière la fumée noire comme du jais qui les enveloppait.

Une rafale de vent brûlant souffla sur eux, charriant une pluie de gouttelettes de pétrole enflammé. Quelques-unes tombèrent sur le chandail d'Elaine. Elle hurla en voyant la laine qui prenait feu et, lâchant la corde, elle se mit à s'asperger frénétiquement. Dans sa panique, elle avait oublié la mise en garde de Harry. Par bonheur, son geste mêla au pétrole assez d'eau pour éteindre le feu. Cela n'avait duré que deux ou trois secondes; mais cela avait suffi pour consumer la plus grande partie du chandail. De plus, le haut de son bras droit était légèrement brûlé. L'affolement lui avait aussi fait lâcher l'écope, que le vent avait instantanément emportée. Maintenant, ils étaient obligés d'utiliser leurs mains pour essayer, sans grand succès, de noyer les filets de flammes qui avançaient vers eux.

Le pétrole épais avait fini par venir à bout du filtre de la pompe qui, après quelques toussotements, s'arrêta. Le vent tourna légèrement, comme il l'avait fait une centaine de fois au cours de la journée, et quelques-uns des ruisselets de feu refluèrent de vingt ou trente verges, comme pour prolonger impitoyablement leur agonie. Malgré le répit que le vent venait de leur accorder, Harry était persuadé que tout serait fini d'ici une demi-heure. Si la chaleur ne les tuait pas, le manque d'oxygène le ferait.

Oubliant leur fatigue, les hommes du poste de contrôle tâchaient de réagir promptement aux ordres brefs que leur lançait Kyle. Ils étaient comme transformés. L'autorité du commandant venait d'être mise en cause: aussitôt, tous les mécontentements étaient passés à l'arrière-plan; aucun doute ne subsistait plus quant à sa capacité de commander. Maintenant, il n'était plus question de "si" ou de "peut-être". Ils se trouvaient devant une alternative: combattre ou capituler — et cette dernière possibilité n'effleurait même pas leurs pensées. Ils savaient que Lambrecker atteindrait le poste de contrôle d'une minute à l'autre. Lorsqu'il se tourna vers O'Brien, Kyle paraissait dix ans plus jeune.

"Lieutenant, dit-il, décrochez-moi les extincteurs. Vous vous occupez de la porte avant; je me charge de celle de l'arrière."

O'Brien fit jouer les attaches à ressort, descendit les deux cylindres rouges et, vivement, fit sauter les goupilles de sécurité.

Kyle se tourna vers le sous-officier.

"Hogarth, fit-il, quand je dirai *roulez,* je veux que vous gouverniez brusquement à tribord, puis, brusquement aussi, à bâbord.

— Oui, mon commandant.

— Et vous, Sparks, quoi qu'il arrive, vous vous occupez du sonar.

— A vos ordres, mon commandant."

Le commandant attrapa l'un des deux extincteurs de O'Brien, puis alla se poster à côté de la porte arrière.

"Quant à vous, messager, vous nous aiderez, le second et moi; vous jugerez de celui qui a l'air le plus en difficulté. Compris?

— Oui, mon commandant.

— S'il y en a qui tombent à terre, servez-vous de vos bottines et arrangez-vous pour qu'ils ne se relèvent pas."

Le messager paraissait pétrifié de frayeur.

"Compris?" ajouta sèchement le commandant.

Le commissionnaire secoua énergiquement la tête.

"Ouais... oui, Monsieur."

S'adressant à tout le monde, Kyle reprit:

"Souvenez-vous: ils ne peuvent entrer qu'un à la fois — deux, s'ils veulent utiliser les deux portes. C'est notre chance. Attrapez-les au moment-même où ils passent la porte. Et que tout le monde se tienne bien, en prévision des coups de barre. C'est le seul moyen qu'on..."

On entendait des pas qui se rapprochaient dans la coursive, à l'extérieur. Le commandant étendit la main droite vers le panneau de contrôle et repéra le commutateur qui commandait la lumière du couloir. Il l'abaissa, plongeant la coursive dans l'obscurité totale. Les pas s'arrêtèrent; puis il y eut des voix, quelqu'un criait et réclamait une lampe de poche. O'Brien agrippa la poignée de la porte avant. Il sentit que quelqu'un essayait de l'ouvrir, et il tira de toutes ses forces, tout en cherchant de l'oeil un objet avec lequel il pourrait caler les rayons de la roue de verrouillage. Mais il n'y avait rien. Il entendit Sheen qui criait:

"J'vais l'ouvrir, c'te foutue porte-là!"

Puis il y eut un fracas, qui retentit comme un coup de canon dans la petite pièce. O'Brien lâcha prise, violemment projeté en arrière, contre le périscope de combat, par un deuxième coup de hache asséné sur la roue à l'extérieur de la porte. Un des barreurs de plongée bondit de son siège.

"Jésus-Christ! Qu'est-ce que...

— Occupez-vous de notre équilibre", fit Hogarth en repoussant doucement l'homme sur son siège. O'Brien saisit son extincteur: la roue de la porte commençait à tourner. Il jeta un coup d'oeil à Kyle. Le commandant tendit la tête vers la porte, en disant rapidement:

"Tâchez d'avoir le gars avec la carabine.

— Et l'autre avec sa bon Dieu de hache!", murmura le matelot préposé au contrôle de l'assiette.

Le bruit du sonar retentit de nouveau. Mais, cette fois, il était suivi d'un écho caverneux. Sparks appela aussitôt le commandant. Le "ping!" se fit entendre une autre fois: il y eut encore un écho, accompagné d'une petite lueur sur l'écran.

Le commandant passa son extincteur au messager, prit le micro qui lui servait à s'adresser à l'équipage et en poussa le volume jusqu'au bout.

"Attention. Ecoutez bien. Nous avons trouvé le bateau. Nous avons trouvé le..."

La porte d'avant s'ouvrit à la volée. Il y eut l'éclat d'une lampe de poche. O'Brien pressa la gâchette de l'extincteur et l'homme hurla, le visage couvert de cette mousse chimique qui lui brûlait les yeux. La lampe de poche tomba par terre.

"Roulez!" hurla Kyle.

Instantanément, le sous-marin fit une terrible embardée à tribord. O'Brien continuait d'arroser la porte, où les corps trébuchaient et s'empilaient les uns par-dessus les autres: ils voulaient entrer tous à la fois. Le messager comprit vite que la mutinerie ne provenait que de la section avant. Il se jeta sussitôt sur le pont et se mit à asperger de son extincteur ceux qui étaient tombés ou qui, d'une façon ou d'une autre, étaient sortis du champ de tir de O'Brien.

Une forme tenant une hache heurta violemment O'Brien au moment où le sous-marin faisait une nouvelle embardée à bâbord. O'Brien enfonça la gueule en forme d'entonnoir de son extincteur sur la tête de l'homme et appuya sur la gâchette. L'appareil siffla et un jet de mousse aveugla instantanément le matelot. Se frottant les yeux, il fit demi-tour pour s'enfuir; mais le messager lui porta un terrible coup de pied qui l'envoya rouler par terre. En tombant, la hache frôla Hogarth et s'abattit sur le pont avec un bruit de tonnerre. Le commandant n'avait pas cessé de hurler dans son micro. Il glissa dans la mousse, grogna rageusement et se raccrocha à quelque chose. C'est à ce moment qu'un homme essaya de lui arracher le micro. Aussitôt, Kyle lâcha prise et, comme son assaillant était projeté en avant par le mouvement du sous-marin, il lui donna un formidable coup de poing en plein visage. La tête de l'homme heurta la colonne du périscope; quelque chose tomba par terre, puis un coup de feu assourdissant retentit dans le sous-marin. Presque en même temps, on entendit un bruit de verre brisé: la balle avait traversé le groupe de jauges de pression et était allée se loger dans la cloison de tribord. Dans le vacarme et la confusion qui s'ensuivirent, le commandant comprit soudain que son assaillant n'était nul autre que Lambrecker et que l'objet auquel il s'était raccroché était la carabine. Kyle donna un coup de pied pour écarter l'arme, puis un autre sur la tête du mutin pour être bien sûr qu'il ne se relèverait pas.

Cela cessa aussi subitement que cela avait commencé. Il y eut quelques grognements, quelques jurons provenant de l'amoncellement de corps et de mousse, près de la porte avant: mais plus personne n'avait envie de se battre. Le commandant releva le commutateur et la lumière de la coursive s'alluma. Il aperçut Ramsey, un des mutins, qui se tordait de douleur sur le pont, juste à l'extérieur de la porte; le messager était étendu près de lui, le souffle coupé. Sheen, balançant la tête comme un boxeur sonné, était affalé contre la cloison d'avant; deux autres, dont l'un vomissait, s'éloignaient en trébuchant dans la mousse qui s'était répandue dans la coursive. O'Brien était adossé au périscope de recherche; il saignait légèrement de la lèvre.

Le sonar faisait toujours entendre son petit bruit, suivi de son écho. Sparks, son casque d'écoute sur la tête et ressemblant à un Martien de bande dessinée, jeta un coup d'oeil dédaigneux sur les débris humains qui l'entouraient, puis retourna à son cher appareil. Il avait déjà relevé la position du bateau de pêche et tendait un bout de papier au commandant qui, s'appuyant à la cloison, essayait de reprendre son souffle tout en observant fièrement le champ de bataille.

"Bon Dieu, dit Kyle en comptant les têtes avec l'air d'un chasseur devant son gibier. Ils étaient seulement cinq!"

Hogarth, tout en aidant le messager à soulever Lambrecker qui gisait, inanimé, dans les produits chimiques qui auraient pu le suffoquer, dit:

"Je crois qu'ils étaient plus nombreux, mon commandant."

Kyle ignorait s'ils avaient abandonné la partie parce qu'ils avaient appris qu'on avait enfin repéré le bateau de pêche, ou à cause de la résistance à laquelle ils s'étaient heurtés au poste de contrôle. Il conclut qu'il y avait probablement des deux.

Peu après le quatrième officier et le cinquième officier, accompagnés d'une petite bande d'officiers mariniers et d'hommes d'équipage, firent irruption dans le poste. Le sous-lieutenant commença:

"Ils nous ont eus par surprise, ils nous ont attachés..."

Mais Kyle écoutait le sonar. Il leva la main, interrompant le sous-officier.

"Plus tard, les explications, Messieurs. On remonte."

Il fit un geste vers le quatrième officier.

"Crowley, fit-il, je vous charge de faire nettoyer ce dégât. Je veux que ça soit en ordre d'ici dix minutes. Ça va?

— Mais les mutins, Monsieur, dit Crowley d'un ton incrédule; vous ne voulez pas qu'on les arrête?"

Kyle jeta un coup d'oeil vers les hommes qui avaient cru pouvoir se rendre maîtres du sous-marin.

"Plus tard, fit-il. Qu'on les arrose et qu'ils se tiennent prêts."

Crowley, par esprit de solidarité avec l'officier marinier Jordan qui se frottait les poignets, que Sheen avait liés à cause de son refus de coopérer avec les mutins à 20 heures 30, se mit à protester.

"Mais, Monsieur, Lane avait la tête fendue, et...

— Alors, transportez-le à l'infirmerie, mugit Kyle. Nettoyez-moi ça et mettez ces salauds-là en réserve! Dans notre situation, on a besoin de tout le monde. Mettez-les avec l'équipe de sauvetage. Exécution!

— Oui, mon commandant."

Kyle tira le rideau noir qui isolait le poste de contrôle de la lumière blanche du couloir, puis prit position près du périscope de recherche.

"Bud, fit-il, je vais avoir besoin de vous."

Hogarth, qui observait avec un large sourire les corps qu'on emmenait, put entendre Kyle donner le premier ordre destiné à les ramener en surface.

"Montez à soixante pieds.

— Soixante pieds, Commandant."

Le sous-marin commença à s'élever vers l'incendie. Kyle consulta sa montre. Il était 20 heures 34. Il téléphona au sous-officier.

"Grant, dit-il, dans dix minutes, je vais appeler l'équipage aux postes de combat. A ce moment-là, vous devrez être dans le compartiment des torpilles avant, avec deux torpilles prêtes à partir.

— A vos ordres, mon commandant."

Le dernier ordre donné par le commandant intriguait O'Brien. Il ne dit rien, cependant: il travaillait, rapidement, à tracer la route qui leur permettrait de s'échapper le plus vite possible à partir de leur nouvelle position. Mais Sparks venait de recevoir de nouvelles coordonnées du quartier général: on avait évalué la superficie de la nappe de feu, et leur situation semblait de plus en plus désespérée. S'ils ne disposaient pas d'assez de temps ou d'espace, en surface, pour recharger leurs accumulateurs, leurs chances d'en réchapper étaient nulles. Mais pour le moment, ils n'y pouvaient rien.

Hogarth surveillait le contrôle de l'assiette. Il commença à annoncer la profondeur à tous les dix pieds.

"Deux soixante... deux cinquante..."

A cent pieds, le commandant actionna la sirène appelant les hommes aux postes de combat. D'un bout à l'autre du sous-marin, les hommes, qui voulaient s'entre-égorger quelques minutes plus tôt, hésitèrent. Confus, ils se regardèrent quelques secondes, puis bondirent instinctivement à leurs postes de combat. Tandis que les cloisons étanches se fermaient bruyamment et que les roues de verrouillage tournaient, le sous-officier Grant préparait les torpilles. Hogarth se mit à donner la profondeur à tous les cinq pieds.

"Quatre-vingt-quinze... quatre-vingt-dix... quatre-vingt-cinq..."

Pendant tout ce temps, le sonar faisait entendre son "ping!"; l'écho devenait de plus en plus fort. Comme ils allaient atteindre la profondeur d'émersion périscopique, Kyle demanda:

"Distance?"

Sparks observa le balayage sur son écran. Quand la lueur apparut, il vérifia la distance et dit posément:

"Quatre mille verges.

— Direction?

— Zéro, cinq, trois."

Hogarth annonça: "Soixante-dix pieds.

— Profondeur périscopique, ordonna Kyle.

— Profondeur périscopique", répéta-t-on pour confirmer.

A soixante pieds, le submersible cessa de s'élever. "Périscope d'observation.

— Périscope d'observation", mon commandant.

Le moteur du système hydraulique bourdonna doucement, et la longue colonne d'acier brillant monta à travers le poste de contrôle. Hogarth mit en marche les dégivreurs et les essuie-glace pour nettoyer les lentilles à fort grossissement de toute huile qui aurait pu embrouiller la vision du commandant. Avant même que le périscope ne se soit immobilisé, Kyle avait rabattu les poignées. La visière de sa casquette tourné vers l'arrière, il était collé à l'oculaire, tournant la colonne avec vivacité mais sans précipitation, parcourant soigneusement ses trois cent soixante degrés.

Il aperçut une étendue de mer calme, huileuse, qui se terminait abruptement contre une muraille de fumée noire et de flammes rouge sang. Ici et là, il pouvait distinguer des pans de mer libre au-delà des flammes, à la faveur des failles qui se formaient brièvement dans ce rideau de feu. Mais rien de plus. Il fit de nouveau tourner le périscope. Il ne pouvait toujours pas voir le bateau.

Au milieu de cette nuit épaisse, noire comme du goudron, on avait l'impression que le monde entier était en feu. Il recula vivement et remonta les poignées du périscope.

"Descendez le périscope."

Le moteur bourdonna de nouveau et la colonne d'acier rentra.

"En avant, doucement."

Le transmetteur d'ordres sonna.

"En avant, doucement, mon commandant."

A l'aide de sa manche, Kyle essuya la sueur qui lui coulait dans les yeux.

"On est dans la zone de mer libre où le bateau de pêche est supposé être. Mais on dirait bien que ça été coupé en deux. Je ne peux pas voir la moindre trace du bateau: rien que de la fumée et du feu. Il va falloir aller plus loin à l'intérieur."

Hogarth avait réagi promptement; il commençait déjà à orienter le sous-marin vers le point qui apparaissait sur l'écran. Sparks parla de nouveau, d'une voix lente et distincte.

"Quatre mille verges. Nous nous rapprochons."

Le commandant alla à la table des cartes et dit à O'Brien:

"S'il reste une zone libre quelque part dans cette fournaise, il leur est impossible de parvenir jusqu'à nous. Ils sont entourés par un mur de flammes. Ils prendraient feu comme un bout de papier. Il va falloir leur dégager un chemin pour qu'ils puissent venir vers nous."

O'Brien paraissait indécis.

"Leur moteur est peut-être en panne..."

Mais Sparks l'interrompit.

"Excusez-moi, mon lieutenant, mais j'ai vérifié sur le mode passif, il y a un moment. Et nous recevons un écho."

Mais O'Brien doutait.

"Vous êtes sûr qu'il s'agit bien de leur moteur principal, et pas d'autre chose?

— Pas moyen d'être absolument sûr, mon lieutenant. Ce pourrait être un moteur plus petit — mais c'est certainement un moteur."

Le commandant se décida.

"Leur moteur pourrait être en panne, c'est vrai; mais il faut faire comme s'il fonctionnait. Et il n'y a pas moyen de leur envoyer le radeau gonflable, même si on leur trace un chemin. Il resterait pris dans le pétrole; de toute façon, son moteur hors-bord serait gommé en un rien de temps."

O'Brien regardait la lueur sur l'écran d'un air inquiet.

"Je suppose qu'on ne peut pas risquer de pénétrer davantage — sous le mur de feu — et de ressortir là où ils sont? Pour nous, il est aussi urgent de recharger que de les sauver."

Le commandant secoua la tête.

"Pas question. S'il y a une zone libre par là, elle est joliment petite. Le remous du sous-marin pourrait aussi bien les faire chavirer, ou les pousser dans les flammes. De plus, si on les frappe là où on a une fuite de carburant, ou si on perce un de nos réservoirs, c'est fini pour tout le monde. Non, on va tout simplement leur dégager un passage... et espérer qu'ils vont pouvoir s'y précipiter.

— Trois mille verges et moins."

Soudain, O'Brien comprit le plan du commandant. Il fallait donner cela au Vieux, il était bon. Très bon. Et ils avaient tous cru qu'il avait passé trop de temps à terre!

Kyle surveillait la distance.

"C'est la seule façon", murmura-t-il pour lui-même en décrochant le récepteur.

Il appela le compartiment des torpilles avant.

"Grant, les poissons sont prêts à partir?

— Oui, Monsieur. Amorçage à fusées rapides.

— Ça va. Tenez-vous prêt.

— A vos ordres, mon commandant."

Ensuite, Kyle appela la chambre de l'écoutille avant.

"Jordan, quand je ferai surface, je veux que l'équipe de sauvetage soit prête à sauter sur l'accastillage en vitesse. Mais ne bougez pas avant que je vous en donne l'ordre — et préparez des extincteurs.

— A vos ordres, mon commandant."

Au sonar, l'écho devenait de plus en plus fort.

"Deux mille cinq cents verges.

— Périscope d'observation.

— Périscope d'observation, mon commandant.

— Direction?

— Zéro, cinq, cinq."

Le commandant rabattit les poignées et commença à faire tourner le périscope. Il s'arrêta et revint lentement, de deux degrés.

"Je l'ai."

Tout le monde, sauf Sparks, se tourna vers lui.

"Pouvez-vous le voir, Monsieur?

— Oui — on peut juste l'entrevoir. Diable! ils sont vraiment encerclés; ils ont du feu tout autour."

O'Brien sentit monter en lui une vague d'appréhension.

"Quelle est la superficie de la zone libre?

— D'ici, à peu près la dimension d'une mare aux canards. Un rayon d'un quart de mille peut-être, tout au plus. Probablement moins."

Kyle s'éloigna du périscope.

"Gardez la position. Descendez le périscope d'observation. Sortez le périscope d'attaque."

La réponse de Hogarth vint, brève et précise:

"Conservons la position, mon commandant. Descendre le périscope d'observation. Sortir le périscope d'attaque."

Pendant que le périscope d'attaque, plus long, montait, Hogarth fit descendre le sous-marin de dix pieds pour compenser ce qui allait dépasser au-dessus de la surface. Quelques secondes plus tard, Kyle se pencha en avant, enlaça le périscope d'attaque par-dessus les poignées, et demanda la distance.

"Toujours deux mille cinq cents verges, mon commandant."

Dans le périscope, le bateau de pêche dont l'image était embrouillée par la chaleur avait l'air, à chaque instant, de changer de position. Mais Kyle ne tarda pas à comprendre que ce n'était là qu'une illusion provoquée par le mouvement constant des flammes.

"Direction?

— Zéro, cinq, sept, mon commandant.

— Excusez-moi, Monsieur, intervint O'Brien, mais pourquoi ne pouvons-nous pas faire surface pour tirer, dans la zone libre qu'il y a au-dessus de nous?"

Kyle tourna le périscope d'attaque à zéro, cinq, sept.

"Parce que s'ils sont vivants, dit-il enfin, il pourraient nous apercevoir et essayer de parvenir jusqu'à nous — directement dans notre ligne de tir et dans le mur de feu. Ce que je veux, c'est faire exploser cette muraille, pour faire un trou — et non pas les faire exploser, eux. Tenez-vous prêts. Direction!

— Zéro, cinq, cinq.

— Torpilles!

— Parées.

— Feu, numéro un!

— Feu, numéro un, répéta O'Brien.

— Feu, numéro deux!

— Feu, numéro deux. Numéro un et numéro deux sont parties, mon commandant.''

Un frémissement parcourut le sous-marin, au moment où les torpilles sortaient de leurs tubes, fonçant vers le mur de feu à la vitesse de cinquante noeuds.

"Rentrez le périscope.

— Périscope rentré, mon commandant.''

Pendant que le périscope d'attaque rentrait dans la gaine destinée à le protéger contre les dommages que l'explosion pourrait causer à son délicat système optique, O'Brien, les doigts au-dessus de la console de mise à feu, comptait les secondes avant la détonation. "Cinq... quatre... trois... deux...'' Il appuya sur le bouton et s'agrippa aussitôt à un tuyau qui passait au-dessus de sa tête. Le bâtiment fut violemment secoué, donnant fortement de la bande à tribord, puis à bâbord, projetant les hommes d'équipage un peu partout comme des soldats de plomb: les deux explosions, presque simultanées, venaient de déchirer convulsivement la mer noire et rouge, projetant dans le ciel enfumé des tonnes de pétrole en feu.

Pendant que le sous-marin retrouvait son assiette, Kyle ordonna:

"Parés à faire surface.''

Hogarth vérifia si tous les compartiments étaient bien fermés.

"Parés à faire surface, mon commandant.

— Surface!''

Hogarth fit volte-face vers les auxiliaires.

"Videz le un, le deux, le quatre, le six et le sept.''

On entendit le sifflement de l'air comprimé qui pénétrait dans les ballasts.

"Le un, le deux, le quatre, le six et le sept sont en train de se vider, mon commandant."

Au moment où l'étrave du *Swordfish* émergeait à la surface, Kyle dit à Hogarth:

"Verrouillez l'écoutille à pression, en haut du kiosque."

Puis, il appela le compartiment d'écoutille avant.

"Equipe de sauvetage sur le pont."

Se rappelant le rapport du chef ingénieur au sujet de la fuite à un réservoir de diesel, il ajouta:

"Et deux hommes pour localiser notre fuite de carburant."

Lorsque O'Brien, agissant en tant qu'officier de quart, prononça la fin d'alerte et distribua les postes d'observation, le commandant se tenait derrière lui sur la passerelle.

Kyle s'aperçut immédiatement que la brèche ouverte par les torpilles était trop étroite pour permettre le passage du sous-marin — surtout avec cette fuite à l'un de ses réservoirs. Mais il fallait leur donner le plus de chance possible. Il ordonna d'avancer doucement, déplorant de n'avoir pas le temps de lancer d'autres torpilles. Le transmetteur d'ordres, répondit, et le bâtiment se mit à avancer en direction de la brèche. L'équipe de sauvetage et les hommes de réserve sortaient par l'écoutille avant et respiraient avidement. L'air était brûlant et plein de fumée — néanmoins, c'était de l'air, et bien meilleur que celui qu'ils avaient respiré au cours des dernières douze heures.

Tandis que les marins préparaient leurs cordages, Sparks, toujours au poste de contrôle, recevait un nouveau message du quartier général d'Esquimalt: on informait le commandant du *Swordfish* que la nappe de feu s'était étendue beaucoup plus loin qu'on ne l'avait cru plus tôt.

A trois-quarts de mille plus loin, la Vice-présidente et Harry, suffoquant dans la fumée, n'avaient pas vu les explosions. Ils les avaient senties, cependant, quand l'onde de choc sous-marine les avait frappés de plein fouet, les pliant en deux et les projetant à la surface comme des poissons assommés. Après avoir quelque peu récupéré, Elaine, les oreilles encore tintantes et la vision embrouillée par suite de l'impact de l'explosion, essaya de distinguer quelque chose à travers les nuages de fumée sulfureuse.

Avant d'être frappé par l'onde de choc, Harry croyait que la déflagration provenait de quelque part au-dessus de l'incendie; et à présent, son cerveau fonctionnant au ralenti par manque d'oxygène, il regardait fixement, en silence, vers le ciel. Puis, ils entendirent de légères explosions, comme celles de petites pièces pyrotechniques; mais cela était à peine audible, dans le crépitement et le grésillement de l'incendie qui n'était plus qu'à quatre cents verges. Harry loucha de nouveau vers le ciel rouge et noir — et il vit la boule de feu verte. Cela ne dura que quelques secondes.

"C'est une fusée éclairante, s'écria-t-il d'une voix rauque, tout haletant. C'est une fusée! Il y a quelqu'un — le sous-marin! Le sous-marin... il est arrivé!"

Lorsqu'Elaine leva les yeux, elle ne vit rien; mais, peu à peu, la brèche ouverte dans la muraille de feu par les torpilles devenait visible. Toutefois, Harry mit presque une minute à comprendre que le sous-marin s'était arrêté de l'autre côté de la brèche et qu'il ne s'approcherait pas davantage. Frénétique, il se hissa à bord et pointa la brèche du doigt.

"Là... là, par cette brèche. Il ne vient pas jusqu'ici... pas assez de place. C'est à nous d'y aller. Vite! Montez à bord! Ils nous ont dégagé un chemin."

Elaine essaya de monter par la petite échelle, mais elle retomba dans l'eau, parmi les animaux marins morts qui jonchaient cette mer de pétrole. Harry lui tendit la main. Elle l'attrapa, mais le pétrole avait rendu leurs doigts glissants et elle retomba dans la mer, avalant une pleine gorgée de cette infecte mixture d'essence et de pétrole. Harry se pencha, l'attrapa par le cou et la hissa à bord. Elle hurla lorsque son bras blessé frotta contre le plat-bord brûlant. Harry se dirigea vers l'avant, en trébuchant, pour faire démarrer le moteur.

"Cramponnez-vous! cria-t-il. Va falloir y aller pleins gaz pour sortir d'ici."

Le moteur gronda, et le bateau bondit vers la brèche.

Sur la passerelle du sous-marin, O'Brien essuyait le pétrole qu'il avait sur le visage — c'est lui qui avait ouvert l'écoutille supérieure lorsque le bâtiment avait fait surface. Il regardait l'équipe de sauvetage qui se tenait sur le pont, l'air plutôt embarrassé, sous la surveillance de l'officier marinier Jordan. Tant que le bateau de pêche n'aurait pas franchi la brèche, ils ne pourraient rien faire. Le diesel du générateur du *Swordfish* fonctionnait à pleine puissance: il fallait aspirer le plus d'air possible pendant le peu de temps dont on disposait. O'Brien secoua la tête. La scène qu'il voyait autour de lui ressemblait à un tableau médiéval représentant l'enfer. Partout, ce n'était que feu et fumée. Les hommes d'équipage, avec leurs gilets de sauvetage, apparaissaient tordus, déformés par le mouvement des flammes: ils faisaient penser à des envahisseurs infernaux attendant avec avidité que cette tempête de feu leur livre leur butin carbonisé.

Incapable de rapprocher davantage le sous-marin, le commandant observait dans ses jumelles le bateau de pêche qui avançait vers la brèche. Il n'en était plus qu'à une centaine de verges, quand il s'arrêta. Il restait là, impuissant, ballotté par son propre remous. Kyle s'empara du mégaphone.

"Leur moteur vient de caler! cria-t-il. Mettez le radeau à la mer!"

A bord du bateau de pêche, Harry manipulait fébrilement les commandes.

Kyle demanda à O'Brien:

"Est-ce qu'ils ont repéré notre fuite de carburant?"

Le second se retourna et faillit perdre pied; il posa la question aux hommes équipés de câbles de sécurité et progressant lentement le long du pont, à la recherche de quelque trace de carburant révélatrice. Ils secouèrent la tête.

Dans la muraille de feu, la brèche se refermait. Dans sa plus grande largeur, elle n'avait offert qu'un étroit corridor. Kyle avala sa salive et porta de nouveau les jumelles à ses yeux. Le bateau se déplaçait, mais seulement au quart de sa vitesse normale, environ.

"Trop lent, trop lent, murmura-t-il. Il doit être gommé à mort, tout collé dans cette merde."

Harry donnait toute la puissance possible. Lui aussi voyait bien que la brèche se refermait.

"On n'y parviendra jamais comme ça, hurla-t-il à Elaine. Va falloir jeter du lest. Vous prenez la barre?"

Avant qu'elle pût comprendre ce qui lui arrivait,

Harry l'avait attirée dans le tendelet. Il appuya fermement une de ses mains sur la manette des gaz, et l'autre sur la roue.

"Tout ce qu'il y a à faire, c'est de tenir le cap sur la brèche. Quand on sera près du sous-marin, relevez la manette: ça va arrêter le moteur. Compris?"

Elaine hocha faiblement la tête, tandis que Harry se dirigeait rapidement, mais aussi prudemment que possible, vers la proue où était installée la lourde pompe à eau. La mer était de plus en plus mauvaise, et il tomba pesamment sur le pont. Elaine regarda autour d'elle. Mais il était déjà sur pieds, hurlant pour dominer le rugissement de l'incendie:

"J'vais foutre la pompe à l'eau. On va pouvoir avancer plus vite. A quelle distance qu'on est?"

Elaine profita d'une petite éclaircie dans la fumée pour jeter un coup d'oeil.

"A peu près deux cents verges."

Comme le bateau approchait paresseusement de la brèche de plus en plus étroite, Harry s'acharnait désespérément à faire bouger la pompe. Il tomba plusieurs fois, cherchant son souffle, avant de trouver assez d'énergie pour traîner la lourde machine sur le pont gondolé, puis sur le plat-bord d'où il pourrait la jeter à la mer.

La brèche n'avait plus qu'une cinquantaine de verges, et le feu la refermait de plus en plus vite. Il y eut un grand bruit, une sorte de râclement, puis Harry qui toussait et jurait, et enfin quelque chose qui tombait bruyamment dans l'eau. L'étrave du bateau se releva légèrement. Puis, le *Happy Girl* bondit en avant avec une vigueur nouvelle et fonça vers la brèche. Le passage était presque refermé à présent; de longues vrilles de flammes s'élançaient à travers l'ouverture. Elaine appuya davantage sur la manette, avec toute sa force; mais le feu l'enveloppait toujours. Un moment, elle crut que le bateau s'était arrêté; les flammes léchaient le bateau tout autour d'elle et le tendelet était en feu. Puis elle se rendit compte que le feu était derrière elle. Elle éclata en sanglots. Elle cria:

"On a réussi, Harry! On a passé!"

La fumée noire se déchira devant elle, et elle vit le sous-marin — droit devant. Elle coupa les gaz et essaya de faire virer le bateau. Trop tard. Le *Happy Girl* alla frapper le *Swordfish* par tribord, puis il glissa tout le long du sous-marin, les flammes de son tendelet se répandant sur le revêtement de fibre de verre couvert de pétrole.

Un groupe de réserve était à bord du radeau gonflable. Ils avaient évité de justesse de faire déchirer leur embarcation dans la collision. Sans perdre de temps, un des hommes grimpa à bord du bateau, attrapa la Vice-présidente et sauta par-dessus bord avec elle, tandis que ses compagnons essayaient désespérément de détourner l'épave en flammes. O'Brien avait fait actionner un extincteur dès que le feu s'était déclaré sur le revêtement du sous-marin. Mais les flammes continuaient de s'étendre et risquaient d'atteindre la passerelle et le kiosque. Kyle attrapa le mégaphone.

"Montez-la à bord, vite. Tous les autres, ôtez-vous de sur le pont. Foutons le camp d'ici!"

L'officier marinier Jordan, maniant une longue gaffe, avait accroché le marin qui tenait la Vice-présidente. Il les attira tous les deux jusqu'au bord du sous-marin, juste au moment où le réservoir du bateau de pêche explosait, inondant le *Swordfish* d'essence enflammée. A la lueur de l'explosion, Kyle reconnut l'homme qui était dans l'eau avec la Vice-présidente: c'était Lambrecker.

Kyle n'avait pas le temps de réfléchir pour déterminer si c'était la bravoure ou tout simplement les circonstances qui était à l'origine du geste du mutin. Il faudrait lui accorder le bénéfice du doute.

Quelques secondes plus tard, l'équipe de sauvetage descendait la Vice-présidente par l'écoutille avant. Dès qu'il vit sa tête disparaître, le commandant ordonna:

"Dégagez le pont." Les hommes affectés aux postes d'observation se précipitèrent à l'intérieur. Hogarth, dans le poste de contrôle, entendit le commandant à l'interphone.

"Plongez!"

Tout en refermant l'écoutille supérieure, Kyle se récitait la litanie de la plongée.

"Ecoutille supérieure fermée. Une attache... deux attaches. Une goupille, deux goupilles."

Il actionna à deux reprises la sirène d'alarme. Au deuxième coup, les ballasts s'ouvrirent et d'énormes bulles vinrent crever à la surface de la mer en feu. Dans le poste de contrôle, les hommes en étaient encore à verrouiller l'écoutille inférieure du kiosque, que le commandant disait à O'Brien:

"Allez voir si la Vice-présidente va bien.

— Oui, Monsieur."

Le sous-marin plongeait à un angle de dix degrés, pour atteindre la profondeur de soixante pieds où il se maintiendrait. Le commandant aurait préféré descendre davantage pour éviter les boules de pétrole; mais, d'après le dernier rapport du quartier général et d'après ce qu'il venait de voir lui-même, il était certain que la nappe de feu s'était étendue bien au-delà de la distance que le sous-marin pourrait atteindre avec les deux heures d'énergie électrique que pouvaient encore fournir ses accumulateurs. Kyle jura. Si seulement le *Swordfish* avait eu le temps de recharger en surface!

Kyle comprenait maintenant ce que O'Brien avait redouté juste avant le sauvetage: que, sans "toute l'aide possible" promise par l'amiral, le *Swordfish* n'arriverait pas à s'en sortir. Il prit le téléphone et appela l'ingénieur. Ils devraient rester à soixante pieds, c'est-à-dire la distance minimum à laquelle le sous-marin pouvait transmettre un signal de repérage.

"Des dommages à signaler, chef?

— Par où voulez-vous que je commence?

— Est-ce qu'on peut continuer à soixante pieds?

— On peut — mais c'est tout juste. Il y a quelques petites voies d'eau que le dernier choc a ouvertes. Il va falloir surveiller ça de près."

Le commandant envoya au Commandement du Pacifique un message disant que la Vice-présidente avait été rescapée et que le *Swordfish* allait avoir besoin d'aide. Mais Dieu seul savait ce qui pouvait l'aider pour le moment.

A l'infirmerie, la Vice-présidente, presque complètement épuisée, demandait Harry.

Chapitre 17

Quelques minutes plus tard, le Président apprenait que la Vice-présidente était sauvée et qu'elle se trouvait à bord du *Swordfish*. Il ajourna en toute hâte la conférence sur la pollution qu'il tenait dans la chambre verte avec les leaders parlementaires. Puis, il se précipita, en compagnie du général Oster, dans la salle des Opérations spéciales.

On ne l'avait pas encore informé de la situation extrêmement précaire du sous-marin. Affichant un large sourire malgré la fatigue qui tendait les traits de son visage, il passa devant les marines de faction et, leur donnant à peine le temps de jeter un coup d'oeil sur sa carte d'identité, il entra dans la salle. Aussitôt, il aperçut Jean Roche; elle avait l'air hagard et paraissait toute petite devant les séries de grandes cartes colorées à l'outremer et représentant le nord-est du Pacifique.

"Comment est-elle?" demanda-t-il.

Jean venait de recevoir le rapport fourni après le sauvetage par le Commandement maritime canadien du Pacifique.

"Quelque peu ébranlée; quelques brûlures du premier degré, apparemment. A part cela, elle va bien. Le sous-marin essaie de sortir de là, maintenant.

— Eh bien!" fit joyeusement le Président. Il regarda Henricks et les autres, sentant que ses épaules étaient soulagées d'un poids immense; puis il enleva son veston froissé et le laissa tomber sur une chaise.

"C'est formidable. Quand ce sous-marin-là va accoster, ils vont avoir droit à des remerciements spéciaux, c'est moi qui vous le dis. Est-ce que la presse est au courant!"

L'expression de Jean indiquait clairement qu'elle se fichait éperdument de la presse.

"Monsieur le Président, dit-elle, ils courent encore de graves dangers. Ils ont une longue route à parcourir, et il y a l'incendie au-dessus d'eux. Il s'est étendu vers l'est, bien plus loin qu'on ne l'avait cru."

Le Président regagna sa chaise.

"Ont-ils rechargé quand ils ont fait surface?

— Ils n'en ont pas eu le temps, Monsieur. Le secteur épargné par l'incendie était coupé en deux. Il leur a fallu sortir de là très rapidement. De plus, ils ont une fuite de carburant."

Jean lui tendit un câble provenant du Commandement des forces canadiennes pour la défense du Pacifique, où l'on demandait de l'aide pour dégager le sous-marin.

Le Président se versa un verre d'eau glacée, le but en une gorgée et écrasa le gobelet de papier, qu'il garda à la main.

"Vous voulez dire, demanda-t-il, qu'ils ont seulement fait le plein d'air — sans recharger du tout les accumulateurs?

— C'est exact, Monsieur.

— Où sont-ils actuellement?"

Henricks utilisa la longue baguette pour lui indiquer la position sur la carte.

"Qu'est-ce qu'on a dans les parages?" demanda le Président d'un ton lugubre.

Henricks feuilleta des dossiers d'un air las. "Le U.S.S. *Finguard*. Un croiseur — et pas nucléaire.

— Est-ce qu'il peut leur venir en aide?

— Non, Monsieur. Il peut seulement attendre, au périmètre de la nappe. Aussi longtemps que cet incendie-là va durer, on ne pourra rien faire."

Il y eut une longue pause. Le Président promenait lentement son regard dans la salle des Opérations spéciales; il avait l'air épuisé et vaincu. Seul Oster, qui venait de tirer un autre de ses longs cigares, avait l'air en forme et relativement insouciant. Sutherland se leva et marcha vers la carte, les mains sur les hanches et la tête inclinée, perdu dans ses pensées. Les pendules à affichage numérique poursuivaient leur course silencieuse.

Le général déchira l'enveloppe d'un Tabacalera. Avec le cellophane, il fit une petite balle dure; puis, visant soigneusement comme s'il s'agissait d'un missile, il la lança à travers la salle. Il la regarda tomber en plein milieu d'un panier rempli de rubans de télex qui ressemblaient à des spaghetti. Placidement, avec la satisfaction d'un connaisseur, il roula le cigare vert olive entre ses lèvres, l'alluma et souffla un long jet de fumée. Son adjoint, colonel des forces aériennes, savait que son patron était en train de réfléchir profondément. Le général se promenait lentement, allant et venant plusieurs fois le long de la longue table d'acajou. Le bout de son cigare s'illuminait et s'assombrissait régulièrement. Puis, il leva les yeux, dans la fumée qui s'élevait comme un voile devant la carte du monde.

"Jean, dit-il, de combien de temps le sous-marin dispose-t-il?

— Le Commandement canadien à Esquimalt rapporte qu'au moment du sauvetage, ses accumulateurs pouvaient lui fournir de l'énergie pour deux heures. Et cela, en voyageant à quinze noeuds."

Jean consulta sa montre.

"Mais il y a quatorze minutes qu'il est en route. Il reste donc une heure et quarante-six minutes."

Ouvrant prestement un compas, le général mesura la distance que le sous-marin devrait parcourir pour sortir de l'incendie. Il fronça les sourcils.

"Avec l'énergie qui lui reste, le sous-marin peut à peine faire trente milles... et il a une distance de plus de cent milles à couvrir pour sortir de là avec un degré minimum de sécurité."

Il posa le compas; il ne pouvait plus rien lui apprendre.

"Comme ça se présente, ils n'ont aucune chance."

Sutherland, se raccrochant désespérément à la moindre lueur d'espoir, dit sans conviction:

"Au moins, ils ont de l'air. Ils peuvent rester en plongée et respirer."

Sa voix diminua jusqu'à devenir imperceptible.

"N'est-ce pas?"

La réponse de Jean Roche n'avait rien de bien encourageant.

"On peut à peine appeler cela de l'air. C'est plein d'émanations. Mais le problème principal, c'est qu'il ne leur reste plus assez d'énergie pour refroidir le bâtiment; ça veut dire qu'ils ne peuvent pas maintenir la température à un niveau offrant quelque sécurité."

Jean ramassa le message du Commandement canadien du Pacifique.

"Le véritable problème survient lorsque les accumulateurs sont complètement à plat. Et ce dernier rapport d'Esquimalt confirme que toutes les batteries seront à zéro vers 22 heures 49 à l'heure de là-bas — 01 heure 49 pour nous. Sans énergie pour refroidir le sous-marin, même un peu, la température ne va pas cesser de grimper.

— Grimper! grogna le général. Avec cette humidité, ça va les tuer. Actuellement, ils doivent quasiment bouillir à l'intérieur de ce foutu sous-marin."

Etourdi par ce qu'il venait d'apprendre et qui avait anéanti tous ses espoirs, le Président entendit à peine Jean approuver les paroles d'Oster et l'informer de ce que précisait Esquimalt dans son dernier rapport: sans refroidissement adéquat, la chaleur dégagée par le système électrique ferait, à elle seule, monter la température du sous-marin à plus de 120°F.

Oster jeta sur la carte un regard morose.

"Si le secteur de mer libre était coupé en deux, comment diable le sous-marin a-t-il pu tirer le bateau de là?" demanda-t-il.

La voix de Jean commençait à devenir rauque, sous l'effet de la fatigue.

"Apparemment, ils ont pratiqué une brèche dans le mur de feu, général.

— Des torpilles?

— Oui."

Le général grommela et reprit sa promenade, son cigare passant d'un coin de sa bouche à l'autre avec une rapidité alarmante. Le colonel était intrigué: quand le général était de cette humeur-là, il se passait toujours quelque chose. Soudain, le général s'immobilisa; le cigare s'arrêta aussi et pointa en avant, provoquant, comme un petit canon.

"Monsieur le Président!" dit-il.

Peu après, les deux hommes étaient installés côte à côte à l'une des plus petites tables — celle où l'on avait rassemblé les photos à trois dimensions du satellite. Jean Roche put entendre Oster dire:

"Ça n'aurait pas marché avec le bateau de pêche, mais ça pourrait aller avec le sous-marin."

Le reste de la conversation se perdit dans les froissements des photos que le général déplaçait, dans sa hâte d'expliquer son idée.

Sutherland écoutait attentivement, hochant la tête, le visage rouge. Son excitation se communiquait à tous ceux qui étaient présents dans la salle des Opérations spéciales. Enfin, il se leva, le visage rayonnant, et donna une claque dans le dos du général.

"*Intéressant*? Bon Dieu, Arnold, c'est tout simplement génial! On va déclarer la guerre à cet enfant de chienne-là!"

Le Président fit signe à Henricks.

"Bob, dit-il, appelez-moi le Commandement stratégique de l'aviation — les bombardiers."

L'adjoint hésitait, sa main reposant sur le téléphone rouge. "Division nucléaire, monsieur le Président?

— Christ, non... pas les B-1. On n'a pas envie de

déclencher une guerre nucléaire. Je veux le plus gros transporteur de bombes de type conventionnel qu'on ait en réserve. Les B-52. C'est bien ça, général?"

Oster souffla une petite bouffée de fumée.

"Exactement ça, monsieur le Président, répondit-il avec une évidente fierté. C'est toujours les bombardiers les plus polyvalents que nous ayons... Ça transporte n'importe quoi, de la bombe A à la grenade à main.

— Parfait, dit le Président. Où se trouve la base aérienne de type conventionnel la plus rapprochée?"

Henricks feuilleta à toute vitesse la liste des bases disponibles par ordinateur. Mais Oster, secouant un long cylindre de cendre et pointant son cigare vers la carte, avait déjà la réponse.

"La plus proche est la base aérienne de Freeth, en Alaska, entre Valdez et Cordova, à quatre cents milles au nord-ouest de l'incendie. Mais on serait mieux de faire vite. Il ne reste plus grand temps: quatre-vingt-dix minutes, pour être précis."

Le Président se tourna vivement vers Henricks.

"D'accord. Bob, appelez-moi le quartier général du Commandement stratégique de l'aviation à Offutt, Nebraska. Je veux parler au commandant — Division des armes conventionnelles."

Après avoir expliqué le plan du général, Sutherland eut la surprise de constater qu'il ne suscitait pas beaucoup d'intérêt parmi ses adjoints. Mais il n'y avait pas d'alternative, et l'exaspération qu'il ressentait ne faisait que l'aiguillonner davantage. Ce fut Henricks qui exprima leurs doutes.

"Ça va prendre, dit-il, une invraisemblable quantité de bombes conventionnelles."

Lentement, Sutherland promena son regard sur ses adjoints, les regardant l'un après l'autre. Puis, d'un ton acide, il déclara:

"S'il y a quelque chose que ce bureau peut obtenir sur demande, c'est précisément ça. On en a déjà lâché quelques-unes sur le Vietnam — vous devez vous en souvenir. De toute façon, ajouta-t-il d'un ton léger, nous devons parvenir à enrayer complètement cet incendie avant qu'il n'atteigne les côtes du Canada et des Etats-Unis. Si cette mission marche, nous allons envoyer tous les B-52 dont nous disposons."

Oster fronça légèrement les sourcils, pour avertir les adjoints de ne pas insister. Ce n'était pas qu'il redoutât la critique; mais, sans doute plus que n'importe qui dans cette pièce, il comprenait le trouble profond dans lequel se trouvait son ami: il voyait que le moment était venu, où il allait falloir le protéger. Il savait aussi ce que cachait l'enthousiasme presque enfantin avec lequel le Président avait accueilli son plan: un désespoir profond — c'était le signe que le taux d'adrénaline montait dans le sang du Président, qui était prêt à se raccrocher à n'importe quoi dans un dernier effort frénétique pour sauver la femme qu'il aimait.

Poussé par l'angoisse, Sutherland retourna se poster devant la carte. Ses rangées de lumières clignotantes, programmées à présent pour indiquer les bases aériennes de bombardiers de type conventionnel du SAC, avaient l'air de le regarder. Le plan représentait un pari audacieux. Il le savait et le général le savait aussi. En fait, c'était le pari le plus risqué qu'ils aient jamais fait ensemble; mais, dans les circonstances, c'était leur seul atout. De toute façon, leur chance avait toujours tenu le coup jusqu'ici. Peut-être tiendrait-elle encore, cette fois-ci. Peut-être.

Chapitre 18

Originaire de Nouvelle-Angleterre, Si Johnson était délicatement charpenté et taciturne. Il avait servi au Vietnam à l'âge de trente-quatre ans et s'y était révélé, sinon le meilleur, du moins un des meilleurs navigateurs du groupe de bombardement 501. Quand il revint du Vietnam, personne ne fut surpris de le voir choisi comme navigateur à bord du *Ebony I,* le B-52 qui dirigeait la 17e escadrille de bombardiers conventionnels basée à Freeth Field, en Alaska.

Récemment, pour occuper ses loisirs, il s'était mis à jouer au tennis; mais, faute de suivre un entraînement professionnel, l'agrément du jeu lui échappait. Comme pour la plupart des activités qu'il avait entreprises depuis son retour du Sud-Est asiatique, il était prêt à abandonner au bout de trois ou quatre mois. A la maison, où il passait ses permissions en compagnie de sa mère, vieille et divorcée, sa chambre ressemblait à un entrepôt: on y trouvait toutes sortes d'équipements de sport, du matériel de hobby, et les photos de ses anciennes petites amies. A l'époque, sa mère n'avait qu'à désapprouver ses fréquentations, et il rompait aussitôt. Il est vrai que certaines l'avaient quitté après avoir découvert que Si Johnson, loin d'être un aventurier volant bourré d'histoires de guerre, n'était en réalité, en dehors de son travail, qu'un solitaire. Il avait, de prime abord, exercé sur elles une forte impression par son sérieux et ses bonnes manières: c'est l'unique raison pour laquelle elles s'étaient senties attirées vers lui.

Si était tellement silencieux et réservé, que personne ne pouvait dire quand il était malheureux. En général, les gens croyaient qu'il était timide.

Le soir de ce 22 septembre, sa partie de tennis allait particulièrement mal — en fait, ça n'allait pas du tout. Au cours de la première partie, il avait raté tous ses services; quant à ses retours, ils rebondissaient lamentablement sur le filet. Il en rejetait la faute sur les néons qu'on avait récemment installés sur le court intérieur, à Freeth. Mais son bouillant partenaire, son voisin Len Tresser, comptable, n'en était pas si sûr. Avant la troisième partie, ils s'accordèrent une pause; Tresser en profita pour se lancer dans une analyse enthousiaste de la situation. Il aimait à s'appesantir sur les défauts de l'adversaire: cela lui procurait la même satisfaction que d'équilibrer des comptes mal tenus.

"Tu as l'air d'hésiter énomément, Si — juste au moment où tu vas frapper la balle."

Avec ses cinq pieds et cinq pouces, Si paraissait tout

petit à côté du grand Tresser. Il ne dit rien. Il se contenta de hausser les épaules; puis il s'assit sur le banc et s'occupa à resserrer la poignée élastique de sa nouvelle Slazenger.

"Ce que je veux dire, Si, c'est que tu... eh bien, que tu recules au lieu de te précipiter sur la balle. Tu vois ce que je veux dire?"

Si Tresser avait été plus observateur, il se serait rendu compte que son ami n'avait pas tellement envie qu'on lui souligne ses erreurs — ou bien qu'il n'écoutait pas. Mais il insistait, plein de passion, déterminé à corriger les erreurs de son adversaire. Il entreprit de faire la démonstration de ce qu'il appelait son coup droit à la Ken Rosewall.

"Il faut que tu ailles vers la balle, Si... comme ça... tu vois. Tu te jettes dessus."

Pour illustrer ses paroles, Tresser tourna le dos à Si et, exagérant à dessein le mouvement, bondit en avant, le pied gauche le premier. Il frappa, très bas, une balle imaginaire.

"Tu vois... le pied gauche en avant, la raquette toute prête en arrière, tu surveilles la balle, tu surveilles la balle... tu surveilles la balle... tu la suis... constamment!"

Si regardait le manche de sa raquette. Tresser bavardait toujours, ravi de s'entendre parler.

"Le coup de revers, à présent. Le pied droit en avant — à moins que tu ne sois gaucher, évidemment — ah!... sur le bout des pieds... tu surveilles la balle, tu surveilles la balle... tu la suis... jusqu'au bout! Pas croyable, le nombre de personnes qui ne la suivent pas jusqu'au bout. Tout le reste, ils le font bien; c'est rendu là qu'ils font une gaffe. Ils pensent que tout est fini une fois qu'ils ont frappé. Frapper: c'est seulement le début."

Si leva la tête. Pour quelque raison obscure, sa jambe et son bras droits se mirent à trembler. Il leva vers son ami des yeux sans expression.

"Pardon?"

Tresser se retourna.

"J'ai dit qu'il fallait suivre la balle jusqu'au bout.

— Oh...

— Tu vois, Si, je t'ai bien observé. A dire vrai, mon vieux, ton jeu manque de fringant. D'accord?

— Du fringant?

— C'est ça. Pas de punch, pas de vigueur."

Enfin, Tresser s'aperçut que Si n'écoutait pas.

"Eh, t'es pas très gai!" fit-il en laissant pendre ses bras et en pirouettant comme un babouin fou. Son ombre passa sur Johnson, qui leva les yeux, réagissant au changement d'éclairage.

"C'est à cause de tes yeux, dit Tresser d'un ton réconfortant.

— Non, répliqua Johnson d'un ton irrévocable. Non, c'est la lumière — pas moi.

— Non, c'est tes yeux, répéta Tresser. Tu ne surveilles pas la balle assez attentivement. Je pense... eh! t'as vu ton bras? Il tremble comme un lapin qui a peur.

— Quoi? Oh, ça, ce n'est rien. Un nerf, je suppose." Et Si, presque à contre-coeur, se leva et se dirigea d'un pas traînant vers sa ligne de fond.

"Tu es prêt? demanda-t-il.

— Sûr, que je suis prêt. En parfaite forme."

Tresser avait le service. La balle partit avec un bruit sec et passa de l'autre côté du filet, sans que Si parvienne à la retourner.

"Quinze!" hurla Tresser, tout excité de sa performance.

Puis il courut du côté revers, pressé de faire encore l'expert devant Si.

En retournant à la base de Freeth, vers neuf heures trente, Si Hohnson avait résolu d'essayer un nouveau sport — non pas parce qu'il venait d'être battu à plate couture (il lui était égal de gagner ou de perdre), mais parce que le jeu commençait à l'ennuyer. Peut-être jouerait-il au squash. Plusieurs types de son escadrille avaient prétendu qu'au squash, on pouvait devenir bon joueur bien plus rapidement qu'au tennis; de plus, ça vous gardait plus en forme. Normalement, Johnson n'aurait pas fait si grand état de la forme physique, et encore moins du sport en général. Mais, le mois prochain, toute l'escadrille devrait subir, comme chaque année, son examen médical complet. Burke, le commandant d'*Ebony I,* qui dirigeait également toute l'escadrille, avait dit que tout homme affligé d'un surplus de poids resterait à terre jusqu'à ce qu'il l'ait perdu. Or, Si Johnson tenait à voler — pas tellement parce que le fait de rester à terre l'aurait déprimé davantage, mais parce que lorsqu'il était en l'air, au moins, il était occupé.

Sous la douche, Johnson laissa l'eau couler sur sa nuque, pour soulager ce mal de tête qu'il attribuait à l'éclairage du court de tennis. Sa jambe tremblait toujours; son bras, presque plus. Il jeta un coup d'oeil à sa montre: il était 9 heures 40. Vers dix heures moins le quart, Stokely, le mitrailleur avant d'*Ebony I,* arriverait avec la jeep pour les prendre, lui et les autres hommes qui formaient l'équipage des trois avions du groupe Ebony.

Ils se rendraient ainsi au mess des officiers, pour assister à la fête surprise que les membres de l'escadrille, composée de neuf avions donnaient à l'occasion de l'anniversaire de Noël Burke. A quarante ans, Burke était presque considéré comme un grand-père par les plus jeunes membres de la 17e.

Si n'avait pas envie d'aller à la fête. Il aurait aimé que de telles fêtes n'existent pas. Il n'avait rien contre le commandant; mais l'alcool le rendait malade et la conversation l'ennuyait. Il entendrait encore toutes ces choses qu'il connaissait par coeur: les mêmes plaisanteries, généralement à propos des prostituées et des homosexuels, dans cet ordre; puis ces histoires où il y a toujours quelqu'un qui l'a échappé belle, dans une chambre à coucher ou dans un bombardier. Et, bien sûr, ils parleraient encore du Vietnam. Ils avaient adoré le Vietnam.

Peu importe ce que pouvaient dire les vétérans qui protestaient à Washington: l'armée de l'air avait adoré le Vietnam. C'était assez facile à comprendre. Contrairement à l'infanterie, jamais on n'y voyait le visage des gens qu'on tuait. La plupart du temps, le travail se bornait à lâcher la cargaison de bombes sur quelque magnifique carte de papier mâché couleur de laitue et de rouille. Les collines y faisaient des reliefs fascinants et les gens restaient invisibles. Vous n'aviez qu'à...

Sa migraine empirait; à présent, c'était comme un anneau de douleur qui lui serrait les tempes. Il ferma l'eau chaude et ouvrit l'eau froide au maximum. Sous le choc, son corps se mit à frissonner; mais la douleur se résorbait, comme avec répugnance, descendant jusqu'au bas de sa nuque où elle s'installa. C'était encore douloureux, mais tolérable. Il faudrait qu'il parle de ces migraines au médecin, lors de l'examen médical. Peut-être que cela lui ferait du bien de voler. C'était l'automne;

c'étaient les brusques variations du taux d'humidité, et non le nouvel éclairage, qui étaient à l'origine de ces migraines. Une atmosphère plus raréfiée lui ferait du bien.

Comme il enfilait, à contre-coeur, la paire de longues chaussettes de laine noires que sa mère lui avait tricotées en prévision de l'hiver de l'Alaska qui approchait, la jeep s'arrêta dans un grincement et les pas de Stokely retentirent à l'extérieur. En même temps, il entendit le son pénétrant de la sirène d'alarme: il s'agissait d'un décollage d'urgence. D'un geste automatique, il se leva, ouvrit l'armoire vert kaki et prit sa combinaison de vol.

"La fête est contremandée, Si."

C'était Stokely qui se détachait dans l'encadrement de la porte, prêt à exploser d'excitation.

"Pourquoi?" demanda Johnson, partagé entre le soulagement de voir la fête annulée et l'appréhension de ce qui avait pu provoquer cette annulation.

"On part en mission, voilà pourquoi... L'appel de l'inconnu."

Si tira la fermeture éclair des jambes élastiques.

"Moyen-Orient? demanda-t-il.

— Quoi? Non, non. S'agit pas de ça. C'est ce maudit gros incendie — tu sais bien? Tout le monde en chie dans sa culotte. Une histoire de sauvetage. On va s'amuser. Un peu d'action, enfin... Il était temps. C'était trop tranquille, ça commençait à me porter sur les nerfs."

Johnson ferma soigneusement son armoire et fit tourner la serrure à combinaison.

"Des bombes?

— Oui, m'sieur. Type B — conventionnel, mais tous les oeufs se ressemblent. Tu vas avoir la chance de montrer ce que tu sais faire. Bang! Juste sur la cible. Christ, ça va être comme au Vietnam."

En sortant, Johnson vit au volant de la jeep Peters, un nouvel arrivé, opérateur radar de réserve à bord de l'*Ebony I.* Si se tourna vers Stokely.

"Tu es sûr qu'il ne s'agit pas seulement d'un exercice de décollage d'urgence?

— Non, mon p'tit vieux. Cette fois, c'est pour vrai. Ils sont en conférence spéciale."

Peters hocha la tête avec une certaine déférence. Il venait tout juste de sortir de l'école d'entraînement, et les vétérans du Vietnam l'impressionnaient encore.

"Bonsoir, Monsieur."

— Euh! — oh, bonsoir."

Stokely passa le bras autour des épaules de Si et, tandis que la jeep partait en direction du centre de la base, il dit à Peters:

"Eh, mon gars, c'est ta soirée chanceuse. Tu vas voler avec *la crème de la crème**. Pas vrai, Si?"

Si ne répondit pas. La jeep s'arrêta devant une autre baraque, pour ramasser l'officier chargé de l'électronique militaire à bord du bombardier de tête. Puis ils se rendirent à la salle de réunion, où les hommes s'installaient aussi silencieusement que le leur permettait leur combinaison de vol avec ses bruissements. L'expert en électronique se tourna vers Si.

"Eh, j'étais là quand ils ont reçu le message, lui confia-t-il. Le commandant Burke dit que c'est le Président lui-même qui nous a demandés. Paraît qu'il y a seulement les bombardiers conventionnels pour arranger la situation.

---

* En français dans le texte

312

— Naturellement, renchérit Stokely d'un ton rieur. On est rapides et sûrs — pas vrai, les gars?

— Bien dit!" lança Peters, tout réjoui de cette camaraderie facile, qui déjà lui permettait de se sentir chez lui. Johnson ne dit rien. De nouveau, sa jambe et son bras droits s'étaient mis à trembler; sur le côté droit de sa tête, les veines étaient raides et gonflées. Il prit la résolution de prendre plus d'exercice, afin de faire sortir cela de son système.

Mille deux cents milles au sud et cinq cents milles au sud-est de l'incendie, les rayons de la lune glissaient à travers une éclaircie dans les stratus massés au-dessus du sud de la Colombie-Britannique, argentant la surface noire du lac Harrison. A l'intérieur de l'hôtel qu'on avait construit près des sources chaudes de la rive sud, les gens se préparaient à se mettre au lit — mais pas nécessairement à dormir.

Debout devant le grand miroir doré où elle pouvait se voir des pieds jusqu'à la tête, grisée par la sensation de ses pieds qui s'enfonçaient dans l'épais tapis couleur d'automne, Fran Lambrecker s'aspergeait généreusement de cologne Chanel. Peu lui importait d'en mouiller le déshabillé rouge, transparent, qui moulait son corps. Elle s'abandonnait à ses rêveries. C'était une fille très riche. Elle bougeait la tête, l'iclinant d'un côté, puis de l'autre, écartant ses lèvres rouges, faisant une moue capable de séduire et de provoquer, imaginait-elle, quelque futur amant. Elle aurait pu mettre moins de parfum, mais Morgan aimait cette odeur; il disait qu'elle l'excitait. De toute façon, il semblait bien que n'importe quoi pouvait exciter Morgan, si bien qu'elle commençait à en avoir assez de ces désirs qui se manifestaient à tort et à travers. Il n'arrêtait pas de la harceler. Il était comme un chien perdu qui tombe sur une chienne en chaleur. On aurait dit qu'il voulait faire bonne mesure et qu'il lui en fallait suffisamment pour justifier le prix de l'hôtel. Mais elle s'y résignait facilement. Ce n'était pas un mauvais gars, pensait-elle. Peut-être buvait-il trop; mais, au moins, il ne se prenait jamais trop au sérieux et, au lit, il faisait preuve d'imagination et de maladresse à la fois. Et, par-dessus tout, il aimait s'amuser.

A présent, elle pensait très peu à son mari. Ses trois mois d'absence avaient fini par la convaincre qu'elle ne le reverrait plus. Elle ne le détestait pas, elle ne l'avait probablement jamais détesté, et pourtant elle n'avait cessé de le froisser, de lui manifester de la mauvaise humeur à cause de son refus de se montrer plus sociable, de "sortir de la ville" comme elle disait. Au bout de deux ans de mariage, elle s'était sentie prisonnière; les jours, toujours pareils, n'en finissaient plus de passer. A présent, elle savait qu'elle s'était mariée trop tôt — elle doutait même qu'elle eût jamais eu l'intention de se marier. L'idée que Fran se faisait d'une vie bien remplie consistait à toujours "faire quelque chose de différent". En général, cela semblait signifier qu'elle aimait coucher avec des hommes différents, comme Lambrecker l'avait soupçonné et comme Morgan était sur le point de le découvrir.

Quand elle repensait à l'époque où Lambrecker lui avait fait la cour, sa bouche se tordait de dégoût. Depuis ce moment, elle était devenue une autre femme. Elle supposait que tout cela avait un rapport avec l'uniforme: elle avait toujours éprouvé de l'attrait pour les hommes en uniforme. Même Morgan, avec son ventre de bière qui pendait par-dessus sa ceinture comme une outre de vin distendue, avait une belle prestance dans son uniforme de sortie.

314

Par la fenêtre, elle regarda le lac éclairé par la lune; à l'ouest, parmi les grands pins sombres, elle pouvait apercevoir la longue traînée de vapeur qui montait des sources d'eau bouillante. Cela lui rappela une chansonnette qu'elle avait déjà entendue — où l'on parlait d'amour qui s'évanouissait comme la vapeur d'une tasse de café. Il y avait longtemps que son mari avait perdu tout attrait pour elle. Autrefois, elle avait pu croire qu'il était vraiment romantique. Mais depuis, elle n'avait plus rien ressenti —même pas la dernière fois qu'il était rentré passer sa permission à la maison. Elle était assez honnête, cependant, pour se tenir en grande partie responsable de ce qu'ils étaient devenus. Elle avait lu, dans un magazine quelconque, que lorsque les couples atteignaient finalement le point de séparation, ils découvraient souvent qu'en dépit de tous leurs problèmes, ils éprouvaient l'un pour l'autre beaucoup plus de sentiments qu'ils ne l'avaient cru. Mais Fran savait bien que ce n'était pas leur cas. Pas son cas à elle, de toute façon. Elle avait décidé qu'elle lui dirait tout à son retour — mais pas directement. Il deviendrait fou furieux si elle faisait cela. Elle lui écrirait plutôt une lettre. Elle détestait écrire des lettres; mais elle ferait en sorte que celle-ci soit simple. Peut-être vaudrait-il mieux signer: "Avec amour, Fran" — en tout cas, quelque chose de gentil, pensait-elle.

Morgan avait peine à passer la porte, tout chargé qu'il était de bouteilles de ginger ale, de mélange pour les collins et d'énormes sacs de glace concassée. On voyait bien qu'il était déterminé à tout tenter pour éviter les frais de service.

"Mon Dieu!, dit Fran en riant. Qu'est-ce que tu as là?"

Voyant que Fran avait passé le déshabillé qu'il avait

tenu à lui acheter à la boutique de l'hôtel, les yeux lui sortirent de la tête.

"Bon Dieu!" fit-il; et il se débarrassa de ses bouteilles avec une hâte telle qu'il en échappa la glace.

"Tu es un vrai gorille", protesta-t-elle gaiement lorsqu'il l'entraîna sur l'épais tapis.

Il s'accroupit et, laissant pendre ses bras, grognant, il imita un babouin en train de se gratter les aisselles.

Elle éclata de rire et ouvrit son déshabillé. "Viens", dit-elle.

Tandis qu'il tâtonnait pour trouver la lampe, elle se trouva heureuse de ne pas se sentir du tout coupable de ce qu'elle faisait. Elle aimait cela. Elle souhaitait que Lambrecker ne revienne jamais.

Elle noua ses bras autour du cou de Morgan, puis elle ferma les yeux et enfonça sa tête dans le tapis, poussant déjà de petits grognements. Mais dans l'obscurité, Fran garda les yeux ouverts; la peur s'emparait d'elle et la refroidissait. Elle se rendait compte que tout ce temps, depuis le moment même où il avait claqué la porte trois mois plus tôt, elle avait agi comme si Lambrecker avait été mort. Même quand elle avait songé, peu de temps auparavant, à lui écrire un petit mot de rupture, elle avait eu l'impression qu'il suffirait qu'il le lise pour que tout soit fini. Tout simplement. Mais, brusquement, elle se rappela que le sous-marin était sur le chemin du retour. Que ferait-il en apprenant cela — lorsqu'il rentrerait à la maison? Il menacerait probablement de la tuer. Peut-être, aussi, lui donnerait-il un coup de poing...

Dans un effort, elle ferma les yeux et s'accrocha à Morgan.

Chapitre 19

Le grondement des bombardiers était assourdissant. Les soixante-douze moteurs *Pratt and Whitney,* dont chacun pouvait développer une poussée de vingt mille livres, hurlaient dans la nuit, alors que les neuf B-52 se disposaient en trois groupes de trois avions. Ces groupes étaient désignés par les noms: Ebony, Gold et Purple.

Un par un, les bombardiers commencèrent à rouler, glissant le long de la piste avec leurs roues tournées selon l'angle du vent contraire. Prenant rapidement de la vitesse, ils foncèrent sur la piste d'envol avec un bruit de tonnerre; puis, tour à tour, ils s'élevèrent dans la nuit dans un crescendo qui secoua toutes les vitres de la base.

Quand il fut en plein vol, Noël Burke, commandant d'*Ebony I* et de l'escadrille, regarda autour de lui les points lumineux que faisaient les phares de décollage des bombardiers, afin de vérifier leur formation. L'appareil qui volait à sa gauche, le numéro deux de son groupe, portait encore les couleurs utilisées pour le combat dans le Sud-Est asiatique — des dessins de camouflage kaki sur le dessus et du noir sur le ventre pour frapper de terreur les populations civiles lors des raids de jour. Cela faisait tout un changement, songeait Burke, de partir pour une mission de sauvetage.

Il était 22 heures — heure du Pacifique. Si Johnson calcula que l'escadrille, voyageant à six cents milles à l'heure à mille pieds au-dessus de la mer pour un bombardement à basse altitude, parviendrait sur la position du sous-marin en trente-sept minutes — soit à 22 heures 38, compte tenu de quelques minutes de jeu possible à cause des changements de vitesse du vent provoqués par le front arctique avançant vers le sud. Il faudrait aussi compter une ou deux minutes pour repérer le cap Bingham, à l'extrémité nord de l'île Chichagof: c'était là leur point de référence initial, avant d'amorcer leur virage vers le sud et l'incendie. Alors, en tant que navigateur radar, il actionnerait son chronographe et le bombardement pourrait commencer. Il révisa ses calculs de nouveau, avec le faible espoir de trouver quelques minutes ou même quelques secondes de plus. Mais les chiffres lui donnaient toujours la même réponse. Ils disposeraient, au plus, d'une marge de onze minutes entre le moment de leur arrivée et celui où le sous-marin manquerait d'énergie et d'air.

Burke jeta un coup d'oeil pour vérifier les grappes de bombes supplémentaires qu'on avait fixées aux ailes. Avec leur "tuyau" de huit pieds qui pointait en avant et contenait la fusée d'amorçage à retardement nécessaire pour les explosifs puissants, ces bombes étaient trop longues pour les soutes principales. Celles-ci étaient pourvues, chacune, de quatre-vingt-quatre bombes de cinq cents livres qui éclataient au moindre choc. En tout, chaque B-52 de l'escadrille, avec ses cent cinquante-sept pieds de longueur, pouvait transporter plus de bombes que quinze des B-17 utilisés pendant la Seconde Guerre mondiale. A cette époque, le Président aurait dû faire appel à cent trente-cinq avions — neuf escadrilles de bombardiers lourds — pour effectuer le travail de neuf appareils modernes.

Burke essaya de voir, sur les ailes, si les minces fils destinés à retirer les goupilles de sécurité des bombes extérieures étaient correctement placés; mais il n'y parvint pas. Dans ses longues ailes, chaque avion transportait quarante mille gallons de kérosène, de sorte que leur envergure constituait, en réalité, un réservoir d'essence de cent quatre-vingt-cinq pieds. Il lui fallait donc faire confiance à l'équipe chargée de préparer les appareils, et espérer qu'elle avait exécuté son travail consciencieusement. Il ne tenait pas, en effet, à ce qu'une des bombes reste suspendue sous tout ce kérosène une fois qu'il aurait appuyé sur le bouton de largage.

Contrairement aux bombes des soutes, qui explosaient au contact, celles des ailes étaient réglées pour exploser au-dessus et au-dessous de l'eau. Normalement, ces appareils auraient tout aussi bien pu transporter des roquettes sur leurs ailes; mais on avait jugé que leurs têtes nucléaires ne convenaient pas au projet actuel. Malgré l'absence de ces têtes nucléaires, Burke estimait que cette mission représentait un excellent exercice de combat pour ses équipages.

Outre Burke, l'équipage d'*Ebony I* était constitué de Beddoes, le copilote, assis à sa droite; de Si Johnson, le navigateur, en compagnie de Peters, le nouveau navigateur; de l'officier de l'électronique, coincé à l'arrière des deux navigateurs; et, enfin, de Stokely qui occupait la tourelle de type "M" installée dans le nez de l'appareil et pourvue de quatre mitrailleuses de calibre 50. Le type "M" était, en fait, une version modifiée du type "H", une tourelle arrière munie d'une mitrailleuse de calibre 20 et télécommandée par le mitrailleur avant. Dans les premiers modèles, la mitrailleuse avait un jeu vertical et horizontal maximum de soixante degrés. Mais Stokely estimait que la position de cet armement n'avait pas tellement d'importance. Ils allaient effectuer une petite mission paisible. Lui et l'officier de l'électronique, dont les talents ne seraient pas requis non plus, regardaient les autres qui, à l'avant, devaient faire tout le travail.

Les membres de l'équipage qui seraient vraiment occupés étaient Burke, le copilote, Peters et, par-dessus tout, Si Johnson, qui serait responsable de la précision du bombardement en tant que navigateur radar. Burke avait déjà volé avec Johnson au Vietnam. Il se rappelait la fois qu'ils avaient été obligés de s'éjecter. Du moins n'y aurait-il pas de missiles sol-air dans cette mission. Leur seul ennemi, en réalité, c'était les trente-sept minutes qui les séparaient du sous-marin. L'avion à sa droite fit une petite embardée. Il brancha la radio d'intercommunication.

"Gardez votre position, les gars. Bernie, tu t'écartes du chemin.

— Compris. Je l'ai."

Burke regarda son copilote et sourit.

"T'as quoi, Bernie?... La trouille? Allez, replace-toi.

— D'accord."

A son tour, Burke sentit que son appareil faisait une embardée, glissait vers la gauche.

"Stokely, mais qu'est-ce que tu fous? La plupart des autres sont des bleus; mais toi, tu es supposé connaître la musique. Garde tes mitrailleuses droites, vers l'avant. Mon vieux, tu as dû leur donner un angle quelconque. On dirait qu'on a un volet supplémentaire.

— M'excuse, chef. C'est la gâchette... le doigt me démange.

— Laisse faire ça; on est en exercice de combat. Faisons-le comme il faut.

— C'est vous le chef, répondit Stokely d'un ton allègre.

— Alors, garde ta tourelle en ligne avec l'avion et cesse de la faire tourner. Tu pourrais nous faire dévier encore.

— Compris."

Stokely plaça ses mitrailleuses parallèlement à la direction du bombardier.

"Commandant!"

C'était Si Johnson qui appelait, du réduit sombre et encombré d'instruments qu'il occupait en-dessous.

"Qu'est-ce qu'il y a, Si?

— Quelque chose de bizarre sur mon écran — des taches en formation."

Instinctivement, Burke leva les yeux, essayant de percer les ténèbres.

"En formation? Des avions?"

Si regarda de nouveau son écran. A chaque balayage lumineux, de nouveaux points apparaissaient. Inquiet, Peters se pencha vers l'écran.

"Ça ressemble à la rougeole", dit-il.

Si Johnson n'avait jamais rien vu de tel.

"Pas assez gros pour des avions. J'ai vérifié deux

fois tous les rapports, ceux d'ici et ceux de l'extérieur: d'après eux, la zone devrait être libre. Mais il y en a des centaines... des milliers. Ils sont tous en bas. C'est massif. Ça ne ressemble à rien."

Burke brancha la radio d'intercommunication. Bientôt, *Ebony II* répondait:

"Même chose sur notre écran, Commandant.

— Ebony trois à Ebony un. Nous l'avons aussi".

Vivement, il appela les deux groupes qui le suivaient. "Gold et Purple — vous l'avez sur vos écrans?

— Gold à Ebony un. Affirmatif, mon commandant.

— Purple à Ebony un. Affirmatif."

Burke fit une pause et fouilla dans sa mémoire. La seule chose dont il se souvenait, qui pouvait ressembler vaguement à cela, c'était les petits morceaux de papier métallique qu'ils avaient lâchés en plein ciel au cours de la Seconde Guerre mondiale, pour brouiller les radars allemands. Mais les objets qu'ils venaient de détecter ne tombaient pas: ils se déplaçaient horizontalement. Sa voix était calme; mais le copilote crut y discerner une nuance d'inquiétude. A présent, il s'adressait à tous les avions.

"Alors, personne n'a la moindre idée? Personne? Et les nouveaux? Peters?"

Le jeune homme haussa les épaules à l'intention de Si Johnson; puis il se tourna d'un air embarrassé vers l'officier de l'électronique, comme pour lui demander de l'aide. Celui-ci leva les mains, ne sachant trop que dire. A contre-coeur, Peters répondit:

"Pas d'idée, mon commandant."

Le front artique qui approchait faisait comme un toit sombre au-dessus d'eux, de sorte que Burke ne pouvait même pas profiter du clair de lune. Au delà du cockpit, c'était l'obscurité complète. Il jeta un coup d'oeil à l'indicateur de vitesse.

"A quelle vitesse que ça se rapproche, Si?

— Ça bouge lentement, Commandant. A peu près trente milles à l'heure. Mais on va leur rentrer dedans... dans environ dix minutes."

Burkes consulta la pendule, parmi l'amas de cadrans qui s'étalaient devant lui. Il était près de 22 heures 03.

Dans son réduit, Si Johnson tenait à la main une calculatrice de métal; il la serrait si fort, que ses jointures étaient blanches. Soudain, il fut baigné de sueur froide. Avec raideur, il s'appuya au dossier de son siège. Sa jambe et son bras droits se mirent à trembler, incontrôlablement. Peters débrancha son appareil d'intercommunication, se pencha vers Si et lui toucha le bras.

"Eh, Monsieur... Si, est-ce que ça va?"

Comme s'il venait de prendre conscience de l'endroit où il se trouvait, Johnson tourna vivement la tête vers le jeune navigateur.

"Quoi? Ote ta main de sur moi, nom de Dieu! Ça va bien — juste un peu d'indigestion. C'est cette maudite cochonnerie qu'ils nous servent..."

Peters s'excusa et brancha de nouveau son appareil d'intercommunication. Il croyait ce que Johnson venait de lui dire. Mais s'il avait mieux connu les vétérans du Vietnam, il aurait presque certainement reconnu les symptômes d'un contrecoup. De toute façon, il était nouveau à bord de l'*Ebony I* et il n'était pas question qu'il puisse se permettre de passer ses réflexions — et surtout pas maintenant.

"Si, reprit le commandant, donnez-moi une altitude, qu'on puisse éviter ça — quoi que ça puisse être."

Johnson éprouvait des difficultés à se concentrer sur son appareil de radar.

"Trois... "commença-t-il.

Il parlait lentement.

"Trois quoi, pour l'amour du Christ?

— Mille... trois mille pieds."

Stokely intervint, d'une voix trahissant un joyeux soulagement.

"Pas de problème. Au Vietnam, on lâchait nos oeufs à trente mille pieds. Pas vrai, mon vieux Si?"

Il n'y eut pas de réponse. Johnson, débranchant son appareil d'intercommunication, s'adossa au fond de son siège, terrifié. Il se sentait pris au piège dans ce trou noir du plan inférieur. Les instruments entassés autour de lui avaient l'air d'ouvrir des yeux malveillants dans la nuit. Mais même dans sa terreur, il parvint à jeter un regard d'avertissement à Peters. Intimidé, le nouveau se taisait.

Au-dessus d'eux, dans le cockpit, Burke procéda à une nouvelle vérification de la pendule et de l'altimètre.

"Pas question, dit-il. On ne peut pas risquer de monter d'un autre mille pieds. On entrerait dans les nuages. On aura bien assez de difficulté à voir ce qu'il y a dessous sans ça. Si, comment est le signal de repérage du sous-marin?"

Peters tourna les yeux vers Johnson: à sa grande surprise, un nouveau changement s'était opéré en lui. A présent, il était devenu le calme vétéran dont Peters avait entendu parler.

"On va droit dessus,Commandant; mais il est encore plus faible que le thé de ma grand-mère. Leur énergie baisse continuellement. L'émission pourrait cesser d'une seconde à l'autre."

Sachant qu'à cette vitesse chaque minute hors de la trajectoire lui coûtait au moins dix milles, Burke s'empressa de répondre:

"Ça tranche la question. Il faut continuer tout droit. On ne peut pas se permettre de détour."

Il se tut un moment, puis, aussi calmement qu'il le put, il dit:

"On va devoir passer à travers ça."

De nouveau, Si observait le balayage sur l'écran radar. Celui-ci n'était plus parsemé de points: à présent, c'était une couche lumineuse qui le couvrait, tant les taches qui venaient vers eux étaient denses et étalées.

"C'est la lune, fit Stokely d'un ton froid. C'est la lune. Je parie que c'est rien que la maudite lune qu'on voit sur l'écran."

Tenant les commandes plus fermement que d'habitude parce que l'appareil traversait une zone de légère turbulence, Burke dit sèchement au mitrailleur:

"Stokely, vas-tu la boucler? C'est pas la lune, espèce d'attardé. Christ, tu serais capable de nous dire qu'on survole la Chine actuellement."

L'officier de l'électronique, qui pensait automatiquement en termes de MIG et de missiles sol-air, intervint d'un ton soucieux.

"Y en a épais, Commandant. Pet de lapin ou autre chose, il suffirait qu'il y en ait quelques-uns qui nous frappent au bon endroit..."

Comprenant que la réprimande qu'il venait de servir à Stokely pouvait augmenter l'inquiétude des équipages, Burke dit d'un ton encourageant, s'adressant à tous les hommes de son groupe et particulièrement aux nouveaux:

"Diable!, Ebony, on a déjà vu pire que ça."

Hart, le navigateur radar à bord d'*Ebony II,* sentit sa gorge s'assécher.

"Je... je n'étais pas au Vietnam, Monsieur.

— Eh bien, moi, j'y étais, mon gars. T'inquiète pas. Continue comme ça — tu fais du bon travail. T'as qu'à ne pas quitter Si de l'oeil. C'est lui qui va diriger le largage des bombes. Il pourrait le faire en dormant."

La réponse de Hart vint, d'un ton stoïque mais pas très convaincu.

"Je ne m'en fais pas, Monsieur.

— Parfait. A présent, mitrailleurs d'Ebony, écoutez-moi bien. On ne transporte pas de roquettes. Alors, on n'a rien qu'on puisse faire exploser devant nous pour nous ouvrir un chemin, excepté vos canons de calibre 50. Votre travail va consister à faire un trou dans ces choses qui viennent vers nous, quoi que ça puisse être, pour que les appareils puissent poursuivre leur chemin. Concentrez-vous sur votre secteur, ne tirez pas dans celui des autres. Tout dépend de vous autres. Je veux un beau grand cercle de rien du tout juste devant le nez de mon appareil. Compris?

— Ebony deux. Compris.

— Ebony trois. Compris, mon commandant."

L'espace d'un instant, tandis qu'il armait les quatre canons de calibre 50, Stokely aurait voulu se trouver à bord d'un de ces anciens B-52, comme mitrailleur de queue.

A présent, Burke s'adressait à l'escadrille tout entière.

"Je veux que chaque groupe reste en formation serrée. Rappelez-vous qu'on n'a pas le temps de s'amuser à se regrouper. Moins notre formation sera serrée et moins notre bombardement sera concentré autour du sous-marin — sans compter qu'on risquera davantage de se faire frapper par ces machins qui arrivent sur nous. Commandants de Gold et de Purple: si jamais quelque chose nous arrive, continuez et allez faire le bombardement. Utilisez le cap Bingham comme point de repère initial; puis, tournez vers le sud et prenez votre point de visée à la verticale du sous-marin.

— Gold au commandant d'Ebony. Reçu.

— Purple au commandant d'Ebony. Ça va."

Tout ce que Sarah Kyle avait appris du Commandement naval d'Esquimalt, c'est que le *Swordfish* éprouvait certaines "difficultés", mais qu'on était en train d'y "remédier". Il ne lui vint pas à l'esprit de demander plus de détails. Elle ne voulait pas savoir. C'était l'été indien et, bien qu'il fût tard, elle enleva sa chemise de nuit et passa ses vêtements de jardinage: un pantalon de velours côtelé brun chocolat, un chandail beige un peu trop grand et des espadrilles. Puis, allumant le projecteur de la cour arrière, elle sortit dans le jardin. A présent, elle était parmi ses roses à l'odeur suave; tous les bruits y étaient familiers, tous les parfums immédiatement identifiables. Aussi l'obscurité qu'il y avait au-delà de la lumière du projecteur l'effrayait-elle moins que ce qu'elle aurait pu apprendre par les reportages vagues et conjecturaux qu'on donnait sur le sauvetage à la radio et à la télévision.

Les bombardiers n'étaient plus qu'à trente minutes du cap Bingham, lorsqu'elle commença à tailler la partie visible du rosier rampant Van Vliet. Depuis le départ de James, il avait grimpé à la véranda, s'étirant le long du côté de la maison à l'abri du vent, ses tentacules, situés sous les fleurs rose blanchâtre, s'accrochant aux moindres aspérités, aux moindres irrégularités de la surface de cèdre. Quand James reviendrait, elle lui demanderait de le tailler complètement. Ensuite, elle alla soigner les roses Nocturne, essayant de conserver le plus de boutons possible — car c'étaient les roses que James préférait.

A moins d'un quart de mille de là, dans un appartement de condominium d'où l'on voyait très bien la maison des Kyle, Philip Limet, ancien commandant du *Swordfish,* se remettait lentement de la crise cardiaque qui avait failli l'emporter trois mois plus tôt. Soudain, il sentit une âcre odeur de brûlé qui venait de la cuisine. Alice Limet n'avait pas suffisamment surveillé le lait qui chauffait, de sorte qu'il s'était mis à bouillir et à déborder sur le poêle avant qu'elle ait eu le temps de fermer le gaz. Alice, qui avait vu bouger quelque chose dans la cour des Kyle et qui avait reconnu sa voisine à l'aide des jumelles qu'elle gardait toujours à portée de la main, ne savait plus trop que faire. Elle n'arrivait pas à ce décider: devait-elle téléphoner à Mme Kyle pour lui dire ce qu'un officier cadet de la base des forces canadiennes à Esquimalt, venu faire une visite, avait déclaré à Philip une demi-heure plus tôt?

Tout le long de leurs vingt années de mariage — et même avant leurs fiançailles —, elle avait toujours tenu à savoir où était son mari. C'était là un trait de caractère qu'elle avait hérité de sa mère, elle aussi femme de marin. Bien sûr, la marine ne l'avait pas toujours tenue au courant, surtout pendant la guerre de Corée. Mais chaque fois qu'on lui avait donné le choix, elle avait préféré connaître le danger auquel il était exposé, plutôt que de s'asseoir et d'attendre jour et nuit ce coup de téléphone que les femmes de marin redoutent tant. Mais Alice savait que toutes les femmes n'étaient pas comme elle.

Malgré la proximité de leurs demeures, elle n'avait jamais été très liée avec les Kyle. Ils s'étaient rarement rencontrés, et presque toujours dans des circonstances officielles. Peut-être, pensait-elle, Mme Kyle était-elle une de ces drôles de personnes qui croient vraiment à la formule: pas de nouvelles, bonnes nouvelles. Mais peut-être, aussi, n'était-elle pas comme cela; peut-être aimerait-elle savoir. Elle était complètement absorbée dans ce dilemme: appeler ou ne pas appeler Sarah. Il était difficile de se décider.

"Crois-tu que je devrais?" dit-elle.

Il y avait dix ans qu'elle n'avait pas mis les pieds à Londres, mais son accent cockney ressortait quand elle était préoccupée.

Philip était assis, en train de lire dans le *Times* de Victoria les dernières nouvelles sur la progression de la nappe de feu. Il ne voulait pas se mêler de cette histoire.

"Fais comme tu veux, dit-il. J'ignore ce que les femmes peuvent penser de tout ça.

— Alors, tu crois que je ne devrais pas? demanda Alice, sacrifiant son capuccino quotidien pour laisser à Philip le lait sauvé de la catastrophe.

Limet tourna la page. On ne donnait pas de nouvelles informations. On parlait seulement de la composition approximative de la nappe de feu, ainsi que de sa dimension. Le journal estimait qu'elle approchait déjà les trente mille milles carrés.

"Oh, je ne sais pas, fit-il. Peut-être vaudrait-il mieux laisser le quartier général s'occuper de ça. C'est à eux de lui dire ce qu'ils essaient de faire."

L'opinion qu'Alice avait du quartier général se résuma par un "Pouah!" méprisant qui arriva de la cuisine. Elle fouettait le café qu'elle croyait seulement remuer.

"Le quartier général? dit-elle. L'informer à cette heure? Es-tu sérieux? Ils ne lui diront rien avant demain matin, mon petit chat. Pas avant le matin. D'ailleurs, je m'étonne qu'ils n'arrêtent pas le radar et tout le reste pour les fins de semaine."

Laissant le café, elle leva les yeux.

"Je n'oublierai jamais la fois que mon père était sur ce bateau, tu te souviens?... ce convoi d'escorte à Archangel.

— Archangel?

— C'est bien ce que j'ai dit. En Russie. Eh bien, ils ne nous ont jamais rien dit. Le lendemain matin, maman a lu qu'un convoi complet s'était perdu dans ces parages. Nous pensions vraiment qu'il était mort. Et le quartier général ne nous a rien dit."

Dans un accès de frustration, Limet abaissa son journal.

"Je t'ai déjà dit, Alice, que c'était probablement pour des raisons de sécurité. Exactement comme pour cette histoire d'avions. J'imagine qu'ils gardent le silence parce que les Américains ont quelque chose à voir là-dedans. Dans les journaux, il n'y a rien, excepté quelques photos aériennes."

Alice pensait encore au convoi pour Archangel.

"La sécurité! Les journaux étaient au courant de tout le lendemain. Mais qu'est-ce qu'ils faisaient de nos sentiments? Ne me parle pas de sécurité. Le quartier général s'en fiche. Si ce n'avait pas été de ce charmant jeune homme qui est venu nous rendre visite ce soir, nous n'aurions jamais entendu parler des avions. Je te parierais que Mme Kyle ne sait rien de tout cela."

Limet fronça les sourcils.

"Ce *charmant jeune homme,* comme tu dis, n'avait

pas à me raconter quoi que ce soit. Il s'imagine probablement que je vais le remercier pour ça. Mais non. Il a décidé d'agir comme son propre officier de classement.

— En tout cas, tu ne l'as pas arrêté!"

Philip Limet renonça à poursuivre et se réfugia dans son journal.

"D'accord. Téléphone-lui si tu veux."

Dans sa hâte de composer le numéro, Alice faillit laisser tomber l'appareil téléphonique.

"Allô." A l'autre bout du fil, la voix était tendue, désespérée.

"Madame Kyle?

— Oui.

— Ici Madame Limet... la femme de Philip Limet."

Sarah Kyle essaya de s'opposer... mais son interlocutrice était si sympathique, si délicate, si compréhensive, qu'elle n'entendit même pas Sarah qui la suppliait de se taire. Un moment, Sarah pensa à raccrocher, mais elle restait là, victime de ses habitudes de politesse. Bien sûr, elle ne voulait rien savoir; mais, à présent qu'elle avait appris une partie du plan de sauvetage, elle voulait le connaître en entier. Ainsi, elle ne pourrait plus s'abuser sur l'importance du danger que courait son mari.

Lorsqu'elle eut raccroché, le silence de la maison vide s'abattit sur elle, et elle se mit à pleurer. Au bout d'un moment, elle ressortit et alla au jardin.

Chapitre 20

Le *Swordfish* reposait, immobile, à soixante pieds sous la surface. A part la lumière du poste de contrôle, le seul éclairage du sous-marin provenait des fanaux d'urgence. A présent, la température était parvenue à 124°F.

Le moindre morceau de métal reluisait d'humidité. Les hommes de quart étaient assis, hébétés, dans la pauvre lueur rouge du poste. Leur cerveau était obscurci, leur tête était alourdie par l'humidité constante qui provenait de l'évaporation de l'eau de cale.

Dans leur désir de conserver les forces qui leur restaient, le reste des hommes étaient étendus un peu partout dans le sous-marin, comme s'ils avaient été atteints par quelque virus motel et foudroyant. Les moteurs, silencieux et fonctionnant à l'électricité, continuaient de dégager de la chaleur dans l'air immobile et humide. Et les accumulateurs, tout comme les hommes, étaient presque complètement à plat. Il y avait aussi le danger d'inversion d'une cellule: cela viderait complètement les batteries et risquerait même de déclencher un incendie — et ce danger croissait de minute en minute. Si jamais cela se produisait, ils ne seraient plus capables de transmettre leur signal de position, aussi faible qu'il fût, ou de recevoir des instructions concernant la tentative de sauvetage.

Dans l'obscurité presque complète de l'infirmerie, la petite pendule, à moitié cachée par les silhouettes anguleuses des armoires à médicaments, fit entendre son déclic. Kyle, assis près de la couchette de la Vice-présidente, leva lentement la tête pour regarder l'heure. Il était 22 heures 06. Vers l'avant, à l'autre extrémité de l'infirmerie, au-delà des formes silencieuses des hommes que la fièvre clouait sur les quatre autres couchettes, Kyle pouvait distinguer une sorte de bosse: c'était Evers, attaché à son lit, insensibilisé par l'effet d'une dose massive de sédatifs. Kyle commençait à se sentir faible, mais pas autant que le reste de l'équipage qui n'avait pas eu, comme lui, la chance de prendre de l'air sur le pont pendant le sauvetage de la Vice-présidente. En fait, la réserve d'air avait été reconstituée de façon largement suffisante. Mais entre le fait de respirer sur le pont et celui de respirer dans l'atmosphère putride qui régnait sous les ponts, il y avait exactement la différence qui séparait un état proche de l'épuisement et l'épuisement complet. Du moins cette différence permettait-elle à Kyle de converser de façon cohérente avec la Vice-présidente des Etats-Unis.

Depuis qu'on l'avait descendue par l'écoutille arrière, la Vice-présidente n'avait plus rien dit. Durant quelques minutes, Richards, le préposé à l'infirmerie, avait craint que l'épuisement causé par la chaleur n'entraîne sa mort. Comme tous ceux qui étaient à bord, elle n'avait pas tardé à offrir les symptômes classiques. Mais, chez elle, c'était beaucoup plus grave, parce qu'elle avait été exposée à la chaleur rayonnante de l'incendie. C'était plus sérieux, aussi, à cause des graves brûlures qu'elle avait sur un côté de la figure et sur un bras: cela donnait à sa peau une teinte de rouge beaucoup plus foncée que celle de l'équipage. Les battements de son coeur contrastaient dramatiquement avec l'expression de stupeur qui apparaissait dans ses yeux fixes. Son rythme cardiaque avait en effet grimpé bien au-dessus des soixante-quatorze battements à la minute: l'adrénaline affluait à son cerveau, activant les glandes sudoripares pour refroidir et contracter les muscles. Ainsi, sa peau se refroidissait temporairement, elle devenait moite, tandis que son rythme respiratoire augmentait. Richards était persuadé que la Vice-présidente frôlait l'état de choc. Quand on l'avait transportée à bord, il lui avait immédiatement administré cinquante milligrammes de Demerol pour apaiser sa souffrance; puis il avait tenté d'abaisser sa température à l'aide de compresses humides. Depuis ce moment, il lui avait fait boire, de temps en temps, du jus de tomate: le sel étant épuisé, c'était le mieux qu'il pût faire. Mais à présent, après s'être occupé aussi d'Evers, il était affalé sur le pont.

D'un geste las, Kyle prit la lanterne par terre et ouvrit une autre boîte de jus; puis il la tint sur les lèvres de la Vice-présidente, se forçant les yeux pour éviter d'en renverser. Pendant un moment, elle ne sut pas où elle se trouvait. Elle continuait de boire, comme quelqu'un qui viendrait d'émerger des profondeurs d'une anesthésie générale. Comme elle regardait autour d'elle, Kyle, s'aperçut que la conscience lui revenait graduellement.

Puis ses yeux, éclairés par la lumière tamisée de la lanterne, commencèrent à distinguer les objets qu'il y avait dans le compartiment. Son regard se posa d'abord sur la masse accroupie de l'armoire des produits chimiques, puis sur une couverture jetée par terre et qui ressemblait à un suaire, et enfin, à peu près à mi-chemin, sur un homme d'un certain âge à l'air paternel, coiffé d'une casquette et qui restait assis là, sans un geste, semblable à un vieux négatif en noir et blanc.

"Le sous-marin?" demanda-t-elle faiblement.

Le commandant approuva de la tête.

Kyle trouvait qu'elle avait l'air d'une enfant. Malgré les efforts de Richards, elle avait encore, ici et là, des taches de pétrole, comme si elle avait été surprise en train de jouer avec de vieux mécanismes. Elle lui donnait l'impression d'être terriblement vieux mais, d'une certaine façon, étrangement privilégié — car dans ses yeux couleur de noisette pleins de lassitude, il pouvait lire bien plus de confiance que d'inquiétude. C'était une tranquillité qui démentait le rythme accéléré de son coeur; le calme de quelqu'un qui se soumet à son sort et ignore la colère ou le désespoir. C'était l'image du courage. Un instant, sans raison, il se sentit heureux. Il se dit qu'après tout, ils réussiraient peut-être.

Au bout de quelques minutes, Elaine parla de nouveau, tandis que la lanterne faiblissait et que l'obscurité s'épaississait autour d'eux.

"Est-ce que nous... rentrons chez nous?"

Il fut sur le point de lui sourire et de dire oui. Mais il comprit instinctivement, comme Harry, que c'était une personne à qui il valait mieux dire la vérité.

"Je l'espère, dit-il. Ils nous envoient des avions.

— Des hélicoptères?

— Non. C'est encore trop noir pour eux, là-haut."

Kyle leva la tête vers le ciel.

"Nous sommes toujours sous l'incendie." La lanterne clignota et, un instant, il cessa de voir Elaine. Dans l'obscurité croissante, il devenait plus facile d'expliquer les risques qu'ils couraient.

"Il ne nous reste presque plus d'énergie électrique. Pas moyen de s'en tirer tout seuls." La lanterne clignota de nouveau. La respiration rapide et laborieuse de Richards leur parvint, du fond des ténèbres; c'était comme le bruit du vent dans un long roseau. Avant qu'Elaine pût le questionner, Kyle se remit à parler. Son coeur battait vite, régulièrement, comme un tambour rythmique.

"Ce sont vos forces aériennes qui nous envoient des bombardiers. Ils..."

On entendit Richards qui faisait des efforts pour vomir.

"Ça va, Richards?"

Il y eut un bruit de chasse d'eau, dans les toilettes. Un des hommes couchés sur les couchettes se mit à tousser, interminablement.

"Richards?

— Ça va bien."

Kyle savait qu'il n'en était rien, mais il ne pouvait rien faire pour lui, ni pour l'homme qui toussait — ni pour n'importe lequel d'entre eux. Un instant, il se sentit étourdi. Il étendit le bras pour retrouver son équilibre, tandis que le sous-marin prenait un coup de roulis. Il sentit la main d'Elaine agripper son épaule. C'était la poigne d'un enfant.

"Merci", dit-il en lui tapotant la main.

Il pensa soudain qu'un jour elle pourrait devenir Présidente — qu'elle le deviendrait probablement.

C'était, sans contredit, une femme brillante; et pourtant, il agissait avec elle comme avec sa fille mariée — comme une fille qui n'aurait jamais vieilli. Il n'ignorait pas qu'elle commandait à des hommes comme lui, à des milliers même. Néanmoins, il n'arrivait pas à se défaire de la conviction que derrière son grand titre se cachait une irrésistible innocence. Et, à ses yeux, cela importait bien plus que sa position sociale, que ce qu'elle avait fait ou allait vraisemblablement faire. Il l'avait remarqué sur ses photos, et cela lui paraissait tout à fait anti-politique.

"Les bombardiers?" demanda-t-elle.

Sa question le tira de la rêverie qui avait suivi son étourdissement.

"Oui. Ils vont bombarder l'incendie. Ils vont dégager un espace au-dessus de nous, pour que nous puissions faire surface. Alors, nous nous promènerons pour recharger les accumulateurs. Si ça marche, ils vont tenter de bombarder l'incendie tout entier, plus tard.

— Mais comment sauront-ils que nous sommes ici?"

L'odeur rance des corps qui transpiraient dans l'infirmerie sautait littéralement au nez d'Elaine. Kyle s'essuya le front. Il faisait 129° F.

"On transmet un signal de repérage, dit-il en haletant et en se sentant repris par un étourdissement. Ça va leur dire où on est."

Elaine pouvait encore voir le ciel noir comme du charbon qui enveloppait le bateau de pêche.

"Il va s'agir d'un bombardement visuel, n'est-ce pas? Ils vont devoir voler bas. Quelques bombes à côté du but, et ils pourraient nous faire exploser...

— Ils volent bas, intervint Kyle dans un effort pour rassurer la Vice-présidente. Nous pouvons envoyer des

338

fusées à travers la fumée s'ils le désirent. Ça leur donnerait notre position exacte."

Kyle entendit un profond grognement et un claquement de cuir. C'était Evers qui essayait de se retourner. Kyle essaya de voir quelque chose dans l'obscurité. Il sentait un lourd fardeau de culpabilité peser sur lui. Il était responsable de l'état dans lequel se trouvait cet homme. Ou du moins était-ce à cause de lui que se prolongeait son agonie — de même que celle des quatre-vingt-deux autres hommes à bord du *Swordfish*. S'il avait abandonné la Vice-présidente à son sort, ils seraient déjà rentrés et Evers aurait pu recevoir les soins appropriés.

Elaine mit son bras sur ses yeux pour les protéger de la faible lueur de la lanterne, qui semblait l'éblouir comme la lumière aveuglante d'une salle de torture.

"Combien y en a-t-il? demanda-t-elle.

— Neuf, dit-il. Neuf B-52.

— Vous dites qu'ils vont jeter des tapis de bombes.

— Oui.

— A quelle vitesse se déplacent-ils?

— Six cents milles à l'heure. C'est un point qui joue en notre faveur."

Kyle savait qu'à cette vitesse, la synchronisation du largage serait critique. Quelques secondes de plus ou de moins, et tout le chargement de bombes tomberait à un demi-mille de la cible. Si les bombes tombaient trop près du sous-marin, elles l'endommageraient; mais si on les larguait trop tôt ou trop tard, le feu remplirait le trou avant même que le sous-marin puisse l'atteindre. Mais il n'en dit rien à la Vice-présidente.

Elaine sentait son coeur qui battait trop vite.

"J'espère qu'ils utilisent de petites bombes", ajouta-t-elle faiblement, d'un ton qui se voulait léger.

"Non, répondit Kyle sérieusement. De petites bombes n'auraient pas assez de puissance pour nous dégager un trou; elles ne feraient que brasser un peu le feu. Ils vont se servir d'explosifs puissants, pour être sûrs que nous ayons suffisamment d'espace pour faire surface et recharger nos batteries avant que le feu ne referme la brèche."

Elaine ne disait rien; Kyle voyait la souffrance embrouiller ses yeux.

"Bah! ajouta-t-il en se forçant à sourire, c'est mieux que s'ils nous envoyaient des bombes A, j'imagine. Ils tueraient... Eh bien, ajouta-t-il vivement, ces pilotes savent ce qu'ils font, madame la Vice-présidente."

Elle eut un pâle sourire.

"Appelez-moi Elaine."

Kyle lui retourna son sourire.

"Ces pilotes savent ce qu'ils font, Elaine."

Il se tut un moment.

"Ils vont nous faire un joli trou dans le feu."

Lorsque le commandant parla de trou dans le feu, elle revit le bateau de pêche... puis les agents du Service secret... puis Washington. A présent, elle pensait à Walter. Elle ne savait pas si elle le reverrait, cet homme qui avait dû prendre la terrible décision de risquer la vie de ces Canadiens. Elle pensa à tous les gens impliqués... à tous les ennuis qu'elle...

"Harry! fit-elle. Mon Dieu! Où est Harry?"

Dans l'ombre, Kyle pencha la tête, lentement, comme un confesseur.

"Il est mort, dit-il... Il a perdu l'équilibre. On avait l'impression qu'il essayait de jeter quelque chose à la mer. Il était trop tard. Je suis..."

Elaine détourna son visage. Voyant que ses épaules

se soulevaient convulsivement, Kyle se pencha sur elle, lui toucha le bras et éteignit la lanterne.

Kyle ne se souvenait pas que la coursive fût si longue. Après avoir demandé à l'un des matelots les moins épuisés de veiller sur la Vice-présidente, il se dirigea d'un pas trébuchant vers l'avant et le poste de contrôle. Il avait l'impression que son coeur allait lui exploser dans la poitrine. La sueur faisait devant ses yeux comme un filtre déformant, qui rendait sa vision encore plus pénible dans l'éclairage plombé qui tombait des lanternes mourantes. Cela jetait partout des ombres informes, à tel point qu'il aurait pu se croire perdu dans un tortueux tunnel souterrain.

Maintenant, Lambrecker et les siens ne se distinguaient plus du reste de l'équipage du *Swordfish*; comme tout le monde, ils étaient écrasés par cette chaleur et cette humidité mortelles. Ils étaient étendus, immobiles et blêmes, incapables désormais d'émettre la moindre plainte et, à plus forte raison, de se rebeller. Ramsey s'était déjà évanoui plusieurs fois; tout pantelant, il haletait, semblable à un animal blessé qui va mourir. Tout ce qui les intéressait, à présent, c'était de survivre. Kyle avait beau se sentir malade et étourdi, il n'en décida pas moins de porter des accusations contre les mutins. Il n'était pas insensible à leur état actuel, bien sûr, mais il savait bien que si leur énergie ne s'était pas dissipée dans cette étuve, Lambrecker serait encore dangereux. Peu importait que Lambrecker se fût bien conduit en amenant la Vice-présidente à bord: il avait tenté de s'emparer du commandement d'un navire. Dans la marine canadienne — comme dans n'importe quelle marine — aucun commandant sain d'esprit n'aurait hésité à l'envoyer devant une cour martiale.

Mais, pour le moment, les mutins ne représentaient pas une menace; et, de toute façon, à moins que les bombardiers n'arrivent et que le *Swordfish* n'ait la chance de faire surface, cette question de cour martiale était parfaitement hypothétique.

Comme il passait devant la douche des officiers, Kyle entendit une voix qui murmurait dans les ténèbres.

"Vous êtes content, maintenant, Commandant?" disait-on.

Une autre voix s'éleva.

"Probablement qu'ils vont lui donner une médaille pour ça."

Kyle sourit et s'adossa à une cloison pour se reposer. Il était heureux d'avoir entendu grogner ses matelots mécontents. Il se rappelait, en effet, une vieille maxime des convois de l'Arctique:

"Tant qu'ils rouspètent, il vous reste une chance. Quand ils cessent, vous êtes dans le pétrin." Il espérait que d'autres auraient encore assez d'énergie pour bougonner. D'un pas résolu, il reprit sa marche vers l'avant. Il écarta le rideau de tissu qui fermait le poste de contrôle, comme s'il se fût agi d'une lourde porte coulissante d'acier.

L'odeur de transpiration qui régnait dans le poste était tellement épouvantable, que Kyle en eut presque le souffle coupé. Il se sentait si faible qu'il pouvait à peine parler. En fait, O'Brien n'entendait qu'une sorte de murmure, si bien qu'il se demanda un instant si c'était le commandant qui parlait bas ou ses propres oreilles qui entendaient mal. Il écouta plus attentivement, et il put entendre Kyle qui répétait lentement:

"Comment va le signal de position?"

Assis par terre sous la console de mise à feu, O'Brien avait la tête appuyée contre le périscope. Haletant comme un poisson hors de l'eau, il essaya de rassembler l'énergie nécessaire pour répondre.

"Va falloir arrêter... fit-il.

— Des malades?

— Quatorze... l'épuisement."

L'aiguille des minutes avança à 22 heures 12. Le visage inondé de sueur, Kyle promena lentement son regard autour du poste de contrôle. D'après ses calculs, dans moins de trente minutes la moitié de l'équipage serait complètement hors de combat, succombant à la chaleur, incapable du moindre mouvement — parvenant tout juste à respirer et à se maintenir en vie. Et si les avions n'arrivaient pas avant 22 heures 40, il savait que la plupart d'entre eux seraient morts. Quant aux quelques survivants, les violents spasmes provoqués par le déséquilibre de leur acidité les empêcheraient presque complètement de contrôler le sous-marin, et encore plus de procéder avec la promptitude nécessaire. Peut-être quelques-uns parviendraient-ils à faire le travail — ceux qui jouissaient d'une constitution particulièrement forte, par exemple, ou ceux qui avaient eu la chance de monter sur le pont pendant le sauvetage. Mais même ces hommes atteindraient vite leurs limites par cette chaleur.

Il commença à réfléchir aux décisions qu'il avait prises au cours des dernières vingt-quatre heures, se demandant si l'on n'aurait pas pu procéder plus vite et mieux en certaines occasions. Maintenant, la mutinerie était bien loin de son esprit; il avait l'impression que cela s'était passé plusieurs années auparavant. Il se demanda s'il n'aurait pas pu prévenir, d'une façon ou d'une autre, la résistance des mutins. Il avait compris leur peur. L'idée lui vint qu'il aurait dû les prendre avec lui dans le poste de contrôle, où le sens des reponsabilités aurait pu triompher de leur colère et y substituer une réaction positive.

Mais bien vite il repoussa cette idée: il était inimaginable que Lambrecker n'eût pas tiré parti de la situation.

"La Vice-présidente?" dit O'Brien.

Kyle le regarda fixement, sans rien dire. Le second répéta sa question, ajoutant:

"Comment est-elle?"

Les lèvres du commandant bougèrent, mais pas un son ne sortit.

Quelques secondes passèrent, avant que O'Brien ne puisse parler de nouveau.

"Vous pensez qu'elle va passer à travers?"

Kyle toussa pour humidifier sa gorge.

"Elle va tenir le coup. Une fille forte.

— Et son ami... tombé à la mer. Est-ce qu'elle..."

Kyle hocha la tête.

L'opérateur radio, s'extirpant avec peine de son réduit, vint interrompre leur conversation.

"Mon commandant?" Sa voix parut intolérablement forte à tous ceux qui se trouvaient dans le poste de contrôle. Comme le commandant se tournait vers lui, l'opérateur vit que son visage avait la couleur de la craie mouillée.

"Mon commandant, il n'y a presque plus de courant d'urgence."

Kyle prit la tasse de métal qu'il y avait à côté de lui et but une gorgée d'eau tiède.

"Je ne peux rien y faire, Sparks... Il faut qu'on puisse continuer à recevoir le signal de position, pour qu'on puisse savoir quand ils vont être au-dessus de nous.

— Oui, Monsieur.

— On a du courant pour combien de temps encore?

— Une douzaine de minutes, au maximum."

Il était à présent 22 heures 16, et 50 secondes. L'énergie nécessaire aux opérations en plongée serait épuisée à 22 heures 29... 22 heures 30 au plus tard.

Faisant un effort considérable, Kyle parvint à sourire.

"Eh bien, espérons que ça va être suffisant, hein, matelot?"

Sparks ne répondit pas. Il retourna nonchalamment dans l'obscurité du compartiment de la radio, où un amas de minuscules lumières rouges clignotaient frénétiquement comme des insectes pris au piège.

Kyle leva les yeux comme pour essayer de voir le ciel à travers le métal et la mer en feu qui l'en séparaient.

Le timbre de l'infirmerie retentit. C'était Richards. Tout ce que Kyle pouvait supposer, c'était que la Vice-présidente venait de commencer à délirer. Il s'arracha à son siège et entreprit le long voyage dans la coursive.

Dans le cockpit d'*Ebony I,* il était 22 heures 17 — soit vingt et une minutes avant la rencontre avec le sous-marin.

Tout d'abord, les aviateurs ne virent pas la masse volante qui, du sud-ouest, venait à leur rencontre. A présent, cela faisait sur l'écran radar des taches qui ressemblaient à des flocons de neige arrivant sur le pare-brise d'une auto en marche. Les mitrailleurs appuyèrent sur la détente, et la nuit parut exploser, dans le fracas et la lueur des balles traçeuses. Les premiers oiseaux s'écra-sèrent sur les bombardiers comme de la grêle, avec un horrible bruit d'os fracassés.

Personne n'en avait jamais vu autant. Le copilote d'*Ebony I* hurlait dans le système d'intercommunication, essayant de couvrir le vacarme des collisions et les déto-nations des mitrailleuses lourdes. En quelques secondes, le pare-brise des avions fut recouvert de sang. *Ebony III*, à un demi-mille à la droite de l'appareil de Burke, dut passer dans une concentration d'oiseaux particulièrement dense. Au bout d'une minute et demie, il se mit à perdre de l'altitude: cinq de ses huit moteurs étaient bouchés par les mouettes mortes. Il volait à mille pieds, incapable de grimper plus haut, trop bas pour se délester de ses trente mille livres de bombes sans mettre en danger l'appareil qui le suivait. Son commandant n'avait plus le choix: il donna l'ordre de s'écarter de la formation et de sauter. Le bombardier perdait vite de l'altitude; à présent, il n'était plus qu'à trois cents pieds au-dessus de la mer. Le com-mandant et le copilote s'éjectèrent par le panneau du dessus. Le reste de l'équipage fut automatiquement éjecté par le dessous — mais il leur fallait un minimum de qua-tre cents pieds pour que leur parachute s'ouvre, de sorte qu'ils se tuèrent en touchant la surface.

Tandis qu'il regardait les parachutes du pilote et du copilote qui s'ouvraient, Burke donnait leur position aux patrouilles de sauvetage air-mer du Canada, de même qu'à la base de NORAD sur l'île de Vancouver. Son but était double: assurer le sauvetage immédiat des hommes à la mer et demander une escadrille de chasseurs de type Voodoo pour disperser les oiseaux par le moyen de leur "bang" supersonique. Il craignait en effet que leur vol ne les amène au-dessus du continent et qu'ils ne provoquent la chute d'un avion civil.

Sans équipage, l'*Ebony III* frappa la mer de son aile gauche et tournoya sur une distance de deux milles, l'explosion de ses bombes illuminant la nuit comme un feu d'artifice géant. Le pilote et le copilote, qui flottaient tranquillement près de leurs parachutes en feu, furent tués par l'onde de choc.

Tandis que les bombes explosaient, Si Johnson, dans *Ebony I,* s'était raidi sur son siège, les mains crispées sur ses côtés métalliques, un peu comme un homme souffrant d'électrocution. Les oiseaux étaient de plus en plus nombreux à s'écraser sur l'appareil, le feu des armes automatiques augmentait, de sorte qu'il plaqua ses mains sur ses oreilles. D'abord, Peters ne remarqua rien. Pour chasser la peur qu'il éprouvait à son baptême du feu, le navigateur s'occupait à calculer et à vérifier la position de l'escadrille: cela chassait tout le reste de son esprit.

Si Johnson se retrouvait au Vietnam. Dans un flot d'images syncopées, il se revoyait en mission de bombardement au-dessus de Hué, accroupi au-dessus de son viseur et écoutant les instructions de Burke à travers le fracas du canon et des missiles sol-air — qu'il ne pouvait apercevoir, dans l'espace noir et confiné de son minuscule compartiment. Il pouvait entendre Burke entreprendre le compte à rebours:

"Encore cent vingt-cinq secondes... soixante-quinze... soixante."

Il s'entendait aussi, lui-même, qui disait froidement à Burke:

"Continuez tout droit... tout droit, Commandant... un degré à droite... ça va, continuez... un point vers la

droite... c'est magnifique, chef... continuez tout droit."
Puis, un missile sol-air de fabrication soviétique fonçait
vers eux et l'officier de l'électronique prenait des mesures
en conséquence. En même temps, Johnson pouvait entendre le mitrailleur de queue qui criait:

"Pour l'amour du Christ, largue-les, Si... large-les..
qu'on foute le camp..."

Et lui-même, calmement, comme à l'exercice, comptait:

"Dix... neuf.. huit... sept..."

Puis le missile arrachait un morceau de la queue,
ouvrant l'habitacle du mitrailleur comme on décapsule
une bouteille. Aussitôt, l'avion se mit en vrille. Comme
les objets passaient près de lui, aspirés par le remous d'air
et que sa combinaison de vol commençait à claquer furieusement sur son corps, il entendit de nouveau le mitrailleur qui hurlait:

"Pourquoi... Mais pourquoi que tu ne les as pas larguées? Imbécile, salaud!" L'instant d'après, Johnson
était éjecté en même temps que les autres membres
d'équipage postés à l'avant. Lorsque l'hélicoptère de l'armée vint les ramasser, on trouva le corps du mitrailleur; il
n'avait plus de tête. Pendant les semaines qui suivirent, Si
Johnson n'entendait plus que:

"Pourquoi... Mais pourquoi que tu ne les as pas larguées? Imbécile, salaud!"

S'armant de tout son courage, Peters secouait
Johnson.

"Monsieur... Si... Pour l'amour de Dieu!" Si se laissa aller au fond de son siège, le visage baigné de sueur. La
cadence du tir diminuait, à mesure qu'on dépassait la
concentration d'oiseaux.

"Eh, Si!... Tu baragouinais toutes sortes d'horreurs. Ça va?"

Si le regarda. "Quoi? Oui... Bien sûr, bien sûr que ça va... Jésus-Christ!" Il s'avança sur son siège. "Tu n'avais pas branché l'appareil d'intercommunication, au moins?"

Peters avait mis sa main sur le micro.

"Non, fit-il. Mais, bon Dieu, il va falloir que tu y voies."

Peters ne quittait pas Johnson du regard.

"Ou bien moi, je vais y voir."

Si se mit à protester. Mais le jeune homme semblait avoir soudain vieilli. Alors, Johnson dit:

"D'accord... d'accord, je vais le faire. Jusqu'ici, ça ne m'a jamais ennuyé."

Les yeux de Peters étaient implacables.

"C'est-à-dire, poursuivit Si, que ça ne m'était encore jamais arrivé pendant une mission. Parfois, la nuit... D'accord, je vais m'en occuper. Je ne voudrais pas faire courir de risques à l'appareil."

Peters se détendit, sourit et cria, pour dominer le rugissement des moteurs:

Ça va, Si. Je te crois."

Il donna une claque sur l'épaule du vétéran, comme si le fait de connaître le problème du navigateur lui permettait soudain de surmonter l'espèce de crainte respectueuse qu'il avait d'abord éprouvée.

Bientôt, les autres appareils de l'escadrille firent rapport de leurs dommages. Burke demandait si quelqu'un d'autre avait été descendu.

"Commandant de Gold à commandant d'Ebony. Jerry Tucker... L 84.

— Des survivants?

— Impossible."

Tucker était un des meilleurs amis de Burke.

"Nom de Dieu! fit-il. Personne d'autre?

— Ici le commandant de Purple, Ebony un. Mon groupe est intact, mais j'ai des problèmes avec mon moteur droit numéro deux. Je crois que nos déflecteurs Vernier sont couverts de cochonnerie. Quoi qu'on fasse, l'appareil est difficile à manoeuvrer. A part ça, c'est le survolteur d'électrons du radar qui a subi les pires dommages. La température monte. La bouche de refroidissement avant doit être bouchée avec de la tripaille."

Burke raya *Purple I* de sa carte.

"Ça va, Purple un. Retournez à la base. Peut-être que vos problèmes ne font que commencer. Larguez vos bombes aussitôt que possible.

— Compris, Ebony un. On se reverra à Freeth."

Le bombardier endommagé sortit de la formation. Les six appareils restants se rapprochèrent pour combler les vides, tandis que les équipages poursuivaient la longue vérification précédant le bombardement. De temps en temps, des oiseaux retardataires entraient en collision avec un appareil, et un mitrailleur tirait une ou deux rafales. Cela gardait les hommes en alerte. Si brancha son appareil d'intercommunication.

"Commandant, dit-il, le signal de position du sous-marin s'affaiblit rapidement.

— Quelle distance de la zone de largage?

— Environ cent soixante-dix milles. Avec le vent contraire qui arrive, on va atteindre le secteur dans à peu près... dix-sept minutes. Temps d'arrivée corrigé: 22 heures 38, plus cinquante-cinq secondes.

— Donnez-moi le temps d'arrivée estimé pour le

point de repère initial.

— En tenant compte du vent debout... on est au cap Bingham dans onze minutes et trente secondes, approximativement."

La pendule d'*Ebony I* marquait à présent 22 heures 21. Sachant que les calculs les plus optimistes accordaient au sous-marin jusqu'à 22 heures 49, Burke se mit à maudire le front arctique qui allait le retarder d'une minute — c'est-à-dire près de dix milles pour des appareils volant à cette vitesse. Anxieusement, il consulta l'indicateur de la vitesse aérodynamique. Une fois qu'ils auraient viré au sud à partir du cap Bingham, ils auraient cette tempête de l'Arctique dans le dos.

"Ça va. Communiquez au sous-marin notre nouvelle heure d'arrivée approximative. Ditez-leur d'envoyer une fusée à des intervalles d'une minute, à partir du temps d'arrivée moins cinq minutes. Celles qu'ils peuvent lancer en plongée n'ont pas besoin d'énergie électrique. Et priez pour qu'on ne frappe plus d'oiseaux."

Chapitre 21

Dans l'avare lumière orangée, Elaine secouait la tête, la tournant à gauche et à droite, tandis que ses cheveux se plaquaient sur son visage en un grotesque masque noir et humide.

De temps en temps, le masque interrompait son mouvement fou. Elaine essayait de percer la pénombre — mais elle n'apercevait qu'un autre visage qui imitait tous ses mouvements. Richards essayait de la réconforter; mais il n'arrivait pas à se tenir debout plus de quelques secondes à la fois sans perdre l'équilibre. Plusieurs fois, elle appela Walter, le suppliant de lui pardonner. Le reste de son délire demeurait incompréhensible, et de toute façon la voix était si faible que Richards avait peine à entendre. Elle battit l'air de ses bras, comme si elle essayait de déchirer ce tissu qui l'empêchait de respirer. Comme Kyle entrait dans l'infirmerie, elle projetait la tête d'un côté et de l'autre, arquant spasmodiquement son dos. Graduellement, ses mouvements se calmèrent et son corps finit par rester tout à fait immobile. Kyle lui toucha doucement le bras. De nouveau, elle avait la peau humide et visqueuse. La lanterne d'urgence que portait Richards baissa et ne jeta plus qu'une faible lueur.

Soigneusement, Kyle écarta les cheveux huileux de ses joues. Son visage avait perdu son sourire si attirant; mais les yeux couleur de noisette, malgré leur fixité, étaient encore pleins de résolution et brûlants de vie. Dès qu'elle fut sortie de son délire, la Vice-présidente des Etats-Unis parut se demander où elle était, comme un enfant qui s'éveille lentement dans une maison inconnue. Plusieurs minutes passèrent, avant qu'elle ne distingue la forme floue d'une personne assise près d'elle, dans l'obscurité de ce compartiment étroit.

"Walter, dit-elle. Walter, prends-moi dans tes bras."

Kyle mit la main sur son front: il était froid.

Puis, le délire cessa aussi soudainement qu'il avait commencé, et elle s'endormit. Kyle pouvait entendre sa respiration rapide. Il lui semblait impossible qu'un coeur puisse battre si vite après une telle descente de température corporelle. Puis, il s'aperçut qu'il s'agissait des battements rapides de son propre coeur.

Quelques minutes plus tard, Elaine était tout à fait consciente — encore un peu léthargique mais étonnamment tranquille. Kyle avait déjà vu quelque chose de semblable autrefois: un homme atteint de malaria avait passé une terrible nuit de fièvre, puis à l'aube le mal avait reflué et il avait pu se reposer paisiblement.

La Vice-présidente regardait autour d'elle, dans les ténèbres. Ses yeux suivaient le faible rayon de la lampe de poche qui avait remplacé la lanterne désormais inutilisable. Elle revit les formes floues qui, un peu plus tôt, l'avaient effrayée: l'armoire, l'évier et le miroir qui avait ressemblé à une femme folle.

Lentement, elle reconnut Kyle, puis Richards qui se tenait accroupi près de la porte. Elle sentit un linge frais sur son front; elle voulut le prendre, mais sa main sans force retomba et elle la laissa pendre à côté du lit. Kyle lui tendit un gobelet de papier à demi plein d'eau tiède. Après avoir remonté son oreiller, il lui soutint la tête pour qu'elle puisse boire. Sa gorge était meurtrie, serrée; elle avait peine à avaler. De nouveau, elle laissa sa tête glisser de l'oreiller, sous l'effet du vertige qui s'emparait d'elle chaque fois qu'elle tentait de soulever son corps. Juste au bord du faisceau lumineux, elle pouvait entrevoir une photo, que Kyle avait tirée de son portefeuille. Elle représentait une femme dans la cinquantaine, avec des cheveux grisonnants et un sourire qui, même dans cette pauvre lumière, reflétait le calme et la gaieté. C'était le sourire qu'affichait habituellement Clara Sutherland — un sourire dépourvu de tout égoïsme. Elaine leva une main sans force vers la photo.

"Votre femme?" murmura-t-elle faiblement, essayant de détourner son attention des vagues de nausée qui se levaient en elle et qui menaçaient de la submerger d'un moment à l'autre.

"Oui, répondit Kyle.

— Quelle heure..."

Kyle tourna son poignet vers elle. Elle regardait la montre, incapable de rien distinguer sur le cadran vaguement lumineux — pour elle, ce n'était qu'une tache verdâtre dans le noir.

"Vingt-deux heures et vingt-quatre... dix heures et vingt-quatre, dit Kyle.

— Les bombardiers?" demanda-t-elle, essayant d'obtenir le plus d'informations possible tandis qu'elle était lucide. Mais déjà, elle commençait à avoir des hallucinations; les traits de Walter Sutherland se superposaient au visage de Kyle.

"Ils vont arriver", dit-il.

Elle se mit à vomir; c'était de la bile avec des filets rouges.

Sentant la nausée qui s'emparait d'elle, qui inondait son ventre d'une sorte de bouffée chaude et affolante, son esprit essaya de se raccrocher à quelque chose, n'importe quoi qui pût retenir sa conscience et calmer le vertige qui tourbillonnait en elle, l'engloutissait, l'aspirait dans cet univers fiévreux rempli d'ombres, de formes distordues et de sons de cauchemar. Elle pouvait sentir la main de Walter qui tenait la sienne, ils se promenaient au-dessus de cette sorte de mélasse qui était de la lave en ébullition, puis ils marchaient sur des rivages frais et baignés de turquoise. Elle pensait aux lagons calmes et verts, aux incessants coups de tonnerre des vagues se brisant et écumant sur les coraux de Kauai, aux palmiers qui se balançaient doucement sous la caresse de l'alizé, à ces cumulus semblables à des boules d'ouate qui se déplaçaient paresseusement au-dessus des feuillages vert émeraude et de l'immensité ondulante et bleue.

Puis la nausée revint, comme une onde sauvage, lui faisant lâcher prise, projetant son être impuissant et douloureux dans une mer de feu rouge. Elle ne savait plus qui et où elle était. Kyle passa une main par-dessus elle pour saisir le poignet le plus éloigné; mais les spasmes étaient si violents qu'il en était secoué et qu'il dut, finalement, appuyer sur elle de tout son poids pour l'empêcher de tomber de la couchette.

Dans l'obscurité, il entendit un gémissement. Cela provenait de la coursive qui, comme l'infirmerie, était encombrée de corps prostrés. Kyle se dit que s'ils ne faisaient pas surface bientôt, la Vice-présidente des Etats-Unis et plusieurs membres de son équipage allaient mourir. Le système humain ne pouvait supporter très longtemps une température corporelle de 104° à 105°F.

Il ignorait combien de temps il l'avait maintenue sur sa couchette. Il était possible qu'il se fût évanoui, lui aussi, et qu'il fût resté inconscient au moins pendant quelques secondes. Tout ce qu'il pouvait se rappeler, c'est qu'il avait rêvé à Sarah et aux enfants. Il n'était sûr de rien d'autre, car le rêve était constamment déformé. Sarah et Elaine semblaient ne faire qu'une; ce n'était pas tout à fait cela, mais cela pouvait ressembler à deux reflets sur l'eau d'une mare, que l'agitation de la surface aurait fondu en un seul. Mais toutes deux souriaient et Sarah y avait l'air plus heureuse qu'il ne l'avait jamais vue. Elle était au jardin, elle travaillait dans les rosiers; puis une des roses, une fleur vermillon, était Elaine qui souriait. Sarah ramassait les roses que quelqu'un d'autre avait coupées et laissées sur le sol, puis elle les disposait dans son vase favori, son vase d'argent repoussé. Tandis qu'elle admirait son oeuvre, les roses s'ouvrirent davantage, devenant de plus en plus belles; et l'eau qu'elle versait dans le vase déborda. Kyle sentit l'eau qui coulait sur ses joues, et il s'éveilla: de petits filets de sueur coulaient sur son cou et son visage.

La fièvre tomba soudain, laissant Elaine toute haletante. Kyle consulta sa montre. Il était 22 heures 26. Il demanda à Richards de faire ce qu'il pouvait pour veiller sur elle.

"Si ça recommence, dit-il, appelez-moi." Il ne voyait pas ce qu'il aurait pu faire de plus.

Bien que ce n'eût été qu'un rêve, la fièvre qui commençait à s'emparer de lui le portait à croire que, d'une certaine façon, Elaine et Sarah étaient intimement liées. Il n'avait échangé avec la Vice-présidente que quelques mots, mais il avait tout de même l'impression qu'elle aurait pu être sa fille. Avant d'entreprendre le long voyage vers le poste de contrôle, il voulut aider Richards à attacher Elaine sur sa couchette. Mais la force leur manqua.

James Kyle se traînait vers l'avant par la seule force de sa volonté. Chemin faisant, il promettait à un compagnon imaginaire que lorsqu'il reverrait Sarah — s'il la revoyait —, il enverrait sa plus belle rose à Elaine Horton. C'était une fille formidable. Une fille vraiment formidable.

Le temps d'atteindre le poste de contrôle et de se laisser glisser à la base de la colonne du périscope, il était 22 heures 28. Le timbre du téléphone retentit. O'Brien souleva le récepteur laborieusement et le laissa tomber sur le pont, où l'écouteur en plastique se brisa. Mais il pouvait tout de même entendre ce que disait l'homme, à l'autre bout du fil. O'Brien marmonna:

"Oui?... Oui, je vais le lui dire."

Le dos appuyé à la cloison glissante d'humidité, il se laissa descendre jusque sur le pont.

"Evers est mort, dit-il.

— Quand?

— Il y a environ cinq minutes. Juste après votre départ.''

Kyle s'épongea le cou, puis il laissa tomber le chiffon par terre. A présent, sa tête était penchée en avant, reposant sur ses bras et ses genoux. Il aspira une bouffée de cet air nauséabond.

''Le courant est presque à plat. Il va falloir remonter et essayer de s'en tirer avec le diesel... de tenir aussi longtemps qu'on pourra... Si on reste... on reste ici plus longtemps, sans climatisation, la chaleur va avoir notre peau.''

O'Brien fronça les sourcils d'un air de doute.

''Mais le feu?

— Je sais, je sais. D'abord, on va se faire sauter un trou devant nous...''

Kyle dut se reposer avant de poursuivre.

''Puis, une fois qu'on sera en haut, on pourra peut-être utiliser les torpilles qui nous restent pour tenir l'incendie loin de nous, jusqu'à ce que les avions arrivent. Ça ne nous donnera pas beaucoup de temps...''

Il fit une autre pause.

''Mais ça vaut mieux que de rester ici.''

Tandis que Hogarth aidait un des barreurs de plongée à manier ses appareils de contrôle, Kyle se remettait debout en s'agrippant à la colonne du périscope. Il était tout chancelant et éprouvait de la difficulté à ajuster son regard.

''Faites préparer le compartiment des torpilles avant.''

La petite voix fêlée retentit aux oreilles de O'Brien comme celle d'un juge prononçant un arrêt de mort. C'est à ce moment que le petit récepteur de télex se mit à crépiter dans le compartiment de la radio.

Quelques secondes plus tard, une forme sortit en trébuchant de la pénombre et émergea dans le poste de contrôle, entrant en collision avec le commandant et le repoussant rudement contre les supports du périscope d'attaque.

"Mon commandant, fit le matelot sans prendre le temps de s'excuser... Un message. La flotte aérienne. Ils approchent."

Il mit le message dans la main du commandant. Hogarth poussa une sorte de croassement qui voulait passer pour un hourra et donna une claque dans le dos du barreur de plongée.

"Jésus-Christ! V'là la cavalerie!"

Le message était ainsi conçu:

X COMAIRRES A COMSOUS SWORDFISH X ETA 2238 PLUS 55 LANCEZ FUSÉES INTERVALLE UNE MINUTE COMMENCANT 2233 PLUS 55 PST COMAIR ENVOIE X

Kyle regarda O'Brien avec un sourire triomphant.

"Dieu merci. On rentre chez nous."

L'opérateur radio voulut dire quelque chose, mais Kyle commanda, aussi fort qu'il put:

"Parés à faire surface!"

Mais sa voix était si faible qu'il dut répéter l'ordre. L'effort qu'il venait de fournir lui donna un nouvel étourdissement. Il se raccrocha à la longue colonne d'acier.

Au moyen du système d'intercommunication, Hogarth appelait les autres compartiments au rapport. La réponse fut lente à venir. Le commandant brancha le système cental de haut-parleurs, trébucha en avant et saisit le micro en évitant de justesse de tomber.

"Attention, écoutez bien... Ecoutez bien. Les avions arrivent. Grouillez-vous le cul."

Malgré l'état de torpeur de l'équipage, le dernier rapport arriva au bout de quelques secondes et Horgarth confirma:

"Parés à faire surface.

— Surface, ordonna Kyle.

— A vos ordres, mon commandant", fit joyeusement Hogarth, qui se tourna ensuite vers les auxiliaires. "Videz les ballasts un, deux, quatre, six et sept."

Pendant ce temps, Kyle disait à O'Brien de préparer les fusées dans les éjecteurs avant et arrière. Puis, s'adressant à l'opérateur radio:

"Surveillez le signal de position, dit-il. Dites-le moi quand ils seront au-dessus de nous.

— Oui, Monsieur."

Il était 22 heures 30, et 15 secondes. Pendant que le sous-marin remontait, O'Brien commanda de lancer une fusée d'essai. La fusée sortit de l'éjecteur avant et éclata à trois cents pieds, en une gerbe d'étincelles vert pomme. Cela ne pouvait être aperçu par aucun des bombardiers, qui se voyaient légèrement retardés par des vents debout de plus en plus forts, provenant du front arctique.

Clara Sutherland tendit à son mari le noeud papillon noir. Elle voulait le nouer pour lui; mais, ces jours-ci, cela l'embarrassait de la sentir trop près de lui. Chaque fois qu'elle s'approchait de lui, pour lui donner un coup de brosse ou pour vérifier son veston, il se sentait obligé de lui montrer qu'il appréciait sa présence — soit par un sourire, un hochement de tête ou un geste d'affection quelconque. Mais plus elle agissait ainsi, plus il se montrait irrité, comme si elle se forçait à être gentille avec lui pour l'obliger à la remarquer.

Le Président s'inquiétait au sujet d'Elaine; aussi éprouvait-il quelque difficulté à se concentrer sur le discours qu'il avait préparé, aussi court qu'il fût, et qu'il devrait prononcer pour répondre au toast du scheik d'Amar. Il consulta sa montre. En ce moment, les bombardiers devaient être très proches du sous-marin.

Clara paraissait à son avantage dans sa longue robe bleu de cobalt ornée de petites fougères d'un blanc argenté qui accrochaient la lumière à chacun de ses mouvements. Elle ouvrit l'écrin à bijoux que le Premier ministre de la Nouvelle-Zélande lui avait offert en des jours plus heureux, et elle en retira un petit collier de diamants qu'elle entreprit d'attacher à son cou. Puis elle s'arrêta, le regard fixé sur Walter. C'était comme si elle avait regardé un étranger. La fatigue le faisait paraître plus vieux, creusant des rides profondes dans son visage; l'angoisse semblait avoir terni la couleur de ses yeux. Elle doutait qu'il sût prendre son visage officiel ce soir, si important que fût le pétrole du scheik pour les Etats-Unis.

Clara abaissa le collier.

"Walter", appela-t-elle doucement.

Ses lèvres bougeaient, tandis qu'il répétait son discours devant le miroir. Derrière son reflet, elle pouvait apercevoir leurs lits jumeaux.

"Walter, répéta-t-elle.

— Oui?"

Il avait le même ton impatient qu'il utilisait parfois en s'adressant à ses jeunes adjoints.

"Pourrais-tu... Pourrais-tu m'attacher cela, s'il te plaît?"

Il marcha vers elle et lui attacha rapidement son collier. Lorsqu'elle sentit les diamants glisser sur sa poitrine et se plaquer, froids, sur sa peau, Clara ferma les yeux. Elle savait que si elle ne disait rien, elle recommencerait à s'apitoyer sur elle-même.

"Crois-tu, dit-elle, que tu ne devrais pas renoncer?... A ce bal, je veux dire. Ils ne peuvent pas t'attendre...

— Ils ont toutes les raisons du monde de m'attendre. C'est la dernière soirée que le scheik passe ici. Il a été assez aimable de ne pas se formaliser de l'heure tardive.

— Il faut croire, fit Clara d'un ton protecteur. Mais franchement, je pense que c'est un manque d'égards de sa part, que de t'attendre après...

— Clara, fit Sutherland d'un ton exaspéré. Je sais que c'est ridicule d'aller porter des toasts après minuit; mais nous l'avons déjà fait et nous le ferons encore. Ça fait partie du travail. Et tu sais très bien que je ne le ferais pas si ce n'était pas aussi important. Nous avons besoin de ce pétrole, un point, c'est tout."

Il endossa son veston.

"Si je n'y allais pas, le Congrès voudrait avoir ma tête — sans compter les traiteurs. De toute façon, je dormirai après", dit-il, sachant fort bien qu'il ne dormirait pas une seule minute avant d'avoir appris qu'Elaine était saine et sauve et qu'on la ramenait.

Il y eut un silence, puis il ajouta:

"Mais Dieu sait si je me sens hypocrite."

Clara mit ses mains derrière sa nuque pour l'aider à venir à bout du fermoir. Leurs doigts se touchèrent et, un moment, elle eut l'impression qu'il lui prenait la main. "Voilà", fit-il en glissant l'agrafe à sa place. Puis il s'éloigna.

Pendant un moment, Clara ne dit rien. Puis, convaincue qu'elle se complaisait dans sa souffrance, elle résolut de changer de sujet.

"Pourquoi?

— Quoi? demanda-t-il.

— Pourquoi vas-tu te sentir hypocrite?

— Bien, tu vois, je vais aller porter un toast à cet enfant de chienne-là, alors que je le maudis encore de nous avoir menacés d'un nouvel embargo sur le pétrole."

On frappa à la porte.

"Entrez."

Henricks entra, salua la femme du Président et tendit un câble à celui-ci. Sutherland rayonnait, tandis qu'il parcourait le message.

"Prévenez-moi dès que vous apprenez quelque chose. Ne vous inquiétez pas du bal.

— Oui, Monsieur."

Comme Henricks se retirait, le Président se tourna vers sa femme et, avec plus de délicatesse que d'habitude, la fit sortir avant lui.

"De quoi s'agit-il? demanda-t-elle.

— Les bombardiers. Ils seront au-dessus du sous-marin dans moins de dix minutes."

Clara sourit.

"C'est une excellente nouvelle", dit-elle.

Leurs yeux se rencontrèrent, pas avec amour, mais encore avec affection.

"Oui, dit-il, oui, excellente."

Et, tout doucement, il ferma la porte de leur chambre.

Chapitre 22

Lorsque les bombardiers pénétrèrent dans le nuage de fumée noire, Si Johnson fut de nouveau le premier à remarquer les points qui venaient d'apparaître sur l'écran radar. Un instant, la panique lui noua l'estomac. Puis, se ressaisissant, il annonça au commandant, d'un ton presque indifférent:

"Mon commandant, il y en a un autre groupe qui approche.

— Autant que tout à l'heure?

— Non, mais la formation est tout de même dense, et ils volent plus vite. Ils viennent par l'avant gauche. On va leur rentrer dedans juste au-dessus ou aux environs de notre but — mais pas de front.

— On est des petits chanceux!" fit Stokely.

Burke brancha l'intercommunication générale.

"Commandant d'Ebony à Gold et Purple. Il va falloir s'ouvrir un passage dans ce nouveau groupe-là. Comme tout à l'heure. Gardez la formationn de bombardement. Mitrailleurs, cette fois ça va venir par le côté; alors, surveillez l'angle de vos armes et, pour l'amour de Dieu, ne vous canardez pas les uns les autres. Pour le bombardement, on s'en tient au plan original. Je commencerai le compte à rebours cent trente secondes avant le moment du largage. Le compte sera sujet à des ajustements selon la position des fusées lancées par le sousmarin, qui constituera notre point de visée vertical. Je ne larguerai mes bombes que lorsque mon navigateur radar aura terminé le compte de quinze secondes, et selon ses indications. Ça va donner au sous-marin une marge de sécurité d'un mille et demi et un secteur libre de trois milles par un mille, où il pourra faire surface et recharger ses accumulateurs. Rappelez-vous: il ne faut rien faire avant d'avoir vérifié notre position relativement à celle des fusées du sous-marin. Il va s'agir d'un bombardement à vue; alors, vous lâcherez votre cargaison au moment où vous entendrez mon signal. Si vous larguez plus tôt — je répète: si vous larguez plus tôt, vous allez atteindre le sous-marin. Compris?"

Les deux autres groupes accusèrent réception du message. Puis, Burke demanda à Si:

"Vous avez entendu, navigateur radar? On largue à votre signal — et à votre signal seulement.

— Ouais, j'ai compris, répondit Si d'un ton nerveux. Un compte de quinze secondes.

— Affirmatif."

A 22 heures 32, les bombardiers approchaient du cap Bingham. A présent, on pouvait distinguer des parties de l'incendie dans le ciel nocturne, à travers le rideau de fumée noire qui s'étendait maintenant sur une distance de quatre cents milles du nord au sud. A 22 heures 32 plus 7 secondes, les bombardiers virèrent du sud-est au sud, suivant une trajectoire passant exactement au-dessus du cap et allant jusqu'au centre de l'incendie, cinquante ou soixante milles plus loin.

A 22 heures 32 plus 21 secondes, Peters informa Si Johnson que le compte à rebours final avait commencé.

"Navigateur au navigateur radar. Compte à rebours final. Les chiffres sont bons.

— Compris."

Peters jeta un coup d'oeil à ses instruments.

"Nous sommes un mille trop à droite, pilote. Faites un virage en S de vingt degrés vers la gauche.

— Compris, navigateur, répondit Burke d'une voix tranquille. Virage en S de vingt degrés vers la gauche."

Après s'être assuré du bon fonctionnement du système guidant l'appareil vers le point de bombardement, Burke ajouta:

"Trajectoire corrigée. Préparez-vous pour le point de repère initial."

Peters avait le cap en plein centre de son viseur.

"Point de repère... attention."

Si prit son chronographe, essuya la sueur de ses mains et posa le pouce sur le bouton d'arrêt, tandis que Burke disait:

"Attention, équipe de chronométrage. Prêt... prêt... prêt... ça y est!"

Si appuya sur le bouton, tandis que Peters appelait le commandant.

"Chronométrage en cours. Encore six minutes, cinquante secondes.

— Commandant au navigateur. Compris. Six minutes, cinquante secondes.''

Si regardait le réticule qui sautillait et changeait de position dans son viseur.

''Viseur vers le point de bombardement.''

Burke, attendant toujours le choc des oiseaux, annonça calmement:

''Soixante secondes de passées.''

A peine avait-il parlé qu'un choc retentit sur le fuselage. Puis, la voix de Si se fit entendre:

''Objectif à cent soixante-seize degrés; cinquante-six milles. Position du sous-marin, pour point de visée vertical, cent soixante-seize degrés; cinquante-quatre milles point quatre.''

Sachant qu'à cette vitesse ils faisaient un demi-mille en trois secondes, Peters s'affairait à vérifier ses calculs pour qu'il y ait bien un mille et demi entre le sous-marin et la première bombe de ce largage qui allait durer trente secondes et se poursuivre sur une distance de trois milles.

''Ça correspond. Réglez le mécanisme à cent soixante-seize degrés; cinquante-quatre milles point quatre.''

Maintenant qu'ils approchaient de leur objectif, ils pouvaient apercevoir les flammes qui s'élançaient vers eux, à deux ou trois cents pieds dans les airs.

''Pas possible! s'exclama Stokely. Ils ont foutu le feu à toute la mer, on dirait.

— Fermez-la, mitrailleur'', fit sèchement Burke.

Deux ou trois oiseaux s'écrasèrent sur l'avion, au moment même où Si disait:

''Direction semble bonne. Approchons de la cible.''

A 22 heures 34 plus 6 secondes, les armes automatiques ouvrirent le feu: le gros du vol d'oiseaux arrivait sur la formation de bombardiers. En entendant les corps qui s'écrasaient sur le fuselage, Si sentit la sueur l'inonder sous sa combinaison de vol. Il fit un effort désespéré pour garder son calme, mais sa voix était tendue.

"Navigateur radar à pilote, dit-il. Maintenant, je suis dans la zone de bombarderment. Centrez le FCI.

— Compris. FCI centré."

Puis, Si dit à Peters:

"Débranchez les circuits de largage.

— Circuits de largage débranchés."

Le bruit était épouvantable. On aurait dit des milliers de griffes en train de gratter et de déchirer le fuselage: c'étaient des morceaux de métal arrachés qui battaient dans le remous d'air. Si pouvait encore entendre les battements des ailes et de la queue déchiquetées de leur appareil qui survolait Hué. Il entendait aussi sa propre voix, qui entonnait la même litanie de mort:

"Lumière témoin allumée... Allumée... lumière allumée."

Il entendit la voix de Peters, qui semblait provenir de très loin.

"Les lumières de la valve de contrôle de la trappe à bombes?"

Mais Si entendait le mitrailleur qui parlait au-dessus de Hué. Juste au moment où son regard commençait à s'embrouiller, il aperçut les instruments qui dansaient frénétiquement devant lui.

Pour la première fois, la voix de Peters trahissait un début de panique.

"Les lumières de la valve de contrôle de la trappe à bombes? répéta-t-il.

— Eteintes!" répondit Si.

On était presque sur l'objectif. Les oiseaux continuaient de frapper les bombardiers, comme des salves de projectiles antiaériens.

"Mais où est-ce qu'elles sont, ces satanées fusées?" fit la voix du copilote dans l'appareil d'intercommunication.

Hogarth annonçait la profondeur.

"Quarante-cinq pieds... quarante pieds... trente-cinq pieds..."

Kyle regardait par-dessus son épaule. Il était 22 heures 36. A trente pieds, Sparks déclara:

"Ils sont à trois minutes d'ici, mon commandant.

— Très bien. Monsieur O'Brien, envoyez une autre fusée.

— Envoyez une fusée verte, répéta O'Brien, sa voix portant jusqu'au compartiment de lancement arrière.

— Fusée verte partie."

La fusée jaillit du sous-marin, fonça vers la surface, creva la nappe de pétrole en feu pour aller exploser, en une pluie d'étoiles vertes, à deux mille pieds d'altitude.

Burke ne voyait plus rien à travers le pare-brise couvert de sang. Il s'efforçait de distinguer quelque chose par les glaces latérales.

"Encore cent trente secondes", annonça-t-il.

370

Peters vérifia la vitesse par rapport au sol et la trouva satisfaisante. Pendant ce temps, Burke avait entrepris le compte à rebours, qu'il confierait à Si Johnson à zéro moins quinze.

"Encore cent vingt-cinq... soixante-quinze... soixante... cinquante... J'aperçois la fusée. Copilote, vérifiez position relative.

— Compris. Position relative correspond. Reprenez votre compte.

— Encore trente... vingt... FCI centré."

Peters éleva la voix pour couvrir le bruit des armes automatiques, qui venait soudain d'augmenter. Une douzaine de coups frappèrent le bombardier, en une succession terriblement rapide; on avait l'impression qu'il suffirait d'une seule collision supplémentaire pour transpercer le fuselage. Déjà l'un des moteurs était en panne.

"Trappes de bombardement ouvertes", dit Peters.

En même temps, il observait la multitude de cadrans étalés devant lui. Il souhaitait de toutes ses forces qu'aucune conduite d'air ne se bloque, provoquant des problèmes de surchauffe. Il était si concentré qu'il ne remarqua pas l'air hagard de Si Johnson, recroquevillé sur son viseur de bombardement à vue et prêt à assurer le compte à rebours final. Il ne voyait pas non plus que Si tremblait violemment, les mains crispées sur les contrôles latéraux de son siège.

Lorsque Si prit le compte à rebours ("Quinze secondes... quatorze... treize..."), il n'entendait plus les oiseaux qui continuaient de s'écraser sur l'appareil: il n'entendait que les missiles antiaériens qui explosaient autour de lui, et la voix du mitrailleur qui hurlait:

"Largue-les, Si... Largue-les... Foutons le camp d'ici..." Il ne voyait plus le réticule de son viseur se découper sur la mer rouge sang: tout ce qu'il y avait devant ses yeux, c'était le corps décapité du mitrailleur. Puis, il se mit à bredouiller.

"Onze... dix... neuf."

Burke ne s'inquiétait pas. Il nota mentalement qu'il faudrait faire réparer l'appareil d'intercommunication. Puis, obéissant à un réflexe conditionné acquis en plus de cent missions, il rabattit le couvercle de sûreté du contrôle de largage des bombes. A peine pouvait-il entendre Si.

"Huit... sept..."

Tout à coup, l'appareil fut violemment secoué par le vent puissant de l'incendie. Burke s'agrippa de toutes ses forces aux commandes, perdant le fil du compte à rebours. Désormais, tout allait reposer sur Si. Mais Si n'entendait toujours que la voix du mitrailleur qui criait:

"Largue-les, Si, largue-les!"

Et c'est pourquoi il commanda:

"Larguez les bombes." Burke appuya sur le bouton de largage.

"Compris", fit-il pour accuser réception. "Larguez!" ajouta-t-il à l'intention des six autres commandants qui, simultanément, lâchèrent leur cargaison.

Ce ne fut qu'au moment où les longs tubes noirs se mirent à tomber, tous ensemble, vers la mer, que Peters comprit ce qui se passait. Il jeta un coup d'oeil à son chronographe, puis regarda Si Johnson en hurlant:

"Jésus-Christ! Tu n'as pas terminé le compte! Tu les as larguées trop tôt! Imbécile, salaud! Tu les as larguées trop tôt, tu n'as pas terminé le compte... Jésus-Christ!"

Mais Si ne l'entendait pas. Tout ce qu'il pouvait entendre, c'était le mitrailleur qui continuait à tirer —

au-dessus de Hué. A présent, les missiles ne pourraient plus les atteindre...

Dès que les premières bombes éclatèrent autour du *Swordfish,* sa coque céda. En moins de trois secondes, des tonnes d'eau écumante s'étaient précipitées par les ouvertures béantes et avaient envahi l'avant et l'arrière. Aussi vite que leur état physique le permettait, les membres de l'équipage travaillaient à fermer les portes étanches de trois cents livres. Dans la chambre des machines, parmi un fouillis d'acier déchiré et tordu, dans le hurlement des conduites de vapeur sectionnées, deux hommes s'acharnaient à dégager un matelas qui flottait dans la porte avant du compartiment et l'empêchait de fermer. Mais soudain, avec un profond rugissement, un torrent jaillit de l'arrière et les balaya comme des fétus de paille. Les bombes continuaient à tomber, tout n'était plus qu'une succession ininterrompue d'explosions — et le sous-marin plongeait, remontait, secoué de tous côtés, jusqu'au moment où il se brisa en deux, ses flancs continuant à se gondoler tandis qu'il disparaissait dans un nuage noir d'huile à diesel.

En l'air, tout ce que les pilotes pouvaient distinguer à travers la fumée, parmi les longues langues de flammes, c'était la rougeur des explosions projetant vers le ciel des colonnes écumantes d'eau et de pétrole.

Graduellement, au fur et à mesure que les bombardiers faisaient demi-tour et disparaissaient dans la nuit, le bruit de leurs moteurs se perdit, noyé dans un rugissement plus lointain. Des pans de la nappe de feu revenaient déjà à la charge, comme des chiens affamés autour d'une carcasse. Puis un gilet de sauvetage en feu, où était inscrit le nom H.M.C.S. *Swordfish,* fut arraché à la mer en même temps que des milliards de particules de pétrole et aspiré vers le ciel par les vents de tempête qu'avait suscités cette chaleur épouvantable dégagée par la nappe de flammes. Le gilet de sauvetage retomba bientôt à la mer; mais les fines particules de pétrole poursuivirent leur voyage vers le sud, poussées par le front arctique qui n'était pas parvenu à éteindre l'incendie.

Chapitre 23

Henricks reçut le message juste au moment où le Président se levait pour prendre la parole devant la brillante assemblée des invités de marque.

Sutherland leva la coupe remplie d'un breuvage ambré et pétillant — du jus de catawba, le scheik étant musulman et ne buvant pas d'alcool. Puis il fit un sourire bienveillant à son invité, et un autre plus bref à l'intention de l'entourage du leader arabe. Il toussa légèrement.

"Votre Excellence, commença-t-il, au nom du peuple américain, j'aimerais vous souhaiter la bienvenue dans notre pays. Je sais que vous avez étudié ici à l'époque où vous fréquentiez l'université et que vous n'êtes pas étranger à nos coutumes — ou, devrais-je dire, à nos problèmes. Je suis persuadé que notre ancienne association est...''

En fait, il s'agissait d'un discours officiel, rempli de platitudes mielleuses et ponctué ici et là par des applaudissements polis. Cela devait s'achever par un toast porté au chef d'état en visite. Mais Sutherland trouvait la tâche moins pénible que d'habitude. En effet, malgré ses soucis, il s'était senti soulagé de constater, à l'occasion du bref moment de bavardage précédant le toast, qu'il aimait bien le scheik. Cela contrastait agréablement avec les éternelles prétentions diplomatiques, qu'il aurait trouvées particulièrement contraignantes ce soir-là. A présent, il était heureux d'avoir respecté l'engagement à long terme que le pays avait avec le scheik.

Henricks se tenait près de lui. Jugeant qu'il avait suffisamment hésité, il frappa le Président sur l'épaule et lui tendit le câble. Le scheik, avec sa barbe impeccable, resplendissant dans sa tunique d'un blanc immaculé et son burnous rehaussé d'or, se leva pour répondre à l'allocution de son hôte américain.

"Monsieur le Président, distingués invités...''

Mais Sutherland n'entendait pas ce que disait le scheik. Comme il achevait la lecture du câble, Clara se tourna vers lui et lui prit la main: elle était glacée. Sans cesser de sourire courtoisement au scheik, elle posa son autre main sur le genou de son mari. Le scheik poursuivait son discours, s'interrompant de temps en temps pour sourire au Président et à sa femme. Enfin, il s'arrêta et baissa les yeux sur le Président, dont le regard était perdu au-delà des rangées de visages indistincts qui remplissaient la salle de réception. Les yeux du scheik se tournèrent vers Clara, qui lui sourit à son tour, tout en se demandant ce que pouvait bien contenir le câble. D'une main, elle prit sa coupe, tandis que de l'autre elle pressait la main inerte du Président, essayant désespérément de lui rappeler qu'il fallait lever son verre. Quelques toux embarrassées montèrent de l'assistance. Henricks entra dans le champ des caméras de télévision.

"Le toast, monsieur le Président", fit-il.

Le regard de Sutherland rencontra le sien: mais ses yeux étaient vides et embrouillés. Il ne le voyait pas vraiment. La panique commençait à s'emparer de Henricks: il n'en fallait pas plus pour créer un incident international. Et il savait pertinemment que cette chienne de la *United Press* était présente. Après un silence qui parut interminable à Henricks, le Président éleva lentement son verre, comme un automate; puis son verre et celui du scheik s'entrechoquèrent. Durant ce temps, Jean Roche s'était empressée d'aller convaincre le directeur de l'équipe de la télévision, qu'il fallait pointer la caméra vers les invités qui se trouvaient dans le coin opposé de la salle.

Dès qu'il eut satisfait aux exigences du protocole, le Président se releva. Appuyant ses deux mains sur le bord de la table et se retenant de toutes ses forces, il commença, d'une voix presque inaudible:

"Mesdames et Messieurs, j'ai une très grave nouvelle à vous apprendre. Je viens de recevoir un message m'informant..."

Henricks bondit en avant et posa une main sur le micro.

"Monsieur le Président."

Sutherland se tourna lentement vers lui.

"Oui?

— On n'a pas encore prévenu les Canadiens", fit Henricks à voix basse.

Un murmure s'était élevé dans la salle; les gens de

l'assistance y allaient de leurs commentaires. Le Président continuait de regarder Henricks.

"Nous devrions convoquer une conférence de presse, monsieur le Président, ajouta rapidement l'adjoint. Dans une demi-heure... une heure. D'ici là, Ottawa aura été informé. Nous devrions émettre un communiqué conjoint. Il y avait plus de quatre-vingt Canadiens.

— Tous morts?

— Oui, monsieur le Président."

Sutherland hocha lentement la tête et quitta la table. Clara le suivit promptement. Au même moment, suivant les instructions de Jean Roche, les serveurs jaillirent de la cuisine et se précipitèrent pour remplir les verres.

Dans le cabinet de travail obscur, c'était le silence. Henricks se retira. Par les fenêtres donnant sur les pelouses, on pouvait encore voir clignoter les lumières bleues et rouges. Un policier parlait d'une voix nasale dans un mégaphone.

Clara s'assit à côté du Président.

"Je t'aime, dit-elle. Cela me fait tant de peine, Walter.

— Je sais", dit-il.

Il se leva et alla à la fenêtre pour être seul.

Après avoir fait l'amour, Fran Lambrecker alluma le téléviseur pour regarder les dernières émissions. Puis elle se remit au lit et, tout en croquant des chips que Morgan avait apportées en même temps que les mélanges à boissons, elle commença à boire son second martini après avoir sucé l'olive à la façon des Romains décadents, l'aspirant dans sa bouche comme une araignée avalant une proie. Morgan était installé dans la baignoire, avec un grand verre de *gin et tonic*.

Après le bulletin de nouvelles annonçant la disparition du sous-marin avec tout son équipage, Fran posa son verre et resta longtemps immobile, adossée à la tête de lit en peluche, se curant les dents d'un air apathique. Elle se disait qu'il aurait été de mise de pleurer; mais elle ne pouvait pas. Elle n'avait jamais eu la larme facile. Elle savait que l'usage et la décence voulaient qu'elle fonde en larmes, puis qu'elle fasse immédiatement sa valise et rentre à Victoria. Elle se vêtirait de noir, organiserait les funérailles et cesserait de voir Morgan pour un bout de temps. Mais, en réalité, la nouvelle n'avait pas éveillé en elle d'émotion profonde — tout juste un sentiment de perte: un peu comme d'apprendre inopinément qu'un vieil ami, qui avait cessé de nous écrire sans raison apparente, est mort quelques semaines plus tôt.

Brusquement, elle appela:

"Morgan!"

Il n'y eut pas de réponse.

"Morgan!" hurla-t-elle de nouveau, ajoutant à voix basse: "Espèce de cochon!"

De la salle de bain, parvint un bruit d'éclaboussement, comme si un phoque s'était débattu dans la baignoire; puis, au bout d'un moment, il apparut dans l'embrasure, encore tout dégouttant, une serviette nouée autour des reins.

"Qu'est-ce qu'il y a, Fran?

— Eteins la télé."

Il haussa les épaules et marcha vers le téléviseur, essayant d'écarter le bout de la longue serviette qui lui traînait sur les orteils.

"Et puis?" fit-il, attendant de nouveaux ordres.

Elle le regarda.

"Comment as-tu pu devenir officier?"

Morgan sourit.

"La personnalité, je suppose."

Elle eut un rire un peu ironique.

"Viens ici", dit-elle.

Quand il fut près d'elle, elle glissa sa main droite sur son épaule, tandis que sa main gauche s'insinuait lentement sous la serviette et lui remontait dans l'enfourchure.

"Jésus-Christ! fit-il; pas encore?"

Elle le regarda d'un air féroce.

"Pourquoi? Le p'tit homme n'est pas capable?

— Eh bien... On vient juste de... Bien sûr, je suppose que oui...

— Viens", ordonna-t-elle en rejetant les couvertures.

Au bout d'un moment, lorsqu'ils commencèrent à bouger ensemble, elle ferma les yeux et s'accrocha à lui.

"Encore! Encore!"

Elle savait que c'était mal. Tout le monde lui aurait dit que ce n'était pas normal. Mais elle s'en fichait et n'allait pas se mettre à jouer la comédie. Elle allait être elle-même. Et ce qu'elle éprouvait, c'était un soulagement immense et presque accablant.

Le village Tlingit n'existait plus. Incapables de trouver un bateau, ou d'attirer l'attention des gens de Sitka, à travers l'épaisse fumée qui s'était répandue sur la côte est de l'île Kruzof et les avait enveloppés, les Indiens étaient morts brûlés sur le périmètre sud de Mud Bay.

Rien ne pouvait arrêter la progression de l'incendie — pas même les charges de dynamite qu'on était bravement allé lancer, à bord d'une véritable flottille de petits bateaux, ou que les pilotes avaient jetées dans le détroit lors de leur dernier voyage.

La nappe de pétrole en feu s'était glissée dans l'espèce de dédale qu'il y avait entre les îles vertes, qu'elle avait incendiées. A présent, elle se rapprochait de la ville de Sitka.

Descendant du nord, la nappe noire et rouge s'était précipitée dans le détroit de Neva et l'anse de Sukoi. Puis, elle avait ralenti sa course en atteignant les eaux plus larges du détroit de Krestof, avait passé par Mud Bay, reprenant de la vitesse dans le détroit du Hayward et ralentissant de nouveau en parvenant au nord du détroit de Sitka, où elle s'était étendue, constituant un des bras du mouvement de tenailles qui se refermait sur Sitka. Au sud-est, le flanc sud de l'incendie avait condamné le passage entre les Iles de Kruzof et de Baranof — bloquant du même coup la seule autre issue du détroit.

Ce que les derniers réfugiés attendant le retour des hélicoptères trouvaient le plus terrifiant, c'était la vitesse avec laquelle les flammes se jetaient sur les écueils de Bieli et les autres petites îles parsemées dans le détroit. Le feu se répandait jusqu'à leurs rives, qu'il léchait en manière de préambule, puis il les avalait, comme si elles n'avaient jamais existé.

Maintenant, la plupart des quatre mille habitants de Sitka avaient été évacués. Dans un effort forcené, on avait établi un pont aérien vers Petersburg à quatre-vingt-treize milles à l'est, sur l'île Mitkof, et vers de grands centres de réfugiés sur l'île Wrangell et à Hyder sur le continent.

Les derniers d'entre eux regardaient silencieusement les deux bras de flammes qui se rejoignaient pour se lancer à l'assaut. Les réfugiés pouvaient entendre, dominant le bruit des hélicoptères, une série d'explosions qui formaient comme une réaction en chaîne. C'étaient les bateaux de pêche amarrés dans la baie de Crescent, qui se désintégraient comme des jouets dans l'aveuglante nappe orangée. Celle-ci fonçait dans l'embouchure de l'Indian River, léchant les rives et se communiquant rapidement aux billots qui avaient séché au soleil durant tout l'été. Bientôt, le dôme en forme d'oignon de l'église Saint-Michel disparut dans les flammes, qui dansaient à des centaines de pieds dans les airs, comme pour célébrer quelque rite obscène dans les ruines de la nef. Dans les rues, les fils électriques — qui avaient continué de fournir du courant pour l'éclairage des réfugiés — se tordaient par terre, crachant des étincelles et sautillant parmi les débris, tandis que les canalisations d'eau éclatées coulaient un peu partout.

En moins d'une heure, l'incendie, attisé par son propre vent, avait complètement incendié la ville, couvrant les squelettes calcinés des immeubles qui brûlaient encore d'un nuage charriant la puanteur des vapeurs de pétrole, du poisson brûlé de la conserverie, ainsi que la senteur lourde et douceâtre provenant des cendres de la papeterie.

Et l'incendie continuait de faire rage. Il se déplaçait maintenant en direction des pentes boisées, derrière les ruines calcinées de la ville, poussé par un vent du nord dont la force ne cessait d'augmenter.

Voyageant à environ cinquante milles à l'heure, à une altitude de sept milles pieds, la masse d'air chaud chargé de milliards de fines particules de pétrole que la nappe de feu avait poussées vers le ciel, avait mis seize heures à atteindre le front froid sur l'île de Vancouver. Il était donc plus de minuit lorsque l'air chaud commença à se refroidir, son humidité se condensant rapidement autour des noyaux de pétrole. A cette heure, Sarah était toujours assise, seule, dans la cuisine. L'appareil de téléphone, qu'elle n'avait pas replacé correctement sur sa fourche, faisait entendre dans la maison silencieuse son monotone bourdonnement d'insecte. Un coup de vent mugit parmi les rosiers et fit claquer une fenêtre. Instinctivement, elle se leva et alla verrouiller la fenêtre. Puis elle resta là, debout dans la pièce, ne sachant plus où aller ni quoi faire. Elle se rappela vaguement que l'amiral — c'est lui qui lui avait téléphoné — avait parlé de lui envoyer quelqu'un à la première heure le lendemain matin, pour s'occuper des formalités et lui donner un coup de main. Comment croyaient-ils pouvoir l'aider? Elle n'en avait pas la moindre idée. De nouvelles rafales de vent soufflèrent dans le jardin, secouant les arbustes avec une telle férocité que le bruit finit par attirer l'attention de Sarah. Elle marcha lentement vers la porte de la cuisine et alluma la lumière de la véranda. Soudain, elle pensa que, si jamais le projecteur faisait défaut, elle ne saurait pas comment le remettre en état. Il y avait quelque chose à dévisser, une sorte de grillage ou d'écran protecteur à enlever, avant de pouvoir remplacer l'ampoule — et elle ne savait pas comment faire.

Bientôt, elle put entendre la pluie qui tambourinait sur le toit; et la panique s'empara d'elle. Elle se précipita dans la véranda couverte, mit ses longues bottes de caoutchouc, ramassa le sécateur et courut vers le jardin. C'était là une chose qu'ils avaient faite autrefois: ils couraient ensemble au jardin et, dans une joyeuse émulation, tentaient de sauver le plus de fleurs possible avant que les bourrasques ne les abattent.

Mais, à présent, toute seule dans le jardin, elle ne savait plus trop que faire: il n'était pas là comme d'habitude, et elle ignorait par quelle plate-bande commencer. Elle résolut d'entreprendre son travail du côté des Nocturne. Un fort coup de vent lui poussa un paquet de pluie au visage et l'aveugla; elle glissa et tomba pesamment sur la plate-bande.

Lorsqu'elle fut de nouveau capable de voir, elle coupa une petite rose Nocturne. Elle la tenait délicatement entre ses doigts, mais elle était déjà en lambeaux, ses doux pétales se désagrégeaient. Mais la fleur n'était pas seulement déchiquetée au point d'en être méconnaissable: elle était, de plus, noire comme la nuit. Ce ne fut qu'à ce moment que Sarah s'aperçut que la pluie était noire et qu'elle puait le pétrole brut. Elle ne comprenait pas pourquoi, car elle ne pouvait voir la longue ligne cramoisie qui, dans la nuit, poursuivait sa progression vers le sud. Brusquement, elle se rendit compte qu'elle ne le reverrait plus jamais. Et, toute seule dans la tempête, impuissante devant cette furie déchaînée, elle se mit à sangloter.

Achevé d'imprimer sur les presses de
L'IMPRIMERIE ELECTRA *
pour
LES EDITIONS DE L'HOMME LTÉE

* Division du groupe Sogides Ltée

Imprimé au Canada
Printed in Canada

Ouvrages parus
chez les Éditeurs du groupe Sogides

Ouvrages parus aux
ÉDITIONS
DE L'HOMME

ART CULINAIRE

Art d'apprêter les restes (L'),
S. Lapointe, 4.00
Art de la table (L'), M. du Coffre, $5.00
Art de vivre en bonne santé (L'),
Dr W. Leblond, 3.00
Boîte à lunch (La), L. Lagacé, 4.00
101 omelettes, M. Claude, 3.00
Cocktails de Jacques Normand (Les),
J. Normand, 4.00
Congélation (La), S. Lapointe, 4.00
Conserves (Les), Soeur Berthe, 5.00
Cuisine chinoise (La), L. Gervais, 4.00
Cuisine de maman Lapointe (La),
S. Lapointe, 3.00
Cuisine de Pol Martin (La), Pol Martin, 4.00
Cuisine des 4 saisons (La),
Mme Hélène Durand-LaRoche, 4.00
Cuisine en plein air, H. Doucet, 3.00
Cuisine française pour Canadiens,
R. Montigny, 4.00
Cuisine italienne (La), Di Tomasso, 3.00
Diététique dans la vie quotidienne,
L. Lagacé, 4.00
En cuisinant de 5 à 6, J. Huot, 3.00
Fondues et flambées de maman Lapointe,
S. Lapointe, 4.00
Fruits (Les), J. Goode, 5.00

Grande Cuisine au Pernod (La),
S. Lapointe, 3.00
Hors-d'oeuvre, salades et buffets froids,
L. Dubois, 3.00
Légumes (Les), J. Goode, 5.00
Madame reçoit, H.D. LaRoche, 4.00
Mangez bien et rajeunissez, R. Barbeau, 3.00
Poissons et fruits de mer,
Soeur Berthe, 4.00
Recettes à la bière des grandes cuisines
Molson, M.L. Beaulieu, 4.00
Recettes au "blender", J. Huot, 4.00
Recettes de gibier, S. Lapointe, 4.00
Recettes de Juliette (Les), J. Huot, 4.00
Recettes de maman Lapointe,
S. Lapointe, 3.00
Régimes pour maigrir, M.J. Beaudoin, 4.00
Tous les secrets de l'alimentation,
M.J. Beaudoin, 2.50
Vin (Le), P. Petel, 3.00
Vins, cocktails et spiritueux,
G. Cloutier, 3.00
Vos vedettes et leurs recettes,
G. Dufour et G. Poirier, 3.00
Y'a du soleil dans votre assiette,
Georget-Berval-Gignac, 3.00

DOCUMENTS, BIOGRAPHIE

Architecture traditionnelle au Québec (L'),
Y. Laframboise, 10.00
Art traditionnel au Québec (L'),
Lessard et Marquis, 10.00
Artisanat québécois 1. Les bois et les
textiles, C. Simard, 12.00

Artisanat québécois 2. Les arts du feu,
C. Simard, 12.00
Acadiens (Les), E. Leblanc, 2.00
Bien-pensants (Les), P. Berton, 2.50
Ce combat qui n'en finit plus,
A. Stanké,-J.L. Morgan, 3.00

Charlebois, qui es-tu?, B. L'Herbier, **3.00**

Comité (Le), M. et P. Thyraud de Vosjoli, 8.00

Des hommes qui bâtissent le Québec, collaboration, **3.00**

Drogues, J. Durocher, **3.00**

Epaves du Saint-Laurent (Les), J. Lafrance, **3.00**

Ermite (L'), L. Rampa, **4.00**

Fabuleux Onassis (Le), C. Cafarakis, **4.00**

Félix Leclerc, J.P. Sylvain, **2.50**

Filière canadienne (La), J.-P. Charbonneau, 12.95

Francois Mauriac, F. Seguin, **1.00**

Greffes du coeur (Les), collaboration, **2.00**

Han Suyin, F. Seguin, **1.00**

Hippies (Les), Time-coll., **3.00**

Imprévisible M. Houde (L'), C. Renaud, **2.00**

Insolences du Frère Untel, F. Untel, **2.00**

J'aime encore mieux le jus de betteraves, A. Stanké, **2.50**

Jean Rostand, F. Seguin, **1.00**

Juliette Béliveau, D. Martineau, **3.00**

Lamia, P.T. de Vosjoli, **5.00**

Louis Aragon, F. Seguin, **1.00**

Magadan, M. Solomon, **7.00**

Maison traditionnelle au Québec (La), M. Lessard, G. Vilandré, **10.00**

Maîtresse (La), James et Kedgley, **4.00**

Mammifères de mon pays, Duchesnay-Dumais, **3.00**

Masques et visages du spiritualisme contemporain, J. Evola, **5.00**

Michel Simon, F. Seguin, **1.00**

Michèle Richard raconte Michèle Richard, M. Richard, **2.50**

Mon calvaire roumain, M. Solomon, **8.00**

Mozart, raconté en 50 chefs-d'oeuvre, P. Roussel, **5.00**

Nationalisation de l'électricité (La), P. Sauriol, **1.00**

Napoléon vu par Guillemin, H. Guillemin, **2.50**

Objets familiers de nos ancêtres, L. Vermette, N. Genêt, L. Décarie-Audet, **6.00**

On veut savoir, (4 t.), L. Trépanier, **1.00 ch.**

Option Québec, R. Lévesque, **2.00**

Pour entretenir la flamme, L. Rampa, **4.00**

Pour une radio civilisée, G. Proulx, **2.00**

Prague, l'été des tanks, collaboration, **3.00**

Premiers sur la lune, Armstrong-Aldrin-Collins, **6.00**

Prisonniers à l'Oflag 79, P. Vallée, **1.00**

Prostitution à Montréal (La), T. Limoges, **1.50**

Provencher, le dernier des coureurs des bois, P. Provencher, **6.00**

Québec 1800, W.H. Bartlett, **15.00**

Rage des goof-balls (La), A. Stanké, M.J. Beaudoin, **1.00**

Rescapée de l'enfer nazi, R. Charrier, **1.50**

Révolte contre le monde moderne, J. Evola, **6.00**

Riopelle, G. Robert, **3.50**

Struma (Le), M. Solomon, **7.00**

Terrorisme québécois (Le), Dr G. Morf, **3.00**

Ti-blanc, mouton noir, R. Laplante, **2.00**

Treizième chandelle (La), L. Rampa, **4.00**

Trois vies de Pearson (Les), Poliquin-Beal, **3.00**

Trudeau, le paradoxe, A. Westell, **5.00**

Un peuple oui, une peuplade jamais! J. Lévesque, **3.00**

Un Yankee au Canada, A. Thério, **1.00**

Une culture appelée québécoise, G. Turi, **2.00**

Vizzini, S. Vizzini, **5.00**

Vrai visage de Duplessis (Le), P. Laporte, **2.00**

ENCYCLOPEDIES

Encyclopédie de la maison québécoise, Lessard et Marquis, **8.00**

Encyclopédie des antiquités du Québec, Lessard et Marquis, **7.00**

Encyclopédie des oiseaux du Québec, W. Earl Godfrey, **8.00**

Encyclopédie du jardinier horticulteur, W.H. Perron, **8.00**

Encyclopédie du Québec, Vol. I et Vol. II, L. Landry, **6.00 ch.**

ESTHÉTIQUE ET VIE MODERNE

Cellulite (La), Dr G.J. Léonard, 4.00
Chirurgie plastique et esthétique (La),
Dr A. Genest, 2.00
Embellissez votre corps, J. Ghedin, 2.00
Embellissez votre visage, J. Ghedin, 1.50
Etiquette du mariage, Fortin-Jacques,
Farley, 4.00
Exercices pour rester jeune, T. Sekely, 3.00
Exercices pour toi et moi,
J. Dussault-Corbeil, 5.00
Face-lifting par l'exercice (Le),
S.M. Rungé, 4.00
Femme après 30 ans (La), N. Germain, 3.00

Femme émancipée (La), N. Germain et
L. Desjardins, 2.00
Leçons de beauté, E. Serei, 2.50
Médecine esthétique (La),
Dr G. Lanctôt, 5.00
Savoir se maquiller, J. Ghedin, 1.50
Savoir-vivre, N. Germain, 2.50
Savoir-vivre d'aujourd'hui (Le),
M.F. Jacques, 3.00
Sein (Le), collaboration, 2.50
Soignez votre personnalité, messieurs,
E. Serei, 2.00
Vos cheveux, J. Ghedin, 2.50
Vos dents, Archambault-Déom, 2.00

LINGUISTIQUE

Améliorez votre français, J. Laurin, 4.00
Anglais par la méthode choc (L'),
J.L. Morgan, 3.00
Corrigeons nos anglicismes, J. Laurin, 4.00
Dictionnaire en 5 langues, L. Stanké, 2.00

Petit dictionnaire du joual au français,
A. Turenne, 3.00
Savoir parler, R.S. Catta, 2.00
Verbes (Les), J. Laurin, 4.00

LITTERATURE

Amour, police et morgue, J.M. Laporte, 1.00
Bigaouette, R. Lévesque, 2.00
Bousille et les justes, G. Gélinas, 3.00
Berger (Les), M. Cabay-Marin, Ed. TM, 5.00
Candy, Southern & Hoffenberg, 3.00
Cent pas dans ma tête (Les), P. Dudan, 2.50
Commettants de Caridad (Les),
Y. Thériault, 2.00
Des bois, des champs, des bêtes,
J.C. Harvey, 2.00
Ecrits de la Taverne Royal, collaboration, 1.00
Exodus U.K., R. Rohmer, 8.00
Exxoneration, R. Rohmer, 7.00
Homme qui va (L'), J.C. Harvey, 2.00
J'parle tout seul quand j'en narrache,
E. Coderre, 3.00
Malheur a pas des bons yeux (Le),
R. Lévesque, 2.00
Marche ou crève Carignan, R. Hollier, 2.00
Mauvais bergers (Les), A.E. Caron, 1.00

Mes anges sont des diables,
J. de Roussan, 1.00
Mon 29e meurtre, Joey, 8.00
Montréalités, A. Stanké, 1.50
Mort attendra (La), A. Malavoy, 1.00
Mort d'eau (La), Y. Thériault, 2.00
Ni queue, ni tête, M.C. Brault, 1.00
Pays voilés, existences, M.C. Blais, 1.50
Pomme de pin, L.P. Dlamini, 2.00
Printemps qui pleure (Le), A. Thério, 1.00
Propos du timide (Les), A. Brie, 1.00
Séjour à Moscou, Y. Thériault, 2.00
Tit-Coq, G. Gélinas, 4.00
Toges, bistouris, matraques et soutanes,
collaboration, 1.00
Ultimatum, R. Rohmer, 6.00
Un simple soldat, M. Dubé, 4.00
Valérie, Y. Thériault, 2.00
Vertige du dégoût (Le), E.P. Morin, 1.00

LIVRES PRATIQUES — LOISIRS

Aérobix, Dr P. Gravel, 3.00
Alimentation pour futures mamans,
T. Sekely et R. Gougeon, 4.00

Améliorons notre bridge, C. Durand, 6.00
Apprenez la photographie avec Antoine
Desilets, A. Desilets, 5.00

Arbres, les arbustes, les haies (Les),
P. Pouliot, 7.00
Armes de chasse (Les), Y. Jarrettie, 3.00
Astrologie et l'amour (L'), T. King, 6.00
Bougies (Les), W. Schutz, 4.00
Bricolage (Le), J.M. Doré, 4.00
Bricolage au féminin (Le), J.-M. Doré, 3.00
Bridge (Le), V. Beaulieu, 4.00
Camping et caravaning, J. Vic et
R. Savoie, 2.50
Caractères par l'interprétation des visages,
(Les), L. Stanké, 4.00
Ciné-guide, A. Lafrance, 3.95
Chaînes stéréophoniques (Les),
G. Poirier, 6.00
Cinquante et une chansons à répondre,
P. Daigneault, 3.00
Comment amuser nos enfants,
L. Stanké, 4.00
Comment tirer le maximum d'une mini-
calculatrice, H. Mullish, 4.00
Conseils à ceux qui veulent bâtir,
A. Poulin, 2.00
Conseils aux inventeurs, R.A. Robic, 3.00
Couture et tricot, M.H. Berthouin, 2.00
Dictionnaire des mots croisés,
noms propres, collaboration, 6.00
Dictionnaire des mots croisés,
noms communs, P. Lasnier, 5.00
Fins de partie aux dames,
H. Tranquille, G. Lefebvre, 4.00
Fléché (Le), L. Lavigne et F. Bourret, 4.00
Fourrure (La), C. Labelle, 4.00
Guide complet de la couture (Le),
L. Chartier, 4.00
Guide de la secrétaire, M. G. Simpson, 6.00
Hatha-yoga pour tous, S. Piuze, 4.00
8/Super 8/16, A. Lafrance, 5.00
Hypnotisme (L'), J. Manolesco, 3.00
Information Voyage, R. Viau et J. Daunais,
Ed. TM, 6.00
Interprétez vos rêves, L. Stanké, 4.00

J'installe mon équipement stéréo, T. I et II,
J.M. Doré, 3.00 ch.
Jardinage (Le), P. Pouliot, 4.00
Je décore avec des fleurs, M. Bassili, 4.00
Je développe mes photos, A. Desilets, 6.00
Je prends des photos, A. Desilets, 6.00
Jeux de cartes, G. F. Hervey, 10.00
Jeux de société, L. Stanké, 3.00
Lignes de la main (Les), L. Stanké, 4.00
Magie et tours de passe-passe,
I. Adair, 4.00
Massage (Le), B. Scott, 4.00
Météo (La), A. Ouellet, 3.00
Nature et l'artisanat (La), P. Roy, 4.00
Noeuds (Les), G.R. Shaw, 4.00
Origami I, R. Harbin, 3.00
Origami II, R. Harbin, 3.00
Ouverture aux échecs (L'), C. Coudari, 4.00
Parties courtes aux échecs,
H. Tranquille, 5.00
Petit manuel de la femme au travail,
L. Cardinal, 4.00
Photo-guide, A. Desilets, 3.95
Plantes d'intérieur (Les), P. Pouliot, 7.00
Poids et mesures, calcul rapide,
L. Stanké, 3.00
Tapisserie (La), T.-M. Perrier,
N.-B. Langlois, 5.00
Taxidermie (La), J. Labrie, 4.00
Technique de la photo, A. Desilets, 6.00
Techniques du jardinage (Les),
P. Pouliot, 6.00
Tenir maison, F.G. Smet, 3.00
Tricot (Le), F. Vandelac, 4.00
Vive la compagnie, P. Daigneault, 3.00
Vivre, c'est vendre, J.M. Chaput, 4.00
Voir clair aux dames, H. Tranquille, 3.00
Voir clair aux échecs, H. Tranquille et
G. Lefebvre, 4.00
Votre avenir par les cartes, L. Stanké, 4.00
Votre discothèque, P. Roussel, 4.00
Votre pelouse, P. Pouliot, 5.00

LE MONDE DES AFFAIRES ET LA LOI

ABC du marketing (L'), A. Dahamni, 3.00
Bourse (La), A. Lambert, 3.00
Budget (Le), collaboration, 4.00
Ce qu'en pense le notaire, Me A. Senay, 2.00
Connaissez-vous la loi? R. Millet, 3.00
Dactylographie (La), W. Lebel, 2.00
Dictionnaire de la loi (Le), R. Millet, 2.50
Dictionnaire des affaires (Le), W. Lebel, 3.00
Dictionnaire économique et financier,
E. Lafond, 4.00

Divorce (Le), M. Champagne et Léger, 3.00
Guide de la finance (Le), B. Pharand, 2.50
Initiation au système métrique,
L. Stanké, 5.00
Loi et vos droits (La),
Me P.A. Marchand, 5.00
Savoir organiser, savoir décider,
G. Lefebvre, 4.00
Secrétaire (Le/La) bilingue, W. Lebel, 2.50

PATOF

Cuisinons avec Patof, J. Desrosiers, 1.29

Patof raconte, J. Desrosiers, 0.89
Patofun, J. Desrosiers, 0.89

SANTE, PSYCHOLOGIE, EDUCATION

Activité émotionnelle (L'), P. Fletcher, **3.00**
Allergies (Les), Dr P. Delorme, **4.00**
Apprenez à connaître vos médicaments,
 R. Poitevin, **3.00**
Caractères et tempéraments,
 C.-G. Sarrazin, **3.00**
Comment animer un groupe,
 collaboration, **4.00**
Comment nourrir son enfant,
 L. Lambert-Lagacé, **4.00**
Comment vaincre la gêne et la timidité,
 R.S. Catta, **3.00**
Communication et épanouissement
 personnel, L. Auger, **4.00**
Complexes et psychanalyse,
 P. Valinieff, **4.00**
Contact, L. et N. Zunin, **6.00**
Contraception (La), Dr L. Gendron, **3.00**
Cours de psychologie populaire,
 F. Cantin, **4.00**
Dépression nerveuse (La), collaboration, **4.00**
Développez votre personnalité,
 vous réussirez, S. Brind'Amour, **3.00**
Douze premiers mois de mon enfant (Les),
 F. Caplan, **10.00**
Dynamique des groupes,
 Aubry-Saint-Arnaud, **3.00**
En attendant mon enfant,
 Y.P. Marchessault, **4.00**
Femme enceinte (La), Dr R. Bradley, **4.00**
Guérir sans risques, Dr E. Plisnier, **3.00**
Guide des premiers soins, Dr J. Hartley, **4.00**

Guide médical de mon médecin de famille,
 Dr M. Lauzon, **3.00**
Langage de votre enfant (Le),
 C. Langevin, **3.00**
Maladies psychosomatiques (Les),
 Dr R. Foisy, **3.00**
Maman et son nouveau-né (La),
 T. Sekely, **3.00**
Mathématiques modernes pour tous,
 G. Bourbonnais, **4.00**
Méditation transcendantale (La),
 J. Forem, **6.00**
Mieux vivre avec son enfant, D. Calvet, **4.00**
Parents face à l'année scolaire (Les),
 collaboration, **2.00**
Personne humaine (La), Y. Saint-Arnaud, **4.00**
Pour bébé, le sein ou le biberon,
 Y. Pratte-Marchessault, **4.00**
Pour vous future maman, T. Sekely, **3.00**
15/20 ans, F. Tournier et P. Vincent, **4.00**
Relaxation sensorielle (La), Dr P. Gravel, **3.00**
S'aider soi-même, L. Auger, **4.00**
Soignez-vous par le vin, Dr E. A. Maury, **4.00**
Volonté (La), l'attention, la mémoire,
 R. Tocquet, **4.00**
Vos mains, miroir de la personnalité,
 P. Maby, **3.00**
Votre personnalité, votre caractère,
 Y. Benoist-Morin, **3.00**
Yoga, corps et pensée, B. Leclerq, **3.00**
Yoga, santé totale pour tous,
 G. Lescouflar, **3.00**

SEXOLOGIE

Adolescent veut savoir (L'),
 Dr L. Gendron, **3.00**

Adolescente veut savoir (L'),
 Dr L. Gendron, **3.00**

Amour après 50 ans (L'), Dr L. Gendron, **3.00**

Couple sensuel (Le), Dr L. Gendron, **3.00**

Déviations sexuelles (Les), Dr Y. Léger, **4.00**

Femme et le sexe (La), Dr L. Gendron, **3.00**

Helga, E. Bender, **6.00**

Homme et l'art érotique (L'),
 Dr L. Gendron, **3.00**

Madame est servie, Dr L. Gendron, **2.00**

Maladies transmises par relations
 sexuelles, Dr L. Gendron, **2.00**
Mariée veut savoir (La), Dr L. Gendron, **3.00**
Ménopause (La), Dr L. Gendron, **3.00**
Merveilleuse histoire de la naissance (La),
 Dr L. Gendron, **4.50**
Qu'est-ce qu'un homme, Dr L. Gendron, **3.00**
Qu'est-ce qu'une femme, Dr L. Gendron, **4.00**
Quel est votre quotient psycho-sexuel?
 Dr L. Gendron, **3.00**
Sexualité (La), Dr L. Gendron, **3.00**
Teach-in sur la sexualité,
 Université de Montréal, **2.50**
Yoga sexe, Dr L. Gendron et S. Piuze, **4.00**

SPORTS (collection dirigée par Louis Arpin)

ABC du hockey (L'), H. Meeker, **4.00**
Aikido, au-delà de l'agressivité,
 M. Di Villadorata, **4.00**
Bicyclette (La), J. Blish, **4.00**

Comment se sortir du trou au golf,
 Brien et Barrette, **4.00**
Courses de chevaux (Les), Y. Leclerc, **3.00**

Devant le filet, J. Plante, **4.00**
D. Brodeur, **4.00**
Entraînement par les poids et haltères,
F. Ryan, **3.00**
Expos, cinq ans après,
D. Brodeur, J.-P. Sarrault, **3.00**
Football (Le), collaboration, **2.50**
Football professionnel, J. Séguin, **3.00**
Guide de l'auto (Le) (1967), J. Duval, **2.00**
(1968-69-70-71), 3.00 chacun
Guy Lafleur, Y. Pedneault et D. Brodeur, **4.00**
Guide du judo, au sol (Le), L. Arpin, **4.00**
Guide du judo, debout (Le), L. Arpin, **4.00**
Guide du self-defense (Le), L. Arpin, **4.00**
Guide du trappeur,
P. Provencher, **4.00**
Initiation à la plongée sous-marine,
R. Goblot, **5.00**
J'apprends à nager, R. Lacoursière, **4.00**
Jocelyne Bourassa,
J. Barrette et D. Brodeur, **3.00**
Jogging (Le), R. Chevalier, **5.00**
Karaté (Le), Y. Nanbu, **4.00**
Kung-fu, R. Lesourd, **5.00**
Livre des règlements, LNH, **1.50**
Lutte olympique (La), M. Sauvé, **4.00**
Match du siècle: Canada-URSS,
D. Brodeur, G. Terroux, **3.00**
Mon coup de patin, le secret du hockey,
J. Wild, **3.00**
Moto (La), Duhamel et Balsam, **4.00**

Natation (La), M. Mann, **2.50**
Natation de compétition (La),
R. Lacoursière, **3.00**
Parachutisme (Le), C. Bédard, **5.00**
Pêche au Québec (La), M. Chamberland, **5.00**
Petit guide des Jeux olympiques,
J. About, M. Duplat, **2.00**
Puissance au centre, Jean Béliveau,
H. Hood, **3.00**
Raquette (La), Osgood et Hurley, **4.00**
Ski (Le), W. Schaffler-E. Bowen, **3.00**
Ski de fond (Le), J. Caldwell, **4.00**
Soccer, G. Schwartz, **3.50**
Stratégie au hockey (La), J.W. Meagher, **3.00**
Surhommes du sport, M. Desjardins, **3.00**
Techniques du golf,
L. Brien et J. Barrette, **4.00**
Techniques du tennis, Ellwanger, **4.00**
Tennis (Le), W.F. Talbert, **3.00**
Tous les secrets de la chasse,
M. Chamberland, **3.00**
Tous les secrets de la pêche,
M. Chamberland, **3.00**
36-24-36, A. Coutu, **3.00**
Troisième retrait (Le), C. Raymond,
M. Gaudette, **3.00**
Vivre en forêt, P. Provencher, **4.00**
Vivre en plein air, P. Gingras, **4.00**
Voie du guerrier (La), M. di Villadorata, **4.00**
Voile (La), Nik Kebedgy, **5.00**

Ouvrages parus à
L'ACTUELLE
JEUNESSE

Echec au réseau meurtrier, R. White, **1.00**
Engrenage (L'), C. Numainville, **1.00**
Feuilles de thym et fleurs d'amour,
M. Jacob, **1.00**
Lady Sylvana, L. Morin, **1.00**
Moi ou la planète, C. Montpetit, **1.00**

Porte sur l'enfer, M. Vézina, **1.00**
Silences de la croix du Sud (Les),
D. Pilon, **1.00**
Terreur bleue (La), L. Gingras, **1.00**
Trou (Le), S. Chapdelaine, **1.00**
Une chance sur trois, S. Beauchamp, **1.00**
22,222 milles à l'heure, G. Gagnon, **1.00**

Ouvrages parus à
L'ACTUELLE

Aaron, Y. Thériault, **3.00**

Agaguk, Y. Thériault, **4.00**

Allocutaire (L'), G. Langlois, **2.50**
Bois pourri (Le), A. Maillet, **2.50**
Carnivores (Les), F. Moreau, **2.50**
Carré Saint-Louis, J.J. Richard, **3.00**
Centre-ville, J.-J. Richard, **3.00**
Chez les termites,
    M. Ouellette-Michalska, **3.00**
Cul-de-sac, Y. Thériault, **3.00**
D'un mur à l'autre, P.A. Bibeau, **2.50**
Danka, M. Godin, **3.00**
Débarque (La), R. Plante, **3.00**
Demi-civilisés (Les), J.C. Harvey, **3.00**
Dernier havre (Le), Y. Thériault, **3.00**
Domaine de Cassaubon (Le),
    G. Langlois, **3.00**
Dompteur d'ours (Le), Y. Thériault, **3.00**
Doux Mal (Le), A. Maillet, **3.00**
En hommage aux araignées, E. Rochon, **3.00**
Et puis tout est silence, C. Jasmin, **3.00**
Faites de beaux rêves, J. Poulin, **3.00**
Fille laide (La), Y. Thériault, **4.00**
Fréquences interdites, P.-A. Bibeau, **3.00**
Fuite immobile (La), G. Archambault, **3.00**

Jeu des saisons (Le),
    M. Ouellette-Michalska, **2.50**
Marche des grands cocus (La),
    R. Fournier, **3.00**
Monsieur Isaac, N. de Bellefeuille et
    G. Racette, **3.00**
Mourir en automne, C. de Cotret, **2.50**
N'Tsuk, Y. Thériault **3.00**
Neuf jours de haine, J.J. Richard, **3.00**
New Medea, M. Bosco, **3.00**
Ossature (L'), R. Morency, **3.00**
Outaragasipi (L'), C. Jasmin, **3.00**
Petite fleur du Vietnam (La),
    C. Gaumont, **3.00**
Pièges, J.J. Richard, **3.00**
Porte Silence, P.A. Bibeau, **2.50**
Requiem pour un père, F. Moreau, **2.50**
Scouine (La), A. Laberge, **3.00**
Tayaout, fils d'Agaguk, Y. Thériault, **3.00**
Tours de Babylone (Les), M. Gagnon, **3.00**
Vendeurs du Temple (Les), Y. Thériault, **3.00**
Visages de l'enfance (Les), D. Blondeau, **3.00**
Vogue (La), P. Jeancard, **3.00**

Ouvrages parus aux
PRESSES
LIBRES

Amour (L'), collaboration **7.00**
Amour humain (L'), R. Fournier, **2.00**
Anik, Gilan, **3.00**
Ariâme . . .Plage nue, P. Dudan, **3.00**
Assimilation pourquoi pas? (L'),
    L. Landry, **2.00**
Aventures sans retour, C.J. Gauvin, **3.00**
Bateau ivre (Le), M. Metthé, **2.50**
Cent Positions de l'amour (Les),
    H. Benson, **4.00**
Comment devenir vedette, J. Beaulne, **3.00**
Couple sensuel (Le), Dr L. Gendron, **3.00**
Démesure des Rois (La),
    P. Raymond-Pichette, **4.00**
Des Zéroquois aux Québécois,
    C. Falardeau, **2.00**
Emmanuelle à Rome, **5.00**
Exploits du Colonel Pipe (Les),
    R. Pradel, **3.00**
Femme au Québec (La),
    M. Barthe et M. Dolment, **3.00**
Franco-Fun Kébecwa, F. Letendre, **2.50**
Guide des caresses, P. Valinieff, **4.00**
Incommunicants (Les), L. Leblanc, **2.50**
Initiation à Menke Katz, A. Amprimoz, **1.50**
Joyeux Troubadours (Les), A. Rufiange, **2.00**
Ma cage de verre, M. Metthé, **2.50**

Maria de l'hospice, M. Grandbois, **2.00**
Menues, dodues, Gilan, **3.00**
Mes expériences autour du monde,
    R. Boisclair, **3.00**
Mine de rien, G. Lefebvre, **3.00**
Monde agricole (Le), J.C. Magnan, **3.50**
Négresse blonde aux yeux bridés (La),
    C. Falardeau, **2.00**
Niska, G. Robert, **12.00**
Paradis sexuel des aphrodisiaques (Le),
    M. Rouet, **4.00**
Plaidoyer pour la grève et la contestation,
    A. Beaudet, **2.00**
Positions +, J. Ray, **4.00**
Pour une éducation de qualité au Québec,
    C.H. Rondeau, **2.00**
Québec français ou Québec québécois,
    L. Landry, **3.00**
Rêve séparatiste (Le), L. Rochette, **2.00**
Sans soleil, M. D'Allaire, **4.00**
Séparatiste, non, 100 fois non!
    Comité Canada, **2.00**
Terre a une taille de guêpe (La),
    P. Dudan, **3.00**
Tocap, P. de Chevigny, **2.00**
Virilité et puissance sexuelle, M. Rouet, **4.00**
Voix de mes pensées (La), E. Limet, **2.50**

Books published by HABITEX

Aikido, M. di Villadorata, **3.95**
Blender recipes, J. Huot, **3.95**
Caring for your lawn, P. Pouliot, **4.95**
Cellulite, G .Léonard, **3.95**
Complete guide to judo (The), L. Arpin, **4.95**
Complete Woodsman (The),
  P. Provencher, **3.95**
Developping your photographs,
  A. Desilets, **4.95**
8/Super 8/16, A. Lafrance, **4.95**
Feeding your child, L. Lambert-Lagacé, **3.95**
Fondues and Flambes,
  S. and L. Lapointe, **2.50**
Gardening, P. Pouliot, **5.95**
Guide to Home Canning (A),
  Sister Berthe, **4.95**
Guide to Home Freezing (A),
  S. Lapointe, **3.95**
Guide to self-defense (A), L. Arpin, **3.95**
Help Yourself, L. Auger, **3.95**

Interpreting your Dreams, L. Stanké, **2.95**
Living is Selling, J.-M. Chaput, **3.95**
Mozart seen through 50 Masterpieces,
  P. Roussel, **6.95**
Music in Canada 1600-1800,
  B. Amtmann, **10.00**
Photo Guide, A. Desilets, **3.95**
Sailing, N. Kebedgy, **4.95**
Sansukai Karate, Y. Nanbu, **3.95**
"Social" Diseases, L. Gendron, **2.50**
Super 8 Cine Guide, A. Lafrance, **3.95**
Taking Photographs, A. Desilets, **4.95**
Techniques in Photography, A. Desilets, **5.95**
Understanding Medications, R. Poitevin, **2.95**
Visual Chess, H. Tranquille, **2.95**
Waiting for your child,
  Y. Pratte-Marchessault, **3.95**
Wine: A practical Guide for Canadians,
  P. Petel, **2.95**
Yoga and your Sexuality, S. Piuze and
  Dr. L. Gendron, **3.95**

Diffusion Europe

Belgique: 21, rue Defacqz — 1050 Bruxelles
France: 4, rue de Fleurus — 75006 Paris

CANADA	BELGIQUE	FRANCE
$ 2.00	100 FB	14 F
$ 2.50	125 FB	17,50 F
$ 3.00	150 FB	21 F
$ 3.50	175 FB	24,50 F
$ 4.00	200 FB	28 F
$ 5.00	250 FB	35 F
$ 6.00	300 FB	42 F
$ 7.00	350 FB	49 F
$ 8.00	400 FB	56 F
$ 9.00	450 FB	63 F
$10.00	500 FB	70 F